대마도가 한국땅인 증거 127

편저자 : 정 홍 기 (鄭洪基)

NODE MEDIA
노드 미디어

대마도가 한국땅인 증거 127

단기 4352(2019) 2월 20일 인쇄
    4352(2019) 3월 1일 출판

편 저 자 : 정 홍 기 박사
펴 낸 이 : 박 승 합
편   집 : 이 성 희
디 자 인 : 이 충 환

펴 낸 곳 : 노드미디어
주   소 : 서울시 용산구 한강대로 341 대한빌딩 206호
전   화 : 02-754-1867
팩   스 : 02-753-1867
이 메 일 : nodemedia@daum.net
홈페이지 : www.enodemedia.co.kr

등록번호 제302-2008-000043호
ISBN 978-89-8458-325-2 (03900)

가격 25,000원

일억 명 한민족 동포에게 告함

고구려는 단군조선 영토회복을 건국정신으로 정하고 잃어버린 영토 찾기를 위해 몸부림쳤다. 이를 다물사상(多勿思想)이라 한다.

"영토를 수호하라"는 고구려 광개토대왕의 특명이다. 그런데 일본은 임진왜란 7년 전쟁으로 조선 8도를 초토화시켰고, 당시 인구 절반이 살상당한 처참한 전쟁이었다. 일제 식민시대에는 우리의 역사를 해체하고 정신까지 파멸시켜 영구지배를 획책하였다.

해방 후 美-日 평화조약에도 명시되어 있듯 일본은 대마도까지 당연히 돌려주어야 하나 아직도 대마도를 불법 점거하고 있으며 독도까지 집적거리고 있다.

이는 한국을 얕보고 무시하는 처사로 민족적 분노를 느끼는 바이다.

저자는 대마도가 한국 땅인 증거 127가지를 제시하며 대마도 반환을 촉구하며 대마도 반환운동을 일으켜 국제재판소에 제소할 계획이다.

한국 5,000만 명, 북한 2,800만 명, 1,000만 국외 동포, 연해주, 중앙아시아의 고려인들까지 세계각처에 살고 있는 1억 명 동포 여러분!

긴 역사, 한민족은 단결하지 못했기 때문에 일본에 짓밟히고 당했던 것입니다.

그간 쌓였던 고통과 분노를, 저 간악한 일본을 응징합시다!

조상이 물려준 영토, 대마도를 찾읍시다.

대마도 반환운동 본부를 설치하오니 인터넷, 유튜브 등을 통하여 한민족 동포의 담합된 힘으로 반드시 대마도를 되찾을 것을 호소합니다.

단기 4352(2019). 3. 1.

편저자 정 홍 기

임진왜란의 명장 정기룡(鄭起龍) 장군의 전기〈영웅은 죽지 않는다〉의 저자인 정홍기(鄭洪基) 교수가 이번에 〈RETURN, DAEMADO to KOREA!, 영토를 수호하라〉는 제목의 책을 또 한권 저술하여 그의 나라사랑을 다시 크게 들어낸 그 정성에 경의를 표하고자 이 붓을 들었습니다.

일본이 독도를 일본 땅이라고 주장하고 나서는 이 한심스러운 현실을 앉아서 보고만 있을 수 없어서 그는 맞불 작전의 필요성을 직감하고 들고 일어난 셈입니다.

오늘 일본이 독도의 소유권을 운운하게 된 계기가 본디 역사적으로 볼 때 한국이 대마도를 챙기지 못한 사실에 있다고 믿고 저자는 격앙된 목소리로 일본을 향해, "대마도를 내놔라"고 외치고 있는 겁니다.

저자는 대마도가 한민족의 소유임을 입증하는 127가지의 증거를 제시합니다. 그리고 이승만 대통령의 대마도 반환요구는 아직도 유효하다고 주장합니다. 그는 민족의 생활의 기반인 영토의 소중함을 강조하면서 만주 땅에 펼쳐졌던 古조선의 옛 영토까지 되새기고 있습니다.

저자는 남북한은 물론 "한민족의 1억명 동포에게 告함"을 호소합니다. 정말 백두산 호랑이의 포효(咆哮)를 듣는 것 같습니다. 동포여! 이 우렁찬 깃발로 힘을 모읍시다.

저자 鄭洪基 교수의 애국충정에 경의를 표합니다.

연세대학교 명예교수

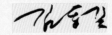

我國地形以白山爲頭
大嶺爲脊嶺南之對馬
湖南之耽羅爲兩趾

鈔海東地圖 乙巳仲秋 鄭洪基

'우리나라 지형은 백두산이 머리가 되고 태백산맥은 척추가 되며 영남의 대마도와 호남의 탐라를 양발로 삼는다.'는 해동도 기록을 저자 정홍기가 쓴 서예품이다. (증거70 참조)

74세의 고령의 면암 최익현은 일본군의 명령을 받아들이지 않고, 적의 더러운 음식을 먹지 않고 버티다 단식으로 절명하였다.

이즈하라 시내 슈젠지(修善寺)로 절문을 들어서면서 뜰 오른쪽에 구한말 유학자 면암 최익현 선생(1833~1906)의 비가 있다. 2m 정도의 높이의 순국기념비에 「대한인 최익현 순국비」라는 글자가 새겨져 있다.

저자는 이 책을 쓰기 전에 대마도를 방문하여 최익현 선생 순국비에 통곡하며 이 책을 쓰기로 했다.

신라의 혼이 살아 숨쉬는 박제상위령비

덕혜옹주 결혼기념비 : 조선국 고종황제의 딸과 결혼한 것을 자랑하기 위해 당시 대마도주가 세운碑, 조선망국의 한을 안고 일본에 끌려갔다가 그 뒤 대마도주와 강제 결혼하여 폐인이 된 슬픈 역사를 말해주고 있다.

고려문 : 조선국의 외교, 문화사절단을 영접하여 맞이하던 곳을 기념하기 위해 세운 기념문

1748년 일본을 방문한 조선통신사 행렬도

발간사

격려사

제1장
대마도가 한국땅인 증거 127

목 차

제2장
국제적 영토분쟁과 영토회담

제7장
대마도를 반환하고 피해보상하라

제8장
한국이 해결해야 할 영토문제

부 록

그림 목차

제1장

대마도가 한국땅인 증거 127

대마도가 한국땅인 증거 127

1. 지리적, 생물학적, 자연적, 문화적 증거

증거 1(위치) : 대마도(對馬島)는 한국 부산에서 49.5km 거리이나 일본 쿠슈(九州)와는 147km로 약 3곱 정도 멀리 떨어져 있다. 그러므로 "섬(도서)은 원칙적으로 가까운 나라의 땅이다"라는 자연법적 기본원칙에 따라 대마도(對馬島)는 한국의 연안섬으로 한국의 영토(領土)이다.

대마도는 맑은 날 부산과 대마도(對馬島)가 서로 보이는 가까운 거리이며, 부산의 야경이 절경을 이룰 정도로 가깝다. 동래(東萊), 통영(統營), 거제(巨濟)에서도 닭 울고, 개 짖는 소리가 들리며, 사찰에서 새벽 종소리가 서로 들리는 곳이다.

교통이 불편했던 옛날부터 부산에서 저녁밥 먹고, 마을 한 바퀴 돌아오듯 배타고 잠시 갔다 오던 평화로운 "한동네 생활권"이었다.

① 대마도(對馬島)는 부산이나 거제도(巨濟島)에서 육안으로 관측이 가능하고, 우리 어부들이 고기 잡던 우리땅, 우리 섬이었다.

② 원시시대부터 섬은 가까운 나라의 소유였다.

③ 313km나 떨어져 있는 제주도(濟州島)가 한국땅인데 50km도
안되는 대마도(對馬島)는 당연히 한국땅인 것이다.

이러한 평화로웠던 남의 땅을 불법점거하고는 반성하고 반환하
기는 커녕, 거꾸로 떼쓰며 큰소리치는 者는 누구이며, 그들의 양심
은 어디에 있는가?

**증거 2(명칭) : 한국 「삼국사기(三國史記)」[1]에 대마도(對馬島)란 명
칭이 나온다. 「일본서기(日本書紀)」[2]에는 대마도(對馬島), 대
마주(對馬州), 대마국(對馬國) 등으로 기록되어 있는데 이것은
일본도 마한의 땅, 조선의 땅으로 확실히 인정한 증거이다.**

원래 對馬란 지명은 3세기경의 중국 기록인 『위지왜인전(魏志倭
人傳)』에 나타나는 것으로 볼 때 아주 오래 전부터 사용되어 오던
명칭임을 짐작할 수 있다. 그것의 어원에 대해서는 몇가지 설이 있
으나, 대개 다음과 같은 두가지 설이 대표적인 어원으로 꼽히고 있
다. 첫째는 배를 정박하는 항구의 섬이라는 의미에서 비롯된 말이
다. 그 이유는 항구, 선착장, 나루터라는 의미의 일본어가 "쯔(津)"
이고, "시마(島)"가 섬을 나타내는 말이기 때문이다. 그래서 대마도
를 『일본서기(日本書紀)』에서는 진도(津島)라고 표기한 곳도 있다.

---

1) 삼국사기(三國史記) : 고려시대 김부식(金富軾) 등이 기전체(紀傳體)로 편찬한
삼국의 역사서이다.
2) 일본서기(日本書紀) : 니혼쇼키(Nihon shoki)라고 발음하는 《일본 서기》는 《고
사기(古事記)》와 함께 일본에서 가장 오래된 역사서로 신화시대부터 697년까
지를 기록하고 있으며, 일본에 끼친 중국 문명의 영향을 반영하고 있다.

둘째는 한국어로 두 개의 섬이라는 의미에서 비롯되었다는 설이다. 이것은 백제의 무령왕릉이 발굴되었을 때 묘비에 그를 "사마왕(斯麻王)"으로 기록하고 있는 것과 관련시켜 해석하는 것에서 비롯된 것이다.3)

만약 '두 개의 섬'을 일본어로 한다면 '니시마'가 되어야 하나 '니시마'라는 명칭은 일본이 사용하지 않기 때문이다.

또 이를 뒷받침 해 주는 양심적인 일본학자 사문의당(沙門義堂)도, 그의 저서 『일용공부약집』에서 對馬는 馬韓에 마주 對하고 있다는 의미라고 했는데,4) 이는 마한과 마주 대하고 있는 가시거리에 마한 사람들이 살고 있었기 때문에 지명에 점착성(粘着性)과 연고성(緣故性)에 의하여 對馬島가 되었다고 본다. 또 한 가지를 덧붙이면 고대에 지명에 이름을 붙일 때, 그 모양새가 주변의 동물과 비슷한 형상을 지명으로 사용했다. 예를 들면, 용머리처럼 생긴 바위는 용두암(龍頭岩), 사자모양의 산봉우리는 사자봉(獅子峰), 길고 뱀처럼 긴 섬은 장사도(長蛇島), 馬의 귀처럼 생긴 산은 마이산(馬耳山)이라고 명명했다. 대마도 이즈하라에도 거북(龜)이 서 있는 모양의 바위를 설 입(立)자와 거북 구(龜)자를 써서 타테카미(立龜)라고 명명했다. 상대마정의 오오우라(大浦)는 포구(浦口)가 크기 때문에 붙인 지명이고, 시타자키(舌埼)는 바다로 쭉 내민 곶(串)이 혀(舌) 모양 같다고 하여 붙인 지명이고, 코처럼 길게 튀어나온 곶(串)또한 장기비(長埼鼻, 나가사키곶)라고 읽는다. 이때

---

3) 영류구혜(永留久惠)(1982). 『대마의역사탐방(對馬の歷史探訪)』. 빈옥서점.
4) 대마도(對馬島)란 옛날 한민족 마한(馬韓)과 마주보는(對) 마한땅의 섬이란 뜻이다.

'나가사키곶' 할 때 곶은 한국의 간절 곶(串)할 때와 발음이 같다. 이 또한 대마도란 명칭을 한반도에서 작명한 것 이란 증거 중의 하나가 된다.[5]

증거 3(인종) : 일본인은 원래 남방계통의 왜인(深處倭)[6]이며, 대마도인은 한반도(韓半島)에서 건너간 도래인(渡來人)이었다. 일본왜는 대마왜(對馬倭)를 야만시 하였고, 무시하고 차별하였다. 이것은 일본이 대마도(對馬島)는 자기네 땅이 아니며, 동족(同族)도 아니라고 스스로 인정한 것이다.[7]

대마도인은 원래 한반도에서 건너간 사람들이기 때문에 키가 크고, 체구가 큰 사람들이었으나 대마도(對馬島) 지형이 척박하고, 농사지을 땅이 부족한 결과 식량이 부족하고 영양이 부족하여 체구가 왜소하게 되었던 것이다.

이것을 대마왜(對馬倭)라고 하는데 일본왜와는 종족이 다르다.

증거 4(몽고반점, 蒙古斑點) : 주로 한민족, 몽골일부 등 三神문화권 아이 출생시 허리하부, 둔부 등에 찍혀 있는 청회색의 반점

---

5) 황백현(2008). 『대마도 총람』. p.14.
6) 일본 사람을 낮잡아 이르는 말이다.
7) 1763년 영조 3년(1763년) 일본통신사 서기 원중거(元重擧)의 기록 : "대마도는 일본과는 전혀 다른 체제다. 일본인들은 대마도인을 항상 오랑캐(蠻夷)라고 부르며 사람 축에 끼워주지도 않았다"고 했다. 이 같은 지적은 대마도가 조선의 부속도이며, 일본과는 본질적으로 다르다는 대마구분의식 및 체제가 확고하다는 뜻이다.

을 말한다. 한민족은 「삼신할머니 반점」이라 부르며, 조상신이 후손을 태어나게 해준 은덕으로 생각하고, 아이 출생시 삼신상(三神床)」을 차리고 촛불을 밝혀 "총명과 무병장수"를 기원하는 풍습이 전해 내려오고 있다. 1883년 일본 황실의사였던 독일인 어윈 발츠(Erwin Bälz)가 서양학계에 논문 발표함으로써 처음으로 알려지게 되었다.[8]

증거 5(혈액) : 한국인과 일본인은 혈액체계가 다르지만 대마도인은 한국과 동일하다.

1978년 일본 후생성은 "대마도인 HB항원분포도"를 발표했는데 여기에서 대마도인은 adr형으로 한국인과 100% 일치한다고 밝혔다. 이와 같이 대마도인은 한국인과 핏줄이 같은 동족으로 일본 스스로 입증하였다.

증거 6(고구려 조랑말 목장) : 대마도(對馬島) 조랑말은 대마도(對馬

---

8) 몽고반점(蒙古斑點) : 한국문화사 학자인 정홍기(鄭洪基) 저자는
  ① 몽고반점 대신 "삼신반점, 조선반점, 또는 한반(韓班)"으로 고쳐 부를 것을 주장한다.
  ② 왜냐하면 삼신(三神)은 한민족 개천시조인 환인천제, 환웅천황, 단군왕검을 말하며, 선사시대부터 요동벌판, 만주벌판의 광활한 지역을 국토로 삼아 민족기상을 키워왔으며, 이 지구상에 한민족에게만 있는 한민족 혈통을 가리는 특유의 DNA이기 때문이다.
  ③ 1880년경 일본 황실 의사들은 조선이 세계에 알려지는 것을 싫어하여 한민족 곁에 살아 극히 일부에 나타났던 몽고라는 명칭을 끼워 넣었던 것이다.
  ④ 저자는 외국 것만 배우려는 학생들의 모습을 비판하며 「제얼」을 갖고 「제것」을 연구하는 「문화자주권」을 강조한다.

島)가 고구려(高句麗) 말목장이었기 때문에 제주도 조랑말과
혈통, 체형이 똑같다.

이 말은 거친 사료를 잘먹고, 오르베기질 힘이 강해 전쟁 당시
큰 활약을 하였다. 당시 고구려(高句麗) 광개토대왕(廣開土大王)은
제주도(濟州島)와 대마도(對馬島)에 군사용 말을 대량사육하여 앞
으로의 전쟁에 대비했다.[9] 그 중 제주도와 대마도가 해충에도 강
하게 성장하는 말을 집중 사육시키기 위해 이곳을 선택했던 것이다.
대마도 및 제주 조랑말은 원래 체구가 큰 고구려 말이었는데, 사
나운 자연환경에 의해 조랑말로 왜소화되었다. 이 기록은 일본의
대주편년략(對州編年略), 중국의 위지동이전 고구려조(高句麗條))
에도 기록되어 있다.

증거 7(식생분포) : 대마도(對馬島)에 서식하는 이끼류, 식물의 식생 (植生)은 일본과는 다르나 한반도(韓半島)와는 동일하다.

대마도(對馬島)안에 서식하는 야생초, 야생화, 나무, 이끼류 등은
한반도(韓半島)의 식생(植生)과 같고, 이팝나무 등 몇가지의 수종
(樹種)은 일본 본토에는 없으나 한반도(韓半島)의 나무, 들풀들이
똑같이 분포되어 있다.
대마도(對馬島)는 후박나무, 메밀잣밤, 팔손이, 삼나무 등의 열대
푸른 사철나무 군락이 언제나 섬을 뒤덮고, 사방에서 불어오는 해
풍에 춤을 추는 고도의 낭만이 서려 있는 섬이다. 대마도(對馬島)

---

9) 광개토왕비문 삼국지 위지 동이전 고구려편 기록.

문화의 텃밭이 되는 것은 바로 조선(朝鮮)의 문화유산이다.

**증거 8(동물분포) : 대마도(對馬島)에 서식하는 동물 분포(分布), 상
태 등은 일본 본토와는 다르나 한반도(韓半島)와는 동일하다.**

대마도(對馬島)에 서식하는 꿩은 한반도(韓半島)의 꿩과 똑같아
신라꿩, 고려꿩으로 부르며, 고라니, 오소리 등 야생동물과 곤충에
이르기까지 한반도의 종류와 똑같은 것이다.

대마도(對馬島)의 생물들은 대륙계통의 것이 많은데, 동물류에서
도 산고양이, 대마도 단비, 대마 사슴, 고려꿩 등 일본열도에서는
볼 수 없는 것들이 서식하고 있는데 이것은 일본에 있는 일기도(壹
岐島)에도 없는 것들이다.

이 같은 식생과 동물분포 증거들은 대마도가 한반도에 딸린 연안
섬으로 한국 영토임을 분명히 입증하는 자연적 증거이다.

**증거 9(5일장) : 5일장은 한민족의 오랜 생활습관으로 일본에는 없
는데 대마도(對馬島)에는 신라시대부터 오늘날까지 5일장이
열리고 있다.**

**증거 10(풍속과 습관) : 대마도인은 풍속, 생활습관, 농사법, 의식구
조, 사고방식, 감성, 문화 등이 일본과는 다르고 한국과 비슷하다.**

현재는 대마도가 개발바람이 불어 많이 변하였지만 그전에는 대
마도(對馬島)는 한국의 삶의 방식과 비슷하여 이같은 사실을 금방

확인할 수 있었다. 즉, 가옥구조, 온돌, 농사법, 사냥법, 낚시법, 어업, 풍속, 놀이 등 생활방식이 비슷하였다. 언어면에서도 아리랑, 김치, 지게, 떡, 쌀, 총각 등 중요생활어를 한국말 그대로 사용하고 있다.

한총은 한국총각, 삿총은 삿뽀로 총각을 의미한다. 그 외 유적, 유물, 민요, 노래, 풍속, 문학작품, 놀이 등이 한국의 정서와 감성을 그대로 유지하고 있는 점에서 그 증거가 된다.

증거 11(문화와 정서) : 대마도는 문화와 인문 지리적 내용(부산에서 45km)에서 섬안의 언어, 의복, 생활습관이 바로 한국의 전통 및 정서와 같다.

아리랑 축제, 조선도래인의 정착내용(무덤 165.5cm), 이즈하라는 한국문화의 박물관, 쓰쓰의 미인촌, 일본 최고의 '다카미무스비노가미'의 원산지, 미사흔(未斯欣)을 탈출시킨 박제상, 최익현옹의 순사지 등 그 민족의 생활습관 속에서 파생된 모든 사상(事像)의 총체가 문화이기에 지금도 낮 12시에 들려오는 엄원의 아리랑 노래, 나의 살던 고향은 꽃피는 산골, 무궁화의 애절한 실향민의 노래가 뼈를 녹일 듯 오늘날에도 전수되어 불리워 지고 있는 것은 바로 이곳의 문화가 조선에서 그대로 전수되었기 때문이다.

증거 12(성씨) : 대마도에 사용되고 있는 한국 성씨로 〈부산 · 釜山: 가마야마〉, 〈부옥 · 釜屋: 부산댁: 가마야〉, 〈황산: 黃山: 끼야마〉, 〈조처: 朝妻; 아사쯔마〉, 〈권등(權藤): 곤토〉, 金씨의 후손으로는 〈김산: 金山: 카네야마〉, 〈김본: 金本: 가네모토〉, 〈김자: 金子: 카네꼬〉 등은 모두 한국계 성씨다.

한국식 〈성+이름〉 3자와 일본식 〈성+이름〉 4자가 복합해서 만들어진 대마도만의 독특한 문화융합이라고 볼 수 있다. 특히 황산(黃山)씨는 일본 본토에는 전혀 없는 성씨이다.[10] 일본 평민이 성씨를 갖게 된 시기는 명치유신 이후로 세금부과와 군대 징집을 위해 정확한 인구를 알기 위해서 성씨를 부여하였는데 당시 일본 본토에 없는 성씨가 현존하는 것은 한국에서 건너간 한국 도래성씨가 오늘날 까지 이어져 살았기 때문이다.

일본에는 A마을과 B 마을 간에 같은 성씨를 가진 사람들이 많아도 한국처럼 일가친척이 아니다. 일본은 지금도 〈성씨〉를 바꾸기가 아주 쉽다. 현재 일본의 성씨는 20만개 정도 된다.

증거 13(빗살무늬 토기) : 대마도(對馬島)에서 가장 오래된 유적인 '아소만'만의 북쪽 해안에 있는 '누가시' 유적과 '가토(加膝)'유적에서의 빗살문양토기 발견으로 한국 선조 후예임을 입증시켜 주었다.

이 두 유적에서 승문 시대 중기에서 후기에 걸쳐 사용되었던 석기와 토기가 나왔다. 그리고 누가시의 유적에서 한국 신석기 전기경에 사용했던 빗살문양의 토기가 발견되었고, 또한 해저 가토 유적에서는 땅 밑으로 1.5m나 되는 승문시대 중기층에서 한국 빗살

---

10) 황백현(2008). 『대마도 총람』. p.42 재인용.

문양의 토기가 발굴되었다.

이 시대의 유물은 일본열도에서 보다는 훨씬 이른 시기의 유물임이 밝혀졌다. 물론 이런 종류의 토기는 한국의 조상들이 그곳에 삶의 텃밭을 일군 증거들이다. 신석기시대에 한국 조상들이 벌써 쿠슈나 일본열도 곳곳에 왕래하며 살았고, 특히 김해 근방의 가야 사람들이 해류를 타고 대마도(對馬島) 서북쪽으로 흘러 들어가기가 쉬웠다는 것은 이미 고증된 바 있다.

또한 BC 8000년, 대마도(對馬島) 월고(越高, 코시타가)에 한반도(韓半島) 융기무늬 토기전재 및 유적이 있었으며, AD 3-4세기에는 대마도(對馬島) 계지(鷄知, 게치)에 한반도(韓半島)의 무늬없는 토기가 전래된 유적이 발견되었다.

이같은 각종 문화유적과 유물들을 보면, 승문시대와 미생문화를 거쳐 고분시대의 무덤과 신사(神社), 가야유물, 삼국시대의 유적 및 고려·조선의 문화가 계통적으로 섬 전체를 은은하게 덮고 있다. 이같이 대마도(對馬島)는 선사시대부터 한국땅이며, 고조선, 삼국시대, 고려, 조선을 거쳐 지배해온 한국의 영토인 것이다.

증거 14(골격) : 대마도인은 일본인과 골격이 다르지만 한국인과는 동일하다.

서기 1955년 일본 나가사키 의과대학에서 장기현(長崎縣) 각 지역 4만 명의 골격을 조사한 결과 대마도 인은 일본인보다 골격이 큰 대륙계인 한반도 계통이었다. 안중정재 교수(安中正栽 敎授)가 서기 1950년(昭和25년)부터 6년 동안 나가사키 현 전 지역 성인 4

만 명의 신장·체중·얼굴(身長·體重·顔) 등의 생체 계측(生體計測) 결과를 발표했다. 신장은 대마도 인들이 가장 크고, 얼굴형은 대마도 니위(仁位;토요타마정;豊玉町) 지방인들이 가장 길고 크며, 머리형은 대마도인이 단두(短頭)로서 대륙계 즉, 한국계에 가깝다고 밝혔다.[11]

그리고 이곳 대마도(對馬島)에 묻혀 있는 사람들이 평균 신장이 일본의 원주민보다 월등히 컸다(원주민 155.7cm, 도래인 165.6cm)는 사실은 바로 대마도인의 섬주민은 한국의 선조였고 그 후에도 한국 민족으로 구성되었음을 증명한다.

증거 15(토질) : 대마도 토질은 인근 거제도나 통영지역 토질과 동일하고 흙의 입자구조(粒子)도 동일하다.

증거 16(지형과 산세) : 대마도는 한반도 남부지역의 산세(山勢), 지형, 수목상태와 같다.

증거 17(화산과 온천) : 일본은 화산과 온천이 많으나 대마도는 지진판(板)이 일본과 달라 조용하며, 화산이 없는 한반도 지진대와 같다.

이상 제1장 1절에서 보았듯이 대마도에 대한 역사 지리에서부터 생물학적 측면까지 분석하였다. 대마도는 한국과 "땅도 같고, 피부도 같고, 뼈까지 같다."

---

11) 日本 長崎大 의과대학

2. 한국의 역사기록 증거

증거 18(한단고기) : 『한단고기』 고구려편에 임나(任那)는 본래 대마도의 서북 이름에 있는 나라로, 북쪽은 바다로 막히고 국미성(國尾城)[12]에 치소(治所)가 있었다.[13] 동쪽과 서쪽에 각각 마을이 있어서 조공하기도 하고 배반하기도 하여, 그 후 대마 두 섬(상도·하도)이 드디어 임나에 지배되었으므로 그때부터 임나를 대마라고 일컬었다.[14]

'한단(桓檀)'은 우리의 근원이 천신족이고 하나의 혈통으로 이어져 왔기에 한단이라 표기한다. 한단은 환인, 환웅, 단군왕조를 총칭하여 부른 이름을 말한다.

『한단고기』는 1911년 국운이 암울할 시기 운초(雲樵) 계연수(桂延壽)가 한 권의 책으로 묶은 것으로 신라의 안함로(安含老)가 쓴 『삼성기(三聖記)』와 고려 공민왕 때 원동중(元董仲)의 『삼성기』, 고려말 이암(李嵒)의 『단군세기(檀君世紀)』, 조선 숙종 때의 『규원사화』 및 중종 때 찬수관으로 있었던 이맥(李陌)의 『태백일사(太白逸史)』, 고려 공민왕 때 범장(帆樟)의 『북부여기』 등이 종합되어 있다. 이 책은 『삼국사기』, 『삼국유사』, 『조선왕조실록』에서도 확인할 수 있으며, 한단의 시대가 신화와 전설로 얽힌 내용이 아니라 그 시대가 실존했다는 것을 입증하는 중요한 사서이다.

---

12) 국미(國尾)는 하대마도에 소재한 목판(木坂, 즉 계지가라)을 의미함. 구지명은 목판, 신지명은 계지(鷄知, 임나가라가 있었던 곳)라 했다.

13) 任那者 本在對馬島西北界 北阻海有治曰國尾城

14) 東西各有墟落 或貢或叛 後 對馬二島遂爲任那所制故 自是任那 乃對馬全稱也

『한단고기』는 한국 역사가 반도사관에 정착된 것이 아니라, 마한·변한·진한·낙랑·대방들은 만주와 북중국, 나아가 양쯔강 이남지방까지 확대되었음을 생생한 기록으로 전하고 있다.

증거 19(단군고사, 한단고기) : 예로부터 구주와 대마는 곧 삼한에서 나누어 다스린 땅으로, 본래 왜인이 대대로 사는 지역이 아니었으며, 임나가 또 나뉘어 삼가라가 되었다.[15] 이것이 "대마도의 삼한(三韓) 분국(分國)"이다.

소위 가라라 함은 그 지방에서 중심되는 마을을 일컬음이었다.[16] 이때부터 이곳 삼한이 서로 다투어 오래도록 화해하지 않았는데, 좌호가라는 신라에 속하고, 인위가라는 고구려, 계지가라는 백제에 속하였다 함이 이것이다.[17]

증거 20(태백일사) : 대마도는 마한의 땅으로 대마두섬(對馬二島)으로 되어 있다. 또한 한단고기, 단군고사의 내용도 같이 기록되어 있다.

---

15) 대마도에 있었던 삼한(三韓)의 분국설을 가리킨다. 이것은 한반도 내의 삼한과 구분하기 위해서 三汗으로 표기한 것으로 바로 삼가라를 말한다. 여기서 삼가라(三加羅)는 좌호(佐護)가라는 신라에 속하고, 인위(仁位)가라는 고구려에 속하며, 계지(鷄知)가라는 백제에 속한다.

16) 自告 仇州對馬 乃三韓分治之地也 本非倭人世居地 任那任那又分爲三加羅 所謂加羅者首邑指稱也

17) 自是 三韓相爭 歲久不解 佐護加羅 屬新羅 仁位加羅 屬高句麗 鷄知加羅 屬百濟 是也

『한단고기』태백일사 삼한관경본기(三韓管境本記)에 의하면, "먼 옛날 마한(馬韓) 지역에서 건너간 이주민들이 대마도·일기도 지역에서 살고 있었다. 이 때문에 이들 지역은 마한의 지배를 받았다."고 한다. 이때 소잔명존은 아들 오십맹신을 데리고 신라국(규슈 내에 있는 拷衾新羅: 고금신라)에 내려서 소시모리라는 곳에 있었다. 그리고 "이 땅은 내가 살고 싶지 않다"라고 말하며 진흙으로 배를 만들어 동쪽으로 가 이즈모(出雲)의 파천상류에 있는 조상봉으로 갔다.[18]

위의 신라국은『일본서기』중애천황 8년 9월조에 나오는 고금신라 및 출운풍토기의 국인신화(國引神話)의 고금신라와 같은 곳으로, 규슈에는 도래인이 세운 신라소국이 많았음을 알 수 있다. 이때 소잔명존이 일본의 이즈모로 이주한 것은 옛날 왕검조선 때 대마도·일기도와 규슈 등이 마한의 관경 속에 속하여 있었기 때문이다. 이상에서 서술한 내용들은 대마도를 중심으로 한 일기도와 규슈지방이 왕검조선 때부터 우리 민족이 이주하여 통치했다는 실증적 자료다.

증거 21(고구려본기) : 태백일사 대진국(大震國) 본기에는 옛날 일본에 있던 이국(伊國)을 이세(伊勢)라고도 하고 왜와 더불어 한 이웃이었으며, 이도국(伊都國)은 축자(筑紫)에 있었는데 이 또한 곧 일향국(日向國)이다. 이때부터 이동(以東)은 왜에 속하고, 그 남동은 아라(安羅)에 속했는데, 아라에는 본래 졸본사람들이 살았다.

---

18)『일본서기』신대 상8단.

『한단고기』제4장 태백일사 고구려 본기에는 다음과 같이 대마도, 말로국, 일기도, 축자국에 관한 중요한 기사가 있다. 북쪽에 아소산이 있고, 아라는 후에 임나로 편입되어 고구려와 더불어 이전부터 이미 화친을 맺었다.

구주(九州) 송포(松浦)에 있었던 말로국(末盧國)의 남쪽은 대우국(大隅國)이라 하는데, 시라군(始羅郡: 남쪽에 지금도 都城이 있음)은 본래 남옥저(지금의 중국 大連항 부근에 있었던 나라) 사람들이 모여 살았다. 그때 왜인들이 나뉘어 산과 섬에 의지하여 제각기 백여 나라들이 있었는데, 그 가운데 구야한국(狗邪韓國: 대마에 있었던 가야분국)이 가장 컸으며, 이곳은 본래 구야본국 사람들이 다스렸다.

바다를 통해 장사하는 배들이 모두 종도(種島)에 모여 교역을 하였는데, 오부터 독자적인 연호를 사용하고 있었는데, 이는 백제가 일본열도의 왜에 대한 종주권을 상실한 후부터 구주왜가 백제나 대화왜의 정부로부터 독립하여 독자적인 정부를 세우고 있었다는 것을 뜻한다.[19]

증거 22(대진국 본기) : 태백일사 대진국 본기에 수록된 대왜(大倭) 관계를 보면 혹자는 말하기를 대진국의 의려왕이 선비에게 패하여 바다로 들어가 돌아오지 않았고, 아들들이 도망하여 북옥저를 지키다가 이듬해에 아들 의라가 즉위하였는데, 이 뒤로부터 모용외가 또 다시 나라 사람들을 노략질하므로 의라가 무리

---

19) 이상이 『한단고기』 고구려편에 수록된 대마도 왜의 전말을 요약한 내용이다.

수천을 거느리고 바다를 건너 드디어 왜인들을 평정하고 임금 이 되었다.20)

옛날 일본에 있던 이국을 이세라고도 하였는데, 왜와 더불어 한 이웃이었으며, 이도국은 축자에 있었는데 이 또한 곧 일향국이었 다.21) 이때부터 이동은 왜에 속하고 그 남동은 아라에 속했는데, 아라에는 본래 졸본사람들이 살았다.22)

북쪽에는 아소산이 있고, 아라는 후에 임나로 편입되었는데, 고 구려와 더불어 이미 이전부터 화친하였다.23) 말로국(기타큐슈의 해안지방)의 남쪽은 대우국이라 하였고, 거기에 신라군(郡)이 있으 며, 본래 남옥저 사람들이 모인 곳이었다.24) 그때 왜인들이 나뉘 어 산과 섬에 의지하여 제각기 백여 나라가 있었는데, 그 가운데 구야한국이 가장 컸고, 본래 구야(가야)본국 사람들이 도래하여 다 스렸다.25)

바다를 통해 장사하는 배들이 모두 대마도(목출도: 일본서기』)에 모여 교역하였고, 오·위·만·월의 배들이 통하게 되었다.26) 비로 소 천여 리나 되는 바닷길을 한 차례 건너서 대마국에 이르니 사방 이 4백여 리나 되었다.27) 또 천여 리의 바닷길을 한 차례 건너서

---

20) 或云依盧王 爲鮮卑所敗 逃入海而不還 子弟 走保北沃沮 明年 子依羅立 自後慕 容廆 又復侵掠國人 依羅 率衆數千越海遂定倭人爲王
21) 日本 舊有伊國 亦曰伊勢 與倭同隣 伊都國 在筑紫 亦卽日向國也
22) 自是以東 屬於倭 其南東 屬於安羅 本忽本人也
23) 北有阿蘇山 安羅 後入任那 與高句麗早己定親
24) 本盧國之南曰大隅國 有始羅郡 本南沃沮人所聚
25) 時 倭人 分據山島 各有百有餘國 其中拘耶韓國最大 本拘耶本國人所治也
26) 海商船舶 皆會於種島而交易吳魏蠻越之屬皆通焉
27) 始度一海千餘里 至對馬國 方可四百餘里

일기국에 이르니 사방이 3백여리쯤 되며, 본래 사이기국인데 자다의 여러 섬 사람들이 모두 조공하였다(조선소국).[28) 또 천여 리의 바닷길을 한 차례 건너서 말로국(일기도와 후쿠와 사이섬: 기타큐슈의 연안국)에 이르니 본래 읍루 사람들이 모인 곳이었다.[29) 동남의 육지로 5백리를 가서 이도국에 이르니 곧 반여언의 옛 고을이었다.[30)

증거 23(광개토왕비문) : "고구려 광개토대왕의 명령없이 대마도의 재산, 말1필을 반출하지 못했다"고 비문에 기록되어 있다.[31)

광개토대왕의 명령없이는 말1필도 반출 못했다는 기록을 봐서 고구려 영토가 분명하다.

증거 24(대마도 종씨 시조) : 현덕왕 9년(817)에 아비류(阿比留)가 적을 토벌하고 대마도에 정착했다. 즉, 고동 33년(1246) 유종

---

28) 又渡一海千餘里 至一岐國 方可三百理 本斯爾岐國也 子多諸島 皆貢焉
29) 又渡一海千餘里 至末盧國 本相婁人所聚也
30) 東南陸行五百里 至伊都國 乃盤余彦古邑也 이상의 내용에서 대진국과 왜와의 교류를 살펴보면,『한단고기』에는『일본서기』가 지통왕(持統王)을 마지막으로 끝난(697년) 다음해에 발해가 건국되었다고 기록되어 있다.
31) 광개토왕비문 삼국지 위지 동이전 고구려편 기록.
   〈高句麗〉在〈遼東〉之東千里, 南與〈朝鮮〉·〈濊貊〉, 東與〈沃沮〉, 北與〈夫餘〉接. 都於〈丸都〉之下, 方可二千里, 戶三萬. 多大山深谷, 無原澤. 隨山谷以爲居, 食澗水. 無良田, 雖力佃作, 不足以實口腹. 其俗節食, 好治宮室, 於所居之左右立大屋, 祭鬼神, 又祀靈星·社稷. 其人性凶急, 喜寇. 其國有王, 其官有相加·對盧·沛者·古雛加·主簿·優台丞·使者·衣先人, 尊卑各有等級. 東夷舊語以爲〈夫餘〉別種, 言語諸事, 多與〈夫餘〉同, 其性氣衣服有異. 本有五族, 有〈涓奴部〉·〈絶奴部〉·〈順奴部〉·〈灌奴部〉·〈桂婁部〉. 本〈涓奴部〉爲王, 稍微弱, 今〈桂婁部〉代之.…

중상(惟宗重尙)이 아비류씨를 토벌하고 대마의 지두대관(池頭代官)이 됨으로써 대마도 종씨의 시조가 되었다.

태상왕이었던 태종이 세종 때 대마도 정벌을 하기 전에 군사들에게 내린 교유문에서 대마는 섬으로서 경상도의 계림에 예속되었던바, 본시 한국 땅이라는 것이 문적(門籍: 서적, 기록)에 실려 있어 확실하게 상고할 수 있다. 다만 그 땅이 매우 작고 또 바다 가운데 있어서 왕래함이 막혀 백성들이 살지 않았을 뿐이다. 이에 왜놈으로서 그 나라에서 쫓겨나 갈 곳 없는 자들이 몰려와 모여 살며 소굴을 이루었던 것이다.

1617년 통신사 이경직(李景稷)이 자신들(통신사 일행)을 수행하던 대마도의 에도 막부(江戶幕府) 장군의 측근이 대마도 고위관리에게 한 말을 듣고 "너희 섬(대마도)은 조선 지방이니 마땅히 조선 일에 힘을 내야 한다"고 한 내용에서 알 수 있듯이 이 당시의 대마도는 조선 땅이었음을 당연시 했다.

대마도시조는 한국 송(宋)씨

■ 송씨(宋氏)가 → 초대 도주 종중상(宗重尚)

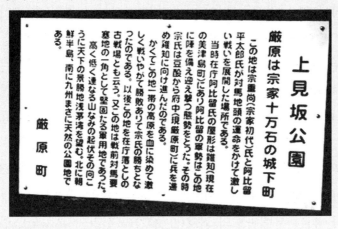

증거 25(3가라) : 예로부터 규슈와 대마도는 곧 삼한(三韓)에서 나누어 다스린 땅으로 본래 왜인이 사는 지역이 아니었으며, 임나(任那)가 또 나뉘어 삼가라가 되었는데, 소위 가라란 그 지방에서 중심되는 마을을 일컫는다.[32] 임나는 대마도에 있었던 우리나라의 명칭이며, 동과 서에 마을들이 있어 치소(治所)가 있고 조공하기도 하며 배반하기도 하였는데, 그 후 대마도섬이 드디어 임나에 지배되었으므로 그때부터 모두 임나를 대마라고 일컬었다.[33]

---

32) 좌호가라는 신라, 인위가라는 고려, 계지가라는 백제이다:『한단고기』고구려편. 이병선 저『임나국과대마도』, 문정찬 저『일본상고사』

33) 東西各有壚落 或貢或叛 後 對馬二島 遂爲任那所制故 自是任那 乃對馬全稱也:

임나는 본래 대마도의 서북 어름에 있었는데 북쪽은 바다로 막히고 국미성에 치소가 있었다.[34] 영락 10년에 세 가라(대마도)가 모두 고구려에 구속되었고 이로부터 바다와 육지의 모든 왜가 임나에 통합되어 열 나라로 나뉘어 다스리니 이름하여 연정(聯政)이라 하였다.[35] 이들 연정(대마도·일기도·말로국·규슈·세도연안·야마토왜)은 고구려에 직할되어 열제(광개토대왕)의 명령 없이는 제멋대로 행할 수 없었다(400~479년). 그 후엔 백제가 관할하였다.[36]

즉, 대마도는 삼한(三韓) 및 삼국의 분치국가였다. 임나(任那)는 대마도로서 계지(鷄知)가 정치의 중심(치소)지였다. 예로부터 구주와 대마는 삼한(삼한의 분국)에서 나누어 다스린 땅으로 원래는 왜인들이 살아온 땅이 아니었으며, 임나는 나뉘어 세가라(三加羅)가 되었다. 이는 북대마도의 좌호(左護)가라(신라의 분치국), 인위(仁位)가라는 고구려, 하대마도의 계지는 임나(가야국), 금전원(金田原)은 백제가 지배함, 가라(加羅)라 함은 그 지방의 중심마을을 말한다(태백일사 고구려편).

증거 26~27(삼국사기, 신라본기) : 『삼국사기』 권3, 신라본기 실성왕7년조. 왜가 대마도에 병영을 설치했다는 기사를 접하고 가

『한단고기』 고구려편. 이병선 저 『임나국과 대마도』, 문정찬 저 『일본상고사』 등.

34) 任那者 本在對馬島西北界 北阻海有治日 國尾城『한단고기』 고구려편. 『일본서기』, 이병선 저 『임나대마도』, 문정찬 저 『일본상고사』

35) 400~479년)(永樂十年 三加羅盡歸我 自是 海壑諸都每悉統於任那 分治十國 號爲 聯政『한단고기』 고구려편, 〈광개토대왕비문〉, 이병선 저 『임나국과 대마도』

36) 然 直轄於高句麗 非烈帝所命 不得自專也.『한단고기』 고구려편 열제의 비문 내용.

락국과 신라는 같이 근심하였다. 대마도를 정벌하려 하는데 미
사품(未斯品)의 간언으로 중단했다.[37] 이 때 대마왜는 임나연
정의 고구려 지배하에 있었다.

또한 한국『삼국사기』에는 대마도라 기록되어 있으며,『일본서기』
에는 대마국·대마도·대마주 등으로 쓰여 있다. 한자의 음을 빌린
대마란 이름이 중국의『삼국지』이래로 널리 쓰여졌다. 대마란 마한
(馬韓)과 마주 대한다 하여 부른 이름이다. 대마의 명칭 유래에 대해
서는 나가도메 히사이의 저서『고대 일본과 대마』에 나와 있다.[38]
말로국(末盧國)의 남쪽은 대우국(大隅國)이라 하는데 그곳에 시
라군(始羅郡)이 있었으며, 본래 한국 남옥저 사람들이 도래하여 살
았던 장소이다.[39] 그 후 신라가 통일한 후 8세기(779년)에 국교가
단절되자 일본은 군사적 및 무역의 요충지인 대마도를 침거하여 조
선약탈의 기지로 삼았으나, 신라는 통일전과 같이 계속하여 왜구를
소탕하였으며 대마도를 관리해 왔다.

특히 9세기 초 이후 장보고의 해상활동과 신라의 적극적인 정치
적 개입이 있었고, 일부 남아있는 기록에 의하면 811년, 812년, 813
년, 814년경에 대마도에 관리를 파견하고 회사품을 하달한 내용이
있다.[40]

---

37)『삼국사기』의 본조(本條)에도 임나국은 가락의 영토(任那國之所係 赤各羅古
　　城所係)라 했다.
38)『삼국사기』권3, 신라본기 제3, 실성왕 7년조 "春二月 王聞 倭人於對馬島置營
　　貯以兵革資粮以謀襲我 我欲先其未撥揀精兵聲破 兵信諮抨邯未斯品曰, 臣聞兵
　　器戰危事…."
39) 태백일사 대진국편, 김석형·조희성 저『일본에서의 조선분국』,〈광개토대왕
　　비문〉

증거 28~29(가락국기, 대동세보) : 가락국기편, 가락국 6대 좌지왕 2년(408년) 왕비 용녀(傭女)가 붕당을 일으키어 국력이 쇠잔할 때 고구려 연정(대마왜)이 지배하였다.[41] 대마도는 가락국의 영토로서(『삼국사기』『가락국기』『대동세보』),[42] 비단무역의 거점으로 용성국(나가사키)→오키나와→리만 해류를 타고 싱가포르→중국 복강성→갠지스 강→아유타국→아라비아 대상이 비단을 나른 곳이었다(14년의 실제 탐방으로 엮어낸 이용기 저서 『가락국의 영광』).

증거 30(해동성국) : 태자 무예는 연호를 인안(仁安)으로 하고 서쪽 거란과 더불어 경계는 황수(潢水: 황하)에 이르렀다. 인안 16년 구다, 개마, 흑수 등의 나라들이 거국적으로 항복하니 거둬들여 성읍으로 삼았다.[43] 이해 당과 왜, 신라가 모두 사신을 보내 조공하니 천하가 해동성국이라 일컬었다. 발해사람 셋이면 호랑이 한 마리를 당해냈다.

발해는 왜와 사신을 교류하였는데, 외교문서에는 고구려왕이라고 했다. 당과 신라와는 적대관계에 있었으나, 남쪽으로 바다를 건너 일본과는 친선관계를 맺었다. 뒤에는 당과 신라와도 국교를 수

---

40) 나종우(1996). 『중세의 대일관계』. 원광대학교출판부.
41) 신라 실성왕7년, 동진 安義熙 3년, 일본 皇反正 3년. 〈광개토대왕비문〉
42) 편년 『가락국기』 실성왕 7년편 "神王二年 戊申新羅實聖王 七年 西紀四0八年 倭始置營于 馬島 神王戊申 倭始營於對馬島 洛羅二邦爲憂…."
『대동연보』 좌지왕편 "新羅實聖王七年 東晉安帝熙四年 日本皇反正三年 倭始營于 對馬島…."
43) 仁安十六年 句茶蓋馬黑水諸國 以其來降 取城邑

립했으나, 일본과의 교류가 더 밀접했다. 그 후 발해는 백두산 일대의 강진(强震)과 거란족에게 멸망당했다.

이상과 같이 태백일사 대진국 본기는 조선의 남방계열 뿐만 아니라 북방계열의 나라들이 대마도·일본과의 교류가 잦았다는 사실과 북방인들에 의한 일본정착세력들의 내용을 알 수 있는 자료를 담고 있다.

증거 31(삼국유사) : 11세기경 편찬된 것으로 알려진 설화집 『수이전(殊異傳)』에 실린 '연오랑과세오녀' 설화는 13세기 『삼국유사(三國遺事)』「기이」에 실린 것이 최초의 자료이다. 신라 사람인 연오랑과 세오녀가 일본으로 건너가니 신라의 해와 달이 빛을 잃어 세오가 보낸 비단으로 제사를 지내어 해와 달이 빛을 되찾았다는 내용이다.

삼국유사에 나오는 '연오랑 세오녀'가 떠내려 온 곳이 바로 대마도로 추정된다. 이 설화는 창세신화의 이러한 모티프가 고대 신라와 일본 간 교류라는 구체적인 역사적 맥락을 통해 상징적으로 구축되었다고 할 수 있다.

증거 32(고려사) : 고려사(高麗史)의 기록에 의하면 '공민왕 17년 윤 7월에 대마도 주(主)에게 만호(萬戶)라는 관직을 주고 토산물로 조공(租貢)을 받는 대신에 1천섬의 곡식을 하사했다'는 기록이 있다.

　　고려사를 보면 '대마도 구당관'이라는 호칭이 나오는데 구당관, 혹은 구당사는 변방이나 해상 요충지에 내려 보낸 고려 시대 관직의 이름이다. 여기서 '대마도 만호가 특산물을 바쳤다'라는 대목에서 등장하는 '만호'라는 호칭 역시 고려 시대 관직의 이름이었다.

증거 33(고려, 박위) : 고려시대에는 만호(萬戸)라는 관리를 파견하여 대마도를 관리하였고, 진봉선 무역(進奉船貿易: 왜와 대마도가 진상해오면 회사품으로 답하여 많은 생필품을 보냄)을 하였다.

　　그리고 우왕3년(1375)에는 박위를 보내어 대마도의 섬주민을 보호하고 왜구를 격퇴했다. 이것은 대마도가 고대로부터 한국 영토임을 재확인한 과정이다.

증거 34(임나연정) : 삼국사기권3, 신라본기의 실성왕 7년조(409년)에 임나(任那: 대마도)는 가락지역소계(駕洛之域所系: 가락국의 영토)이었으며, 편년 가락국기와 대동세보에서 6대 좌지왕(408년)까지 가락국의 영토로서 대외무역의 기점 역할을 하였다.

　　그 후부터 대마도는 고구려 호태왕의 임나연정(任那聯政)의 지배를 받는다(401~479). 영락(광개토대왕) 10년에 세 가라는 모두 고구려에 귀속되어 이로부터 바다와 육지의 모든 왜가 임나(대마도에 治所를 둠)에 통합되어 열 나라로 나누어 다스리니, 이름하여 연정

이라 하였다.44) 그러나 고구려에 직할되어 열제의 명령 없이는 제 멋대로 생활할 수 없었다.45)

영락대제는 군사를 이끌고 도일하여 왜인을 평정하고 임금이 되었는데, 스스로 삼신46)의 부명에 응한다고 하고, 여러 신하들로 하여금 축하의식을 올리게 하였다.47)

증거 35(태조실록) : 1397년 2월 27일 박인귀 등이 자청하여 대마도에 가서 은혜와 신의로 타일러서 대마도에 잡혀간 지주사 이은 등을 데리고 돌아 왔다고48) 태조실록에 전하고 있어 그 역사적 사실을 뒷받침해 주고 있다.

1401(태종1)년 보빙사로, 이끼도에 파견된 적도 있다. 모친이 왜구에 잡혀 가는 불행을 겪었던 사람으로서 본인도 대마도로 잡혀 갔다.

그 경위를 보면 1397년(태조6년) 1월 3일 왜구의 괴수 상전과 어중 등이 그들의 도당을 거느리고 울주포로 들어온 것을 지주사 이은이 식량을 주고 후하게 접대 하였더니, 상전 등은 오히려 자기들을 꾀어서 붙잡으려고 하는 것이 아닌가 의심하고, 이은과 반인 박청, 기관 이예 등을 잡아 대마도로 갔다가 풀려 난 기록이 태조실록

---

44) 永樂十年 三加羅盡歸我 自是 海陸諸倭 悉統於任羅 分治十國 號爲聯政
45) 然 直割於高句麗 非烈帝所命 不得自專也
46) 삼신(三神) : 환인, 환웅, 단군.『한단고기』 p.542.
47) 永樂帝 逐兵渡 定倭人爲王 自以應三神符命 使臣群臣獻賀儀
48) 태조실록(太祖實錄): 太祖11卷 六年 丁丑 二月庚戌(1397年(明:洪武:30年)2月 27日} 朴仁貴等五人初蔚州事李殷見執倭寇, 留對馬島。仁貴等請往對馬島, 諭以 恩信, 與殷等還。

을 통해 전해지고 있다.[49]

증거 36(태종실록) : 「대마도는 경상도의 계림에 예속하고, 본래 우
리나라 땅이라는 것이 문적에 실려 있음을 분명히 상고한다」라
고 설명하면서 대마도 도민들이 조선인이고, 조선땅이라는 것
을 중신들과 백성들에게 밝힌 바 있다. 조선 초기 초대 대마도
경차관으로 대마도 경영에 많은 업적을 남긴 이예의 공적을
빛내고자 태종 때 하사 학성(울산)이씨 문중에서 "통신사 충숙
공 이예 공적비"를 건립했는데[50] 이같은 유적비를 통해 조선
의 대마도 통치가 이루어졌음을 뒷받침 한다.

고려의 곡물 원조를 받은 대마도의 문적에 의하면 대마도는 악산
으로 되어 있는 섬이라 농작물을 재배할 수 없는 척박한 땅이다.
고려 공민왕 17년(1368) 대마도주가 도민들이 굶어 죽게 되자 백미
를 청구했다, 그때 강구사(講究使) 이하생을 대마도로 보낼 때 백미
1,000석을 주었다. 고려시대까지는 부산은(富山浦) '부자도시'라 대
마도 주민들이 자주 들어와서 곡물을 훔쳐가기도 했다. 대마도 주
민들이 조선에서 식량을 구하지 못하면 굶어 죽을 형편이라 조정에
자주 원조를 청해야 했다.[51]

---

49) 太祖實錄太祖11卷, 六年丁丑春正月丙辰 {1397:(明:洪武30年)1月3日} :倭寇魁
相田, 於中等, 率其徒入蔚州浦, 知州事李殷給糧厚待之相田等疑爲誘陷, 執殷
及伴人朴靑, 記官李藝等逃歸。

50) 태종실록(太宗實錄): 太宗 19卷 十年庚寅五月己卯{1410(明:永樂8年)5月13日}:
遣前護軍李藝如對馬島,政府遺宗貞茂書曰: "每聞專意修好--,遂遣藝以厚賜之"。

51) 조정에서 충신들이 대마도 주민들의 원조 사업으로 불만을 품고 있을 때 태종
(太宗)임금께서도

이예(李藝)는 1373(고려 공민왕22)년 울산에서 출생했다. 1445 (세종27)년 73세까지 일본 본토와구주, 대마도, 오키나와를 40여 차례나 왕복하여 조선 초기 남방 외교사에 큰 공적을 세운 인물 이 다. 1406년에는 일본 국왕 회례사로, 1408년에는 통신부사로, 1410 년(태종10) 5월 13일에는 태종은 종정무에게 조미1백 50석과 콩1 백 50석을 하사할 때 감독관으로 가기도 했다.

증거 37(동래부편입, 郡印사여) : 세종 원년(1418년)에 있은 이종무 의 대마도 정벌, 즉 기해동정(己亥東征)이후 대마도는 계속하 여 경상도 동래부의 소속 도서로 편입되어 조선정부의 통치에 임했다. 즉, 1418년(太宗 18) 대마도도주(對馬島島主), 소 사 다시게(宗貞芽)가 죽고 아들 소 사다모리(宗貞盛)가 뒤를 이었 는데, 대마도(對馬島)에 흉년이 들어 식량이 부족하게 되자 왜 구는 대거 조선을 약탈하였다.

세종대왕 원년(1419년) 6월 17일에는 삼군도체찰사(三軍都體察 使) 이종무(李從茂)가 병선, 2백 27척과 장병 17,285명을 거느리고 대마도(對馬島)를 토벌하여 배 229척을 나포하는 동시에 가옥 1,939채를 불살랐으며, 21명을 사로잡았고 104여명을 목베었다고 기록돼 있다. 그리고 또 그해 9월 20일에는 대마도(對馬島)에 거주 하고 있는 일본인 대표(宗貞盛)가 사자를 보내와 외교문서로 조선

對馬島, 隸於 慶尙道之雞林,
本是我國之地, 載在文籍,
昭然可考 라 했다.

에 항복해 왔다.

그 다음해(1420년) 1월 10일 宗貞盛은 다시 사자를 보내 대마도를 조선의 한州郡으로 지정하는 동시에 郡印을 사여해 주기를 신청해 왔다. 이리하여 1월 23일에 당시의 예조판서가 대마도(對馬島)를 경상도(慶尙道)에 예속하게 한 후 郡宮에 대한 관례에 따라 郡印을 사여했다.52)

증거 38(세종실록) : 남쪽으로 왜구를 정벌해 대마도를 다스렸고, 북쪽으로 오랑캐를 정벌해 6진설치 등 영토를 확고히 방어하였다. 1418년(태종18년) 4월 24일 대마도 수호 종정무가 사망 했을 때는 조선의 사신이 세종의 명을 받고 대마도에 직접 가서 치제하고, 쌀, 콩, 종이를 부의하기도 하였다.

1438년(세종20년) 4월 11일 첨지중추원사로서 대마도 경차관이 되어 왜인 사송통제와 하사품전달의53) 임무를 집행하러 대마도에 가기도 했다.54) 특히 왜구에게 잡혀간 많은 백성을 송환해 온 중인

---

52) 그후 제4대 세종대왕 9년(1427년) 7월 17일 병조판서 조말생이 대마도에 사는 대표 지도장게 보낸 항복권고서 가운데 [於慶尙道之鷄林(慶州) 本是我國土地 載在文籍昭然司考···]라 기록돼 있다. 당시 대마도는 우리나라 경상도에 속한 섬으로 기록돼 있다. 그리고 또 兩界彊域圖道기에도 [嶺南之對馬島]라고 기록돼 있다.

53) 使送 今後毋得偏聽人言, 似前脩書煩請. 賜貞盛苧麻布縣紬各十匹.

54) 世宗實錄 世宗八十一卷, 二十年戊午夏四月甲子(1438:(明:正統3年)4月11日): 禮曹致書宗貞盛曰: 이리예첨知中樞院事, 遣于對馬州, 禮曹致書宗貞盛曰: 永樂二十年, 本曹判書申商敬奉王旨: "對馬一島, 爲國, 南紀, 負德辜恩, 屢怡對憂, 已令邊將往征其罪, 俘獲而還. 然其父子兄弟隔海懸望, 予所不忍, 爾禮曹體予至懷, 俘人民, 盡行挨刷發回.敬此留置人口, 唯身故及情願仍留者外, 無遺送回

출신으로 신역관이라고도 한다.[55]

증거 39(동국여지승람) : 세종 때 정승인 황희(黃喜)도 대마도는 예로부터 우리땅인데 고려 말기에 국가기강이 허물어져 도적의 침입을 막지 못해 왜구가 옹거하게 되었다는 속주의식을 피력했다. "대마도라는 섬은 본시 경상도 계림에 속해 있는 우리나라 땅이다. 이것은 문서에도 기록돼 있는 명백한 사실이다. 다만 땅이 몹시 좁은 데다 바다 한가운데 있어 내왕이 불편한 관계로 백성들이 들어가 살지 않았을 뿐이다. 그런데 자기들 나라에서 쫓겨나 오갈 데 없는 일본 사람들이 몰려 들어와 그들의 소굴이 되었다." 즉, 여지승람에서는 "옛날 경상도 계림 땅에 예속되었다"라고 하였으며, 태종이 기해년에 대마도를 정벌할 때 교서에서도 대마도는 본래부터 한국 땅이었다고 하였다.

동국여지승람(東國輿地勝覽)에도 "대마도가 경상도 계림땅에 예속됐다"고 했으며, 영조때 실학자 안정복은 "대마도는 조선의 부속

去。後足下修書, 連續告素, 再三移文各道推刷別無安置人口。已將此意回答, 想已達矣其後各人受來書契內請還人口, 皆非無故見在之人有或出來年月甚久, 或名字不明, 或不知住處, 或患病身死, 或徑請還因, 故未還人口, 竝令開寫。非徒兩各煩弊, 且請還人口, 雖至數百, 以一介使一幅紙通諭可以推還。每一名口請還, 各遣貴使, 多至七八十, 今後毋得偏聽人言, 前脩書煩請。貞盛苧麻布緜紬各十匹綵化滿花席各十張人蔘五十斤, 虎豹皮各二領松子二石乾柿子一百貼黃栗十斗蜜果茶食各五角, 淸蜜五瓶, 燒酒五十瓶及魚物。

55) 박평식(2009). 『대마도·일본, 그리고 우리나라』. 청주교육대학교 소책자. p.26.

도서로서 신라, 고려이래로 우리의 속도(속한 섬)로 대해 왔다"고
했다.

이와 같은 대마도 속주의식은 군신과 학자, 일반국민 모두의 머
리와 가슴속에 깊이 새겨져 있었다.

위 증거 "대마도라는 섬은 본시 … 그들의 소굴이 되었다."는 세
종실록의 기록이다. 또 16세기에 조선 조정이 펴낸 지리서인 '동국
여지승람'에도 "대마도는 옛날에 우리 계림에 속해 있었는데 언제
왜인들의 소굴이 되었는지 알 수 없다"고 쓰여 있다. 김정호(金正
浩)의 '대동여지도'를 비롯해 조선시대에 간행된 지도는 거의 빠짐
없이 대마도를 조선 영토에 포함시켰다.

그 이외에도 수많은 증거물이 있으며, 그 땅을 정벌한 일은 마땅
히 중앙의 속도(屬島)를 꾸짖는 방책이었다고 적어 놓았다.

**증거 40(지세포, 만호의 통행증관리) : 행장(行狀), 노인(路引), 문인
(文引), 도서(圖書), 수직왜인(受職倭人), 통신부(通信符), 상
아부(象牙符) 등의 각종 통행증을 발급한 것은 대마도민은 우
리의 속민이었다는 것과, 무로마치 막부하의 일본이 스스로 요
청하여 통교허가를 받은 것은 일본이 우리 조정에 대하여 조공
을 바쳤다는 실증적 내용이다. 이들 통행증의 왕래와 검역은
거제도 지세포(知世浦) 만호가 담당하였다.[56]**

일본 대마도의 수직왜인에게 내린 교지(敎旨: 임금이 신하에게
내리는 관리의 임명장)는 군신간을 돈독케 하고, 임금에 대하여 충

---

56)『세종실록』권4, 8, 82 등

성을 다한다는 신하의 책무가 강하게 내포되어 있다. 이러한 교지
의 내용을 볼 때 일본과 대마도 주민은 조선의 정치체제 안에 편입
되었음을 알 수 있고 또한 그들을 보살핀 조선정부의 성의가 내포
되어 있다.57)

**증거 41(성종실록) : 성종 18년에 대마도주의 서계(書契) 내용을 보
면 "영원토록 귀국(조선)의 신하로서 충절을 다할 것이다"로
기록되어 있다.58)**

대마도는 경상도에 예속되었으니 문의할 일이 있으면 반드시 본
도의 관찰사에게 보고를 하여 그를 통해 제반사를 보고하도록 하고
직접 본조에 올리지 말도록 할 것이요, 겸하여 요청한 인장과 하사
하는 물품을 돌아가는 사신에게 부쳐 보낸다.59) 즉, 대마도주 종의
지(宗義智)에게 보낸 경상감사의 답서내용인 "우리나라와 일본은
형제와 같이 우호관계를 맺으면서 신의와 화목을 닦아 200여년 동
안 조금의 틈도 없었다. 대마도는 우리의 속주로서 조선의 신하로
섬겼으므로 나라에서 심히 후하게 대접하였다. 세견선의 곡식으로
먹이고 수레의 포목으로 입혔으니, 섬의 모든 백성이 조상 대대로
그 덕을 입고 양육받지 않음이 없었다. 그로써 생활하였으니 모두
가 상국인 우리나라의 은혜이다."60)

---

57) 中村榮孝,「受職倭の告身」,『한일관계사 연구』 상권 p.585.
58)『성종실록』, 18년 2월 7일.
59) 對馬島隸於 慶尙道 凡有啓稟之事 必須呈報本島觀察使 傳報施行母得直呈本曹
兼請請印篆竝賜物 就付回价.『세종실록』 2년 윤 1월23일,『신대마도지』의 응
구(應寇) 부분 참조.

　대마도 정벌 이후 이론에 회례사(回禮使)로 다녀오면서 송희경은 대마도 만호 좌우문 태량을 만나 '조선과 대마도는 한 집안'이라고 말하고 같은 왕의 신하라고 하여 그들의 칭송을 받았다.[61] 이같은 주장은 당시 경상도 속주화 조치가 내려진 상황에서 대마도의 조선 속국관을 명백히 표현한 것이다.

증거 42(이종무, 대마도정벌) : 조선시대 장군 이종무의 대마도 정벌 때 대마도주 종정성(宗貞盛)은 왜구를 단속하지 못한 것을 사과하고 "성심귀순"의 뜻을 표했으며, 그 이듬해 潤正月 10 日에는 그의 부하 시응계도(時應界都)를 조선에 보내어 "귀국의 영토내 고을의 예에 따라 저의 대마도를 고을로 삼아 주시고 과인을 내려주시면 신하로서 본분을 다하고 조선의 명령에 순종하겠습니다."고 요청했다.

　이에 조정에서는 논의 끝에 이를 받아들여 대마도를 경상도의 한 고을로 편입하고 潤正月 23日 예조판서 허조(許稠)의 명의로 대마도에 그 사실을 알렸다. 그로부터 대마도주는 경상감사의 휘하에 들어갔고, 조정에 올리는 보고도 경상감사를 거치게 되었다. 이로부터 대마도를 對馬라고 쓰였고, 도주도 "對馬洲 太守" 또는 "對馬 兵馬使"라고 썼다. 이밖에 다른 호칭의 벼슬을 내린 적도 있었다. 종정성(宗貞盛)의 대를 이은 그의 아들 종수직(宗守職)은 조정에 벼슬을 요청하여 받기도 했다.

---

60) 『조선실록』 2년 8월7일
61) 『노송당 일본행록』 2월21일

증거 43(강항 안정복) : 강항(姜沆)의 간양록(看羊錄)과 안정복의
　　　동래왜전(東來外傳)에서 대마도를 조선의 속도로 하고, 일본
　　　의 땅이 아니라는 것을 증명한다.

　대마구분의 심화, 즉 일본본토와 대마도를 구분하는 의식의 심화
는 물론, 본토의 심처왜(深處倭)와 대마왜가 확연히 구분된다. 이
같은 지적은 대마도가 조선의 부속도이며, 일본과는 본질적으로 다
르다는 대마구분의식 및 체제가 확고하다는 뜻이다. 막부의 압력이
강화되어도 대마도의 조선 예속관계는 교역 및 물자 수급관계 등으
로 예속이 심화되었다. 이 관계는 그들의 경제적 열악한 환경 등에
서 충분히 인식할 수 있다.

증거 44(일본 대제부 공문) : 고려국의 속도인 대마도는 고려국의
　　　속도인 대마도인이 옛날부터 토산물을 진상하여 세월 속에 수
　　　교와 화목을 더했다.[62]

　대마도는 고려에 대하여 독자적으로 진봉선 무역을 하였고 무로
마치 막부시대에도 일본으로부터 독립적 위치에 있었으며, 막부로
부터 재정지원을 받지 않았다. 그리고 조선과의 무역도 독자적이었
으며, 막부의 사신 호행(護行)도 하지 않았다.[63]

---

62) 고려 23대 고종 14년(1222년) 5월 14일 일본대재부(규슈에 있는 군사·교역합
　　참부)에서 전라도찰사(道察使)에게 보낸 공문서에서 피국대마인 고래공물
　　세수화호(彼國對馬島人 古來貢物歲修和好)란, 바로 일본의 최고 관리가 대마
　　도를 한국령으로 지칭한 것이다(이것은 일본인의 공통된 인식이었다).
63) 나종우(1996). 『중세 대일교섭사연구』. 원광대학교출판국.

고려의 막강한 지방전권에 관한 기사로 일기도(壹岐島) 구당관 (勾當官), 대마도 구당관이 임명되어 대마도는 물론, 대마도에서 1 천여리나 떨어진 일기도까지 고려정부에서 섬의 지배자를 두었다 고 기록되어 있다. 그 이외에도 지방호족들이 보낸 상인사절도 많 이 보인다.

증거 45(원중거 통신사) : 영조 39년(1763년) 통신사 일행의 서기 였던 원중거(元重擧)는 "대마도는 일본과는 전혀 다른 체제다. 일본인들은 대마도인을 항상 오랑캐(蠻夷)라고 부르며 사람 축 에 끼워주지도 않았다"고 했다. 이것은 대마도가 한국 땅임을 그들 스스로 증명한 것이다"라고 하여 구분하였다.

이같은 일본인의 대마도 구분의식은 『풍습(風習)』『대화국지(大 和國志』 등에 나와 있어 그 사실을 뒷받침한다.

대마도를 한국 땅으로 생각하였기 때문에 대마도를 토벌한 것이 다. 이는 여순 반란사건이나 5.18 민중 항쟁 진압과 비슷한 현상이 다. 당시 일본의 유력한 호족이었던 대내전도 대마도가 조선땅임을 인정한 것으로 보인다. 그리고 당시 일본 지도에서도 대마도는 빠 져있었다. 또한 조선시대 말기에 그려진 지도에는 대마도가 여전히 조선영토로 기록되어 있어 우리 의식의 바닥에는 여전히 번병의식 이 남아 있었음을 알 수 있다.

조선 후기 대마도 정책의 특색을 살펴보면, 임란을 겪고 나서 일 본 막부의 간섭이 있어도 대마도민은 물론, 조선주민 모두의 대마 고토의식과 속주의식은 그대로 계승되었다. 통신사 일행의 고증은 물론, 18세기 안정복 등의 실증사학 및 각종지리 도서 등이 입증된다.

증거 46(제술관 신유한) : 대마도 도주의 비서관이 도주의 자리가 상석이라야 한다고 주장할 때 조선통신사 일행 제술관(製述官)인 신유한(申維翰)은 조선통신사 단장이 상석에 앉아야 한다며 도주가 들어올 때 마다 좌석에서 일어나는 습관을 고친 문헌을 통해 뒷받침한다.

1719년(통신사 제9회) 조선통신사 일행이 부산을 거쳐 대마도에 들어가서 접대를 받을 때, 대마도 도주와 통신사 단장인 정사(正使) 홍치중(洪致中)과 좌석 배치로 다툼이 있었다. 도주가 연회장에 늦게 들어올 때 대마도관인들은 통신사 일행도 모두 일어나서 도주를 맞이하여야 한다는 의견으로 통신사를 접대할 때마다 다툼이 있었다.[64] 다시 말해서 "틀림없이 이 섬(對馬島)은 조선의 주현(州縣)이 아닌가"라고 강하게 주장한 적이 있었고, 도주의 좌석 배치라든가 도주가 들어올 때 좌석에서 일어나는 습관을 고쳤다고 보고한 기록이 이를 뒷받침한다.[65]

---

64) 그때 신유한 제술관은 『然らず この 島中は 朝鮮の 一州にすぎない』라고 호통을 친 적이 있다.

65) 시바료타로(司馬遼太郎)(1995). 街道をゆく 1권. p.149.

증거 47~48(해사록, 답허서장서) : "대마도는 우리나라와 어떤 관계인가 물을 때 대대로 우리 조정의 은혜를 받아 조선의 동쪽 울타리를 이루고 있으니 의리로 말하면 군신지간이요. 땅으로 말하면 조선에 부속된 작은 섬이다." 라고 했다.[66]

김성일(金誠一)의 보고서에 의하면 김성일(金誠一)은 조정에서 중직을 맡은 자로 임진왜란이 일어나기 전부터 일본에 왕래하면서 사절단의 단장의 역할을 한 사람이다.

1590년(선조23년) 무로마찌 막부(室町幕府)는 조선인 학자를 초청하여 조선의 문물을 전수 받았는데 그때 일행으로 김성일(金誠一)이 초청되어 일본에 갔다. 그는 일본에서 돌아와 보고한 「해사록(海槎錄)」에 보면 이같은 기록을 보고 하여 대마도가 조선의 부속한 땅임을 알 수 있다.

증거 49(조선국 지리도) : 이 지도는 1592년 임진왜란 당시 도요토미(豊臣秀吉)의 명령으로 구끼(九鬼嘉隆) 등이 제작한 것으로서 조선의 영토를 나타낸 것인데, 대마도가 조선의 땅으로 표기되어 있다. 이 지도의 원본은 현재 일본 국립공문서관에 소장되어 있다.

---

66) 『답허서장서(答許書壯書)』, 『해사록(海槎錄)』 권3.

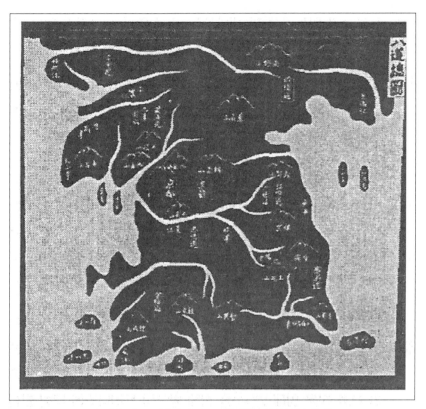

〈그림 1〉 조선국지리도 내 팔도총도(1592년)

증거 50(조선부) : 일본에서 출간한 「조선부」에도 독도와 대마도는 조선 영토로 되어 있다. 당시 중국인들이나 일본인 모두가 독도, 대마도는 조선 영토라는 것을 입증하는 유일한 사료이다.

15세기 교토는 문화도시이기도 했으며, 무사들의 교육도시라 할 수 있다. 이 서적의 3페이지는 한국 「조선팔도 총도」라는 지도가 있다. 이 지도에는 울릉도가 있으며 우산도가 있다. 울릉도 밑에 우

산도가 그려져 있는가 하면 대마도는 조선 영토로 그려져 있다.[67]

증거 51(고구려 분치국 인정) : 일본 10대 숭신왕 65년 추7월에 임
나국(任那國) 소나갈질지(蘇那曷叱知)를 보내 조공하였다는
기록은 고구려 분치국을 인정한 첫 대외교섭 기사이다.

임나국은 축자국(筑紫國: 북강현지방)에서 2천여리 떨어져 있되
북은 험한 바다가 가로막고, 계림(경주)의 서남방 바다위에 있다는
것은 바로 대마도를 의미하며 이섬은 마한의 관경지에서 가락을 거
쳐 고구려의 임나 10국의 연정의 통치 후 4국(가야 포함)의 분치국
으로 통치를 받았다.[68]

증거 52(신유한, 해유록) : "이 섬은 조선의 한 고을에 지나지 않는
다. 태수가 조선 왕실로부터 도장을 받았고 조정의 녹을 먹으
며 크고 작은 일에 명(命)을 청해 받으니 우리나라에 대해 번신
(藩臣)의 의리가 있다."[69] 즉, 숙종 45년(1719) 신유한의 『해
유록(海遊錄)』에는 대마도주와 의례논쟁을 하면서 "이 고을은
조선의 한 고을임을 기록하고 있다.

---

67) 일본에서 가장 유적지가 많은 교토의 교토 서림, 임천당에서 출간한 책으로
교토는 한국에서 경주와 같은 지역으로 천년 도읍지였던 곳이다.
68) 환단고기 고구려편 임나는 대마도와 같다.
69) 그래서 18세기 초 조선통신사를 따라 일본을 방문한 신유한(申維翰)은 자신이
쓴 '해유록(海遊錄)'에서 대마도주와 의례문제로 논쟁하면서 당당하게 말한 것
을 기록을 통해 알 수 있다.
해유록은 조선 숙종 때 신유한(申維翰)이 통신사의 제술관(製述官)으로 일본
에 다녀온 사행일록(使行日錄)이다.

즉, 태수가 도장(圖章)을 받았고, 조정의 녹을 먹으며 크고 작은 일에 명을 청해 받으니 조선에 대하여 속주(屬州)의 의리가 있다"고 하여 조선에 대한 감사함을 기록으로 나타낸 것이다.

대마도주가 속주(屬州)라는 의식은 고려 때부터 있었다. 고려 중엽 대마도주에게 구당관(勾當官)과 만호(萬戶)라는 관직을 내린 사실이 이를 뒷받침한다. 구당관이란 고려시대 변방지역과 수상교통의 요충지를 관장하는 행정 책임자들에게 붙인 관직명이다. 조선시대에 들어와 왜구를 근절하기 위해 수차례 대마도를 정벌하였고, 이후 수직왜인(受職倭人, 조선 정부로부터 관직을 받은 왜인)제도와 '세견선 무역' 등의 제도를 실시했다. 본격적인 속주화 작업은 조선 세종 때 이뤄졌다.

1419년 이종무 장군이 병선 227척에 1만 7000명의 대군을 끌고 대마도를 정벌한 것이다. 1436년 대마도의 식량사정이 어려워지자 도주인 소 사다모리(宗貞盛)는 대마도를 아예 조선의 한 고을로 편입시켜 달라는 상소를 올리기도 했다.

이에 조선은 대마도를 경상도에 예속하고 도주를 태수(太守)로 봉했다. 그 뿐만 아니라 그의 아들 소 시게요시(宗成職)를 조선의 관직인 종일품 판중추원사 겸 대마주도제사로 임명하기도 했다. 이 관직을 줘 조선 각지를 괴롭혔던 왜구들의 준동을 막아내는 의무를 지게 한 대신, 일본에서 조선으로 도항하는 모든 선박에 대해 그 신분과 거래 목적을 검사하여 문인(文引, 도항증명서)을 발행하는 권한을 줘 대마도를 정치적, 행정적으로 관리해 왔다.

관직을 주어 수직통치(受職統治)

- 대마주 백성들에게 조선 관직을 주어 통치
- 수직 대마주의 현존 고신(告身)은 보물

- 조선, 대마주 백성들에게 고국 이주 허용

증거 53(신숙주, 해동제국기) : 신숙주는 『해동제국기(海東諸國記)』[70]에서 일본(본토)와 완전히 구별하여 대마도를 일본의 행정구역인 8도 66주와는 구별하여 조선영토로 기술하고 있다.

증거 54(오윤겸, 동사상일록) : 광해군 9년(1617) 통신사 오윤겸(吳允謙)이 쓴 『동사상일록』에 의하면 지성으로 조선에 대하여 사대하며 시종 한마음을 가져 원원히 조선의 속주로서 충성을 다할 것을 맹세하였다.

---

70) 『해동제국기(海東諸國記)』는 1471년(성종 2) 신숙주(申叔舟)가 일본의 지세(地勢)와 국정(國情), 교빙내왕(交聘來往)의 연혁, 사신관대예접(使臣館待禮接)의 절목(節目)을 기록한 책이다.

또 이 섬의 인민들은 오로지 한국 난육(卵育)의 은폐에 힘입어 생계를 삼고 있는 처지에 있다고 당시 대마도의 종속관계를 대마도주와 논했다.

대마도 원주민

우리 韓나라 → 한민족(韓民族)

■ 김해식토기(金海式土器)

■ 상식석관묘고분(箱式石棺墓古憤)

옹관묘식고분(甕棺墓式古憤)

증거 55~56(영남읍지, 증보동국문헌비고) : 대마도의 고토의식, 대마구분의식 및 대마도 근대의식(19C~20C), 고종32년(1898년)에 간행된 영남읍지, 순종2년(1908년) 「증보동국문헌비고」와 같은 지리서를 통해 같은 인종임을 확인할 수 있다. 또한 "지금은 비록 일본의 폭력으로 그들의 땅에 강제편입(1877년) 되었으나 본래는 우리나라 동래부에 예속되었던 까닭에 이에

다"고 증보동국문헌비고에 기록되어 있으며, 그중 "섬안의 언어와 의복이 조선과 같았고, 대마도인이 왜를 칭할 때 반드시 일본이라고 하였고, 일본인 역시 대마인을 차별하여 대우하였으므로 대마도인 자체가 일본에 예속된 왜로 자처하지 않았다"고 기록했다.

섬 안의 언어, 의복, 생활습속이 조선 것과 같고, 일본인과 대마도인은 서로 구분의식이 뚜렷하여 대마도 자체가 일본에 예속된 왜로 자처하지 않았다. 한국 민족과의 인종, 문화의 동질성, 일본내의 대마도 이질성, 경상도 속주화, 직접·간접적이건 이이제이(以夷制夷)가 아닌 이포제포(以胞制胞)로 한국의 품속에 있었던 섬임을 입증한다.

이와 같은 기록 외에 대마도의 증거의식(19~20세기)과 고종 32년(1895년)에 간행된 「영남읍지」와 순종 2년(1908년)의 「증보동국문헌비고」와 같은 지리지의 내용에서도 같은 사실을 기재하고 있어 그 역사적 증명을 알 수 있다.

"조선에 대해 번신의 예를 갖추어 수 백년간 굴욕을 받았으니 분함이 이루 말할 수 없습니다.…지금의 서계부터 조선이 주조해 준 도서 대신에 일본 조정이 만들어 주는 새로운 도장을 사용하여 그들(조선)이 번신으로 우리를 대해 온 오류를 바로 잡아서 옛날부터 받아온 국욕(國辱)을 씻고 오로지 국체와 국위를 세우고자 합니다."

이는 일본과 청(淸) 양쪽에 조공을 바친 오키나와의 류큐(琉球) 왕국처럼 조선과 일본 양쪽에 예속된 양속(兩屬)관계에 있었거나,

적어도 일본 본토와는 다른 반독립적 존재로 스스로를 인식했던 것
으로 볼 수 있다.

증거 57(한민족 유민) : 대마도, 이도국, 일기도, 말로국, 축자국 등
　　에 있었던 나라들은 우리 민족이 도래해 세웠던 지역 토속민들
　　이다. 그리고 옥저인과 대진국인들이 신라의 삼국통일(676년)
　　이후에도 계속 일본열도로 진출한 새로운 사실을 알 수 있
　　다.71)

　도래인들의 활동상황은 물론, 대마도에는 중국(오·위·만·월 등)
과 옥저, 발해 등의 나라들이 교역을 했다는 사실을 알 수 있다. 구
주 일대에 아라(安羅)라는 소국과 말로국에 신라인 및 고구려인이
살았다는 것은 가야계와 백제계, 고구려인들이 연합세력을 형성했
음을 알려준다.
　대마도의 전경과 그곳의 풍물, 조선 도래인의 사정, 그리고 대마
도에 있었던 한인의 고을 등이 적혀있다. 그리고 대진국의 사정에
관하여 관찰하면, 고구려를 계승하여 국호를 대진으로 삼고 연호를
천통이라 하였으며, 고구려의 옛 강토를 의지해 6천 리의 땅을 개
척하였다.72)

증거 58(해동팔도봉화산악지도) : 1652~1712년 전국적으로 봉화

---

71) 대진국은 698~926년에 존재함
72) 國號定爲大震 年號曰天統 據有高句麗舊彊 拓地六千里

를 올리는 산악을 표시한 채색지도로 비변사와 같은 정부기관에서 제작한 지도이다. 지도의 윤곽은 조선 전기의 유형에 속하며, 울릉도, 독도, 대마도 등의 표기 역시 〈팔도총도〉류와 같다.

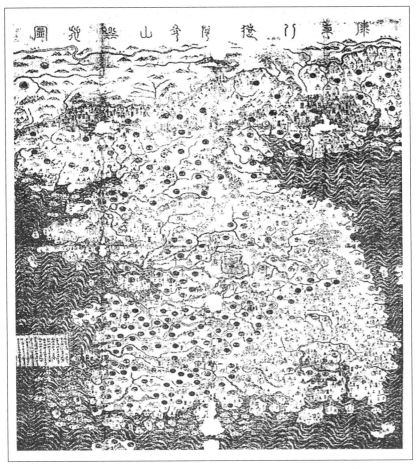

〈그림 2〉해동팔도봉화산악지도(海東八道烽火山岳地圖)

증거 59(조헌, 동환봉사) : 「삼국사기」에 나오는 기사를 인용하여 고구려·백제·신라에 이어 고려, 조선 때 우리의 영토임을 입증했다. 『증보동국문헌비고』 32권에 대마도 정벌시 세종의 교시를 초략해서 인용하며, 중종 때 황형(黃衡)의 기사를 수록하였고, 보(補)에서 조헌(趙憲)의 『동환봉사(東還奉事)』에 나오는 대왜방어 대책을 소개했다.[73]

위와 같은 귀중한 역사적 사료에 의하면 대마정벌 이후 20세기 초까지 대마도가 조선의 행정체제에 속해 있었고, 대일통교 체제상으로나 국제질서 속에서 조선의 부속도서로서의 속주와 속민으로서의 역할을 담당하였다. 이에 대해 조선조정은 대마도인을 수직왜인으로 대우했고, 통교상에 필요한 모든 편익을 제공했다. 특히, 대마도에게 대일 외교의 창구를 맡기는 대신, 수도서제 및 세견선과 세사미 두를 제공한 점에서 입증된다(1년에 10만석).

증거 60(조경, 동사록) : 인조 21년(1643) 통신사 조경(趙絅)의 『동사록(東槎錄)』의 망마주(望馬州)에 "조선의 쌀과 벼가 배고플 때 너의 밥이 되고 추울 때는 너의 옷이 되었다. 너의 목숨은 조선에 달렸으니 너희들 자손 대대로 우리의 속민(屬民)이다.

---

73) 본 책은 대마도 영유에 대한 문제에 있어 차분하고 공정한 자세를 유지하면서 대마도의 고토의식과 조선과의 민족 및 문화의 동질성 및 일본 내의 대마도 이질성, 경상도 속주화 문제 등이 고루 실려 있는데 이러한 내용들은 대마인의 고향은 역시 조선이며, 도민의 문화유산이 조선의 분국이라는 것을 증명하고 있는 것이다.

대마도주는 제발 속이지를 마라. 그리고 조선에 충심을 다해 백 년토록 복을 누려라"로 기록되어 당시 대마도주에 대한 관리사실을 추측할 수 있다.

증거 61(조엄, 해사일기) : 영조 39년(1763) 조엄(趙曮)의 『해사일 기(海槎日記)』에 대마도는 본래 조선의 소속이다.

이미 조선의 옛 땅에 살면서 대대로 조선의 도서를 받았으며, 또 한 공미(公米)와 공목(公木)으로 생활하니 대마도는 곧 조선의 영 토로 되어 있다.

증거 62(안정복, 동사문답) : 18세기 실증사학의 대가 순암 안정 복74)의 문집 권10의 『동사문답(東使問答)』에서 "대마도는 우 리의 부속도서이다. 대개 대마도는 신라·고려 이래도 국초에 이르기까지 우리의 속도(屬島)로 대해왔다"고 했다. 안정복은 1696년(숙종 22년) 안용복 장군이 일본의 도근현(島根縣, 시 네마현)에서 1693년에 이어 울릉도 독도가 한국영토임을 증 명한은 서계(書契)를 막부정부로부터 받아오다 대마도주에게 빼앗기고 월경죄 명목으로 감금당했다.

---

74) 안정복(安鼎福)은 18세기 조선 후기의 실학자. 주자학적인 경학(經學)설에 따 라 만사를 판단하면서도 경학은 어디까지나 경세(經世)적이어야 한다는 지론 이었다. 경세치용의 경세론을 학문과 현실에 연결시키고, 그 정신으로 불합리 한 현실을 극복하려고 노력한 실학자였다.

그때 조선 조정에서 안용복을 문초하다 이 같은 사실을 발견하고 그 진상을 묻는 과정에서 동래부산하 대마도주에게 보내는 공문을 발송한 내용에서도 대마도는 조선의 속주임을 확인시켰다.

증거 63(김중곤, 노비문기) : 속주화(屬州化)를 요청한 도주사신(島主使臣)의 요청 내용인즉 "밖에서 귀국을 호위하며, 우리 섬으로 하여금 영토 안에 주군(州郡)의 예에 따라 주의 명칭을 정하여 주고 인신(印信)을 주신다면 마땅히 신하의 도리를 지키어 시키는 대로 따르겠습니다.[75)]

대마도는 경상도 동대부속도서 확고한 국가관을 가졌던 세종과 학자 김중곤(金仲坤)은 『노비문기(奴婢文記)』에 두지(豆之: 대마도)인이 있는 데 대하여 "대마도는 곧 조선의 땅이며, 그곳에 왜인(조선 도래인)이 살고 있다고 해서 무엇이 관계되랴"고 말한 데서 세종 때의 대마도를 관리한 사실을 짐작할 수 있다.[76)]

증거 64(이황의 대마도 부자관계론) : 이황(李滉)은 조선과 대마도의 관계를 중국 역대왕조의 대오랑캐 정책을 원용하면서 부자관계로 보았다.[77)]

또 그는 세사미두(歲賜米豆)의 의미에 대하여 "대마도가 충성을

---

75) 以爲外護貴國…若將我島 依貴國境內州郡之例 定爲州名賜以印信 則當效臣節 惟命是從. 『세종실록』 2년 윤1월10일

76) 『세종실록』 23년 11월 22일.

77) 『갑신포역절왜소(甲辰包勿絕倭疏)』, 『퇴계전서(退溪全書)』 권6.

다하여 바다를 든든하게 지키는 수고로운 공적을 가상히 여겨 해마다 하사한다"고 하였다.[78]

세종 26년(1444) 일기도 초무관 강권선의 보고서에는 "대마도에 대하여 일본국 왕의 명령이 미치지 못하는 섬"이라고 하여 일본 본토와는 분명히 다른 지역(바로 조선의 섬)으로 파악하였다.[79]

증거 65(조선팔도) : 조선명종 때 제작된 조선팔도에 대마도, 울릉도, 독도는 조선영토로 되어 있다.[80]

증거 66(고신) : 대마도의 호족들도 조선의 조정으로부터 관직을 받는 자들이 많았는데 이를 수직왜인(受職倭人)이라 하고, 그 임명장을 고신(告身)이라 했다.[81]

이 고신은 대마도 宗家의 중신이었던 하야타 히코자부로(早田彦三郎)의 것인데, 그것이 조선식의 표기로 "비고삼포라(比古三浦羅)"로 되어있는 것이다.

이렇게 조선시대 조선으로부터 고신(告身)을 받은 자가 대마도에

---

78) 『예조답대마도주(禮曹答對馬島主)』 권8.
79) 『세종실록』, 26년 4월 30일.
80) 1557년~1558년. 조선 명종(12~13)때 제작된 조선8도 주현도. 조선 전기 국가 제작 지도로는 현존 유일본으로 국보 248호로 지정되어 있다.
81) 가령 대마도역사민속자료관(對馬島歷史民俗資料館)에 전시된 고신의 예를 보면 "교지 비고삼포라위선략 장군호분위지호군자 성화십팔년삼월 일(敎旨 比古三浦羅爲宣略 將軍虎賁衛旨護軍者 成化十八年三月 日)"라는 내용과 함께 조선의 직인이 크게 찍혀 있다. 이는 조선의 조정에서 왜구의 해적을 막기 위해 무관(武官)을 임명하는 일종의 사령서(司令書)이다.

서는 무릇 18명이나 있었다.

이들은 조선의 조정으로부터 그들의 관직에 상응하는 조선관리의 관복과 관대를 제공 받았는데, 반드시 년 1회 도항하여 한양으로 상경한 후 하사받은 조선관복을 입고 조선국왕을 알현하여 입조, 숙배하는 절차를 밟아야 하는 의무가 있었다. 이는 마치 대마도가 조선의 땅에 예속되어 있으며, 그들의 지배자가 조선의 조정으로부터 임명받은 관리와도 같았다. 그들의 국왕알현은 신하와 군주가 지켜야 하는 복속의례이자 군신의 예를 갖추는 의식과도 같은 것이었다. 이러한 절차가 계속되는 조선의 땅이었던 것이다.

증거 67(조선방역지도) : 명조 때 제용감(濟用監)에서 편찬한 〈조선방역지도(朝鮮方域地圖)〉에는 만주와 대마도를 우리 영토로 표기하고 있어, 이시기의 국토의식의 확대로 대외의식을 강하게 보여준다.

〈그림 3〉 조선방역지도(朝鮮方域地圖)

상기의 지도는 그 중에서도 산계(山系)와 하계(河系)만을 표시한 것이다. 대마도도 한국 영토에 그려져 있다. 울릉도 독도는 누락되었으나 제주도, 대마도는 보인다.

증거 68(신증동국여지승람) : 1632~1652년. 조선 후기 널리 보급된 지도첩 중의 하나이다. 도별도에서는 『신증동국여지승람』에 있는 각도 또는 군현의 연혁 부분을 요약하여 싣고 있다.

제작상의 여건 때문에 대마도가 경상도에 근접하여 그려져 있으며, 그 모양 역시 사실성이 떨어진다.

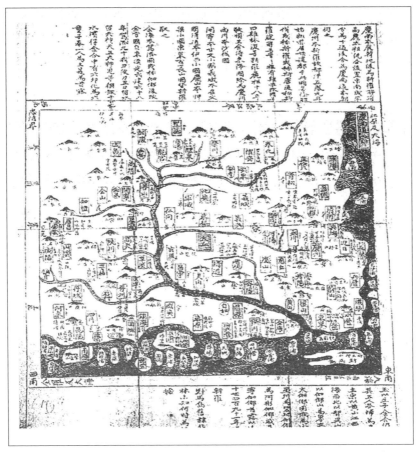

〈그림 4〉 팔도지도(八道地圖)의 경상도 부분도

증거 69(팔도총도) : 한편 일본에서도 대마도를 본토와 구별하였는
데, 임진왜란 때 도요토미 히데요시의 부하가 그린 〈팔도총도
(八道總圖)〉라는 지도에 대마도가 조선영토로 표기되어 있는
것으로 보아 일본인들이 대마도가 조선의 영토라는 의식을 가
지고 있었다는 것이 명백히 증명된다.[82] 1652〜1767년 이

지도는 〈동람도〉의 팔도총도류에 속하는 것으로 울릉도와 독
도가 위치를 달리하여 표기되어 있으며, 대마도 역시 그려져
있다. 도요토미 히데요시가 만든 〈팔도총도〉나 〈소라동천(小
羅洞天)〉 등의 조선전도류도 같은 유형을 계승한 것으로 보인다.

1530년, 관찬 『신증동국여지승람』 권1의 첫머리에 있는 한국 전
도로 팔도총도는 동서가 남북의 길이에 비하여 남북으로 압축된 느
낌을 주며, 특히 북부 지방이 심하다. 이것은 『동국여지승람』의 책
크기에 맞추어 그렸기 때문이다. 울릉도와 독도(우산도)가 따로 표
기되어 있으나 그 위치는 반대로 되어 있다. 물론 대마도는 조선
영토에 들어와 있다.

---

82) 팔도총도란 『신증동국여지승람(新增東國輿地勝覽)』 첫머리에 수록된 조선전
도. 이 지도는 지리지에 수록된 부도로 판심(版心)에 '동람도(東覽圖)'라고 쓰여
있어서 일명 〈동람도〉라고도 불린다. 현존하는 인쇄본 단독 지도로는 가장
오래된 것이다.

〈그림 5〉 팔도총도〈동람도(東覽圖)〉

〈그림 6〉 팔도총도(朝鮮地圖竝入道天下地圖)

증거 70(해동도) : 18세기 중반에 제작된 '해동지도'는 '(우리 영토는) 백두산이 머리가 되고 태백산맥은 척추가 되며, 영남의 대마(對馬)와 호남의 탐라(耽羅)를 양 발로 삼는다.'고 명기했다.[83] 즉, 1787~1800년 울릉도와 독도가 제 위치에 그려지기 시작한 정상기(1678~1752년)의 동국지도유형에 속하는 지도이다. 18세기 이후에 제작된 지도들은 울릉도와 독도의 위치를 올바르게 그려 놓고 있다. 이것은 안용복 사건 이후 독도에 대한 자국 영토의식이 반영된 결과로 보여진다. 대마도가 우리 영토내에 있다. 1787~1800년 독도가 울릉도의 동쪽에 위치하고, 대마도는 동서로 길게 누운 하나의 섬으로 그려져 있다.

일본의 독도망언과 관련, 독도는 물론 대마도까지도 한국의 영토임을 선명하게 입증한 〈해좌전도(海左全圖)〉는 가로 70cm, 세로 120cm 크기의 목판본으로, 한국정신문화연구원에서 발간한 『한국민족 정신문화 대백과사전』에 축소 수록되어 있다. 이것은 그 시대에 주민들의 생활지도로 사용했던 것으로 판명되었다.

기록과 지도는 국운을 좌우하는 가치를 지니고 있기에 이 지도는

---

83) 1750년대 초반에 제작된 관찬(官撰) 지도집으로, 채색필사본이다. 조선전도와 도별도, 군현지도뿐만 아니라 세계지도인 「천하도(天下圖)」, 「중국도」・「황성도」・「북경궁궐도」・「왜국지도」・「유구지도」 등의 외국지도, 그리고 「요계관방도」와 같은 군사지도 등이 망라되어 수록되어 있다.
『해동지도』는 국가 차원에서 제작된 방대한 분량의 지도책으로, 당시까지 제작된 모든 회화식 지도를 망라하고 있다는 점에서 중요한 의의가 있다. 또, 여백 주기의 내용이 매우 충실하여, 지도에 지리지를 결합한 효과가 있다는 점에서도 매우 중요한 자료로 평가받고 있다.

울릉도와 독도 일대를 '우산(于山)'으로 기록하고 섬의 크기와 거리 현황 등을 소상하게 그리고 적어 놓았다. 특히, 조선 세종 때의 이종무의 대마도 기록과 임진왜란 당시에 일본이 조선침략의 증거지로 활용한 사실 등과 함께 대마도는 확실히 한국의 땅임을 표기하여 보여주고 있다.

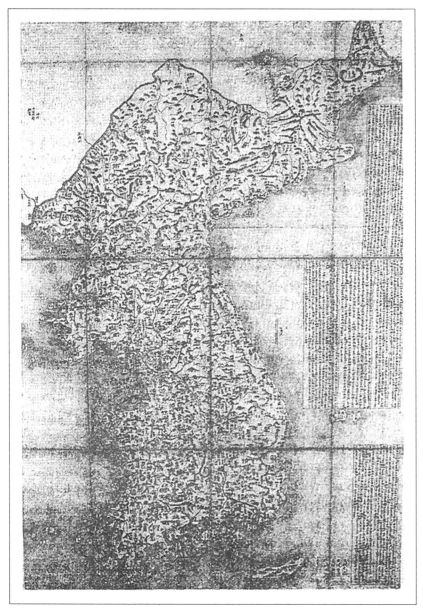

〈그림 7〉 조선전도〈해동도(海東圖)〉

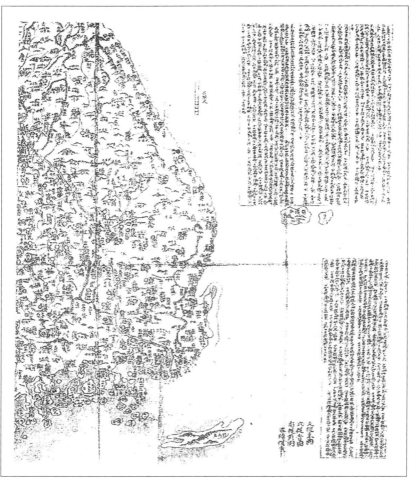

〈그림 8〉 조선전도〈해동도(海東圖)〉의 울릉도 · 독도 · 대마도 부분

증거 71(아국총도) : 1787~1800년. 중앙관서의 화원(畵員)이 그린 것으로 추정되며, 지도의 윤곽과 산계(山系) 및 수계(水系)가 모두 정상기의 〈동국지도〉 유형이다. 울릉도, 독도, 대마도 등이 모두 그려져 있으며 독도는 울릉도의 동쪽에 있다.

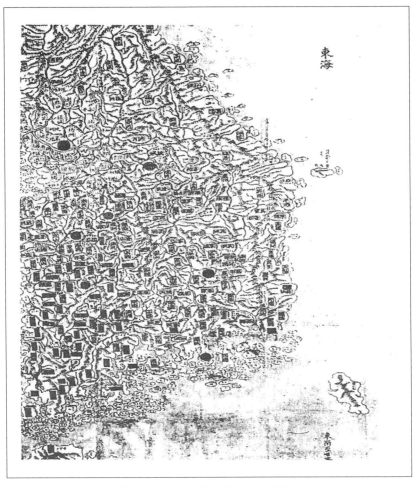

〈그림 9〉 아국총도(俄國摠圖), 〈輿地圖〉〉

증거 72(조선전도) : 1800년 이후 군현·봉수·도로망 등을 상세히 그린 우리나라 전도이다. 지도의 여백에 고조선·한사군·신라9 주·고려8도와 그 소속 현·읍을 기록하고 있다. 독도는 울릉도 의 동쪽에 그려져 있으며, 대마도도 우리 영토로 나타나 있다.

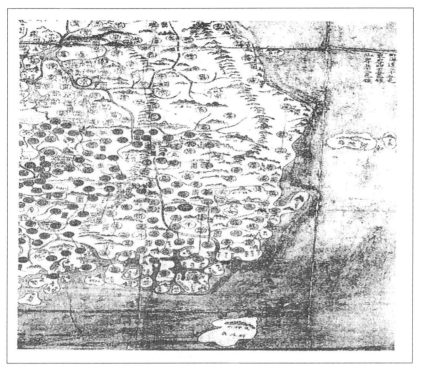

〈그림 10〉 조선전도(朝鮮全圖)의 부분도

증거 73(해좌전도) : 19세기의 근세기에 들어서 순조 22년(1822) 경에 발행된 〈해좌전도(海左全道)〉에서 대마도가 한국영토로 나타나 있다.

1857년 이후. 19세기 중기에 제작된 대표적인 목판본 조선전도 로 지도의 윤곽과 내용은 정상기의 〈동국지도〉와 유사하다. 울릉 도에 대한 역사와 위치를 섬 동쪽에, 대마도는 남쪽에 대마도에 관 한 역사적 사실을 적어 지리와 역사를 관련지역에 연결시키고 있음 이 주목된다.

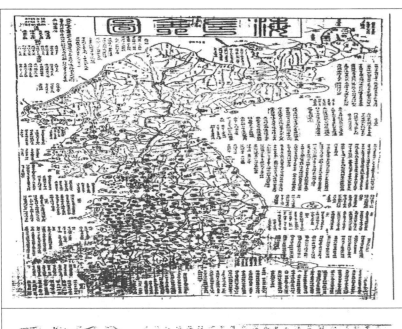

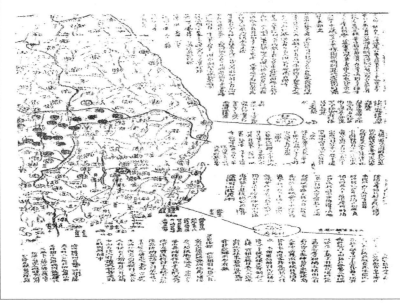

〈그림 11〉 해좌전도(海左全圖)

증거 74(대한전도) : 1899년. 학부 편집국에서 발행한 경위선이 들어 있는 우리나라 전도로 현재의 《《대한지지(大韓地誌)》》에 삽입되어 있다. 대마도가 조선영토로 표시되어 있다.

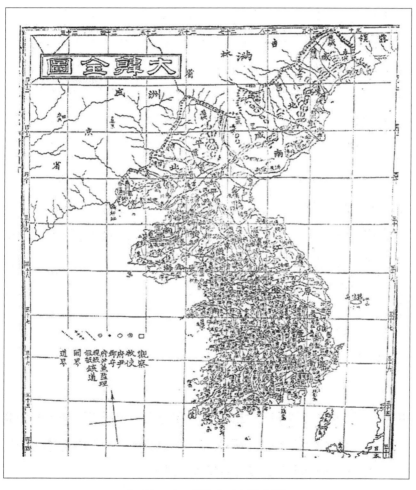

〈그림 12〉 대한전도(大韓全圖)

증거 75(청구도) : 1834년에 제작된 청구도에는 '본예신라수로470
리재동래부지동남해중지실성왕7년무신왜치영어차도'라고 적
혀 있다.84)

이 글귀는 `대마도는 원래 신라땅에 예속되어 있고 실성왕 7년까
지 동래부에 속한 섬으로 470리 거리 동남쪽 바다에 있다. 무신년
에 왜(일본인)가 들어와 살기 시작했다'는 뜻으로 이 지도에서의 대
마도가 한국땅으로 표기되어 있다. 동래부 기장현은 현재 고려대
도서관에 소장돼 있는 것으로 김문길 교수가 직접 확인해 사본으로
햇빛을 보게된 것이다.

증거 76(조선서계) : 『종가문서』를 통해 본 대마도는 각종 서계(書
契)에서 1851년(철종2년)에도 신해년 6월 세계편선에 대마도
에서 보낸 서계와 봉진예물을 받았다는 내용 등이 조선과의
속주관계를 증명하고 있다.

또한 『종가문서』에는 조선 중앙정부에서 하사한 인장을 각종 서
계(書契)에 사용한데서 그 사실을 엿볼 수 있다.85)

증거 77(상해임시정부) : 대한민국 상해임시정부, 역사편찬사업에
서 "북방영토(간도, 녹둔도)와 같이 대마도는 조속히 환속시켜
야 할 한국영토"임을 선포하였다.86)

---

84) 本隷新羅水路四百七十里在東萊府之東南海中至實聖王7年戊申倭置營於此島
85) 이즈하 민속발물관 소장

증거 78(제헌국회, 대마도수복결의) : 서기 1948년 2월 17일에 열린 제204차 입법의회 본 회의에서 입법의원 허간용 등 63명은 대마도(對馬島)를 조선 영토로 복귀시키기 위하여 대일 강화조약에 대마도(對馬島)를 조선 영토에 편입시켜 줄 것을 축구하는 결의안을 제출하였다.[87]

당시 최남선 선생 등 사회지도층 인사들이 호응하였고, 국민여론이 들끓었다.

증거 79(이승만대통령, 대마도 반환요구) : 1948년 8월 15일 대한민국 정부가 수립된 3일 후인 8월 18일, 이승만 초대 대통령 대마도 반환을 요구하는 기자회견을 가졌다. 이승만 대통령의 대마도 반환요구는 그의 독립정신과 탁월한 국제정세의 판단에 의해 정부수립 후 즉각 국제사회에 선포하고 반환 요구한 것은 민족의 미래를 내다보는 높은 통찰력으로 국민의 절대적 호응을 얻었다.

당시 일본 요시다시게루(吉田茂) 내각이 발칵 뒤집혔고 강하게

---

86) 상해임시정부 : 3·1운동 직후 조국의 광복을 위해 중국 상하이[上海]에서 조직하여 선포한 임시정부를 말한다. 즉, 3·1운동 이후 일본통치에 조직적으로 항거하기 위하여 설립하였다. 1919년 4월 11일 임시의정원(臨時議政院)을 구성하고 각도 대의원 30명이 모여서 임시헌장 10개조를 채택하였으며, 4월 13일 한성임시정부와 통합하여 대한민국임시정부를 수립, 선포하였다. 1945년 8·15광복까지 상하이(1919)·항저우[杭州, 1932]·전장[鎭江, 1935]·창사[長沙, 1937]·광저우[廣州, 1938]·류저우[柳州, 1938]·치장[1939]·충칭[重慶, 1940] 등지로 청사를 옮기며 광복운동을 전개하였다.

87) 제204차 제헌의회 국회속 기록

반발하였다. 한국 초대 대통령의 대마도 반환 기자회견 후에야 일본 조야에서는 대마도가 과거부터 일본땅이라는 역사를 조작하고 정리하여 발표하기 시작하였다.

증거 80(이승만대통령, 제2차 대마도 반환요구) : 서기 1948년 9월 9일, 이승만 대통령은 일본 요시다 내각의 강력한 반발을 의식하여 더 한층 강력하게 잃어버린 우리 땅 대마도 반환을 위하여 재차 대마도 반환을 요구하며 대마도 속령에 관한 성명을 발표하였다.

이 선언은 현재까지 또 영원히 유효하다. 일본은 변명을 멈추고 즉각 반환하라.

당시 건국 직후인 1948년 8월 18일 이승만 대통령이 대마도 반환을 일본 측에 요구하고, 동년 9월 9일 한국 외무부에서 일본측의 이의제기를 반박하면서 대마도 속령을 강화하는 성명을 발표했다.

증거 81(대마도반환, 일본배상은 임진왜란 때부터 기산起算요구) : 1) 1949.1.8일 이승만대통령은 연두기자회견에서 일본배상문제는 임진왜란 때부터 기산하고 대마도 반환문제는 별개취급을 주장하였다. 2) 일본이 350년 전 대마도를 불법 탈취하였고 그 증거 비석을 다 뽑아 일본동경박물관에 숨겨둔 것을 다 찾아와야 한다. 3) 1870년대 포츠담선언에서 "일본은 불법적으로 소유한 영토를 반환하겠다고 하였으니 한국에 돌려줘야한다"고 주장하였다.

1949년 1월 8일 이승만 대통령이 신년 기자회견에서 대마도 영유권을 주장하고 일본은 한국에게 반환할 것을 요구함으로서 그해 3월 국회에서 대마도 반환을 촉구하는 건의안을 제출하기에 이르렀다.

〈그림 13〉 이승만대통령의 대마도반환을 요구한 연두기자 회견기사
(1949.1.8 동아일보)

1905년 11월 17일 을사늑약이 체결되기 전까지 대마도는 조선의 속영이었다. 따라서 조선의 영토였던 대마도는 일본이 패망한 후에 한·일 병탄이전의 상태인 조선을 계승한 대한민국의 영토로 복귀되는 것은 당연하다.

증거 82(이승만, 대마도반환은 실지失地 회복하는것)

〈그림 14〉 이승만대통령의 "대마도 반환이 실지(失地)회복"임을 강조한
년말기자회견(1949.12.31.동아일보)

증거 83(대마도반환 요구, 국제여론 비등沸騰) : 1) 1948.8.15 이승만대통령이 대마도반환을 요구하자, 남북한은 물론 중국거주 동포와 중국정부가 강력 지지하고 나섰다. "일본이 한반도 재침략 의사가 없다면 원래 한국영토니 반환 못할 이유가 없다"며 반환촉구 대규모 군중시위가 한국과 중국에서 발생하자 다급해진 일본수상은 천황을 만나 대책을 논의했는데 그 당시 대마도 거주한국인이 2000여명으로 파악되었다. 2) 한국국민들은 1950년을 대마도 실지회복의 꿈에 부풀었으나 1950. 6. 25 한국전쟁으로 대마도반환 절호의 기회가 중단되었다.

증거 84(이승만라인, 불법침범자, 나포명령) : 대한민국 이승만 대통령은 1952.1.18일 "해양주권선"선포 후 6개월간의 공지기간이 지난 1952.7.18일부터 불법침범 외국선박 나포명령이 내려졌다.

1953년부터 1955년까지 3년간 일본은 뒷마당처럼 마음대로 오가며 어로작업을 하다가 한국의 강력한 주권행사에 의해 큰 제약을 받게 되었다.

이승만라인은 1965년 한일국교정상화 회담에 의한 새로운 한·일어업 협정시까지 계속되었고 그간 일본선박 328척, 일본인 3829명이 나포되어 한국법정에서 처벌을 받게 되었고 44명의 사상자가 발생하기도 하였다.

이승만과 같이 한국의 강한 지도자가 나타나 대마도를 찾아오고 해양주권선을 선포하고 위반자는 나포하여 한국법정에서 엄히 다스리니 일본은 한국 눈치 보면서 석방을 애원하였던 것이다 한국영토를 빼앗기고 "대마도를 내놔"라고 말도 못하는 바보짓을 하니 일본이 깔보고 독도까지 갈금거리지 않는가?

이승만 대통령의 강한 지도력을 한국위정자는 본받아야 할 것이다.

증거 85(정문기, 대마도 조선환속 주장) : 정문기 박사는 "대마도의 조선환속만이 동양평화를 위하는 질서이다."라는 논문을 발표하였다.[88]

---

88) 정문기 박사 : 일본 동경제국대학교 수산학과를 졸업하고 해방후 부산 수산대학 학장으로 재직한 정문기 박사는 1945. 10. 15일 이 논문을 발표하여 처음으

증거 86(샌프란시스코조약에 대마도반환 삽입요구) : 서기 1951년 4월 27일, 양유찬 주미대사는 샌프란시스코 조약 때 "한국이 일본으로부터 대마도의 영유권을 돌려받는다"는 문구를 포함시킬 것을 미국 측에 공식 요구하였다.[89]

증거 87(이한기, 대마도 禁反言) : "一國의 영토주권에 대한 타국의 공인(公認, Recognition)은 공인한 타국이 장래 그 지역의 지배권을 다투는 것을 스스로 금하는 이른바 금반언(禁反言, Estoppel)의 효과를 발생한다."라는 국제 영토규정에 해당하므로 대마도는 원래 소유국인 한국에 반환되어야 한다.[90]

증거 88(마산시, 대마도의 날 제정 선포) : 6월 19일을 〈대마도의 날〉로 제정 선포하였다(2005년). 대마도를 우리 영토임을 대내외에 각인시키고, 영유권 확보를 목적으로 조선 세종때인 1419년 6월 19일 이종무장군이 대마도를 향하여 출항한 날을 기념하여 6월 19일을 대마도의 날로 선포하였다.[91]

로 대마도 반환을 주장하였다(전남 순천 추신 수산해양학자).

89) 미국 국립문서기록 관리청(NARA) 국무부 외교문서 : 한국은 제2차 대전 전승국들이 일본과의 평화조약 초안을 작성하던 서기 1951년 4월 27일 미 국무부에 보낸 문서에서 대마도의 영유권을 주장하였다.

90) 이한기 박사 : 서울대학교 명예교수 국제법학자로 한국의 영혼 영토취득에 관한 국제법적 연구(서울대 출판부, 1969년)를 저술하여 대마도 반환을 촉구하였다.

91) 제정, 2005년4월6일. 마산시의회 조례 제660호, *대마도의날기념사업추진위원회(2006).

증거 89(호사카유지, 대마도는 한국땅) : 독도와 대마도는 역사적으로 증명되는 조선, 한국영토이다. "한국 젊은이여, 공부 좀 하라"며 일본인이 한국학생들에게 영토의식을 가질 것을 촉구하고 있는데 부끄럽지 아니한가?[92]

증거 90(황백현, 대마도 유물 반환 보호운동) : 대마도 여행사를 운영하며 자주 대마도에 드나들면서 무궁화를 심고, 대마도의 한민족 문화유산을 발굴 연구하고 있다.[93]

증거 91(정홍기, 대마도반환, 국제재판소 재소 준비) : 빼앗긴 것도 억울한데 왜 "한국땅 내놔"하고 말 한마디 못하는가? 전 세계를 향하여 "1억명 한민족 동포에게 呬함"이란 특별성명을 발표한 바있고, 국민서명을 받아 국제재판소에 제소를 준비 중에 있다. 정부당국은 "예산이 없다"며 수차례의 협조요청을 거절하여 한계를 느끼고 있으나 저자는 使命이라 생각하고 강연, 저술 등을 통하여 "대마도 되찾기운동"을 계속 펼쳐 나가고 있다.[94]

---

92) 保坂祐二(호사카유지)씨는 일본인이나 한국에 귀화하여 세종대학교 교수로 재직 중이며, 대마도, 독도 등 영토문제를 전공하여 많은 저서를 남겼다.

93) 황백현 박사 : 대마도 논문으로 문학박사 및 발해투어 대표이며, 대마도 페라호 취항에 공로하였으며, 저서로는 대마도 통치사, 대마도 역사문화 등 다수가 있다.

94) 정홍기 저자의 영토관
  1) 샌프란시스코 강화조약에 의거 당연히 찾게 되어있는 대마도를 영토의식부족으로 반환노력을 하지 않았다.
  2) 이승만대통령은 대마도반환 자신감에 넘쳤는데 6.25전쟁으로 중단된 것은 너무 억울하다.

대마도가 한국땅인 증거 127가지를 제시하며 대마도반환 국민운동을 전개하고 있다.

"1억명 한민족동포에게 告함"이란 대마도반환 국민운동 선포문이 책서두에 실려있다. 1000만명 서명을 받아 국제재판소에 제소할 준비를 진행하고 있다.

3. 일본 역사기록 증거

증거 92(삼양접양지도) : 일본정부에서 적극 지원함. 삼양접양지도는 일본의 최고학자인 임자평(林子坪)이 17세기에 제작한 지도인데 이 지도에 "독도, 대마도가 조선땅"으로 되어있다. 태평양의 섬 "오사와가라島영유권분쟁시" 일본은 이 지도를 증거로 제시하고 미국으로부터 이 섬 영유권을 인정받았다. 일본은 이 지도가 없다고 속여 오다가 근간 프랑스에서 원본이 발견되었으니 일본은 당장 대마도를 한국에 반환해야 할 것이다.

일본의 임자평은 대동여지도를 발로 뛰면서 제작한 조선의 김정호선생을 존경하고 영향을 받아 세계적인 지도학자로 성장하고 후학을 양성하였으나 김정호는 후학도 없이 당대에 끝나고 말아 한국

---

3) 해방 후 한국이 대마도 찾을 생각을 안하니 일본이 독도까지 집적거리며 미군 철수하면 하루밤에 점령가능성이 크다.
4) 영토문제는 국력과 국민영토의식에 좌우된다.
5) 남북통일되고 경제대국 군사강국이 되면 옛 古조선의땅도 반드시 찾을 수 있다. 준비하는 자에게 기회는 온다.

의 학문계승정신이 부족함을 절실히 느낀다(일본은 학문이나 기술 계승을 적극 지원함).

1970년 5월 6일, 당시 동아일보에 실린 기사를 보면, '이 지도는 독도는 한국영토라고 기록된 가장 오래된 증거자료다.'

삼국접양지도가 있다는 것을 학계에서는 벌써부터 알려졌으나 실물은 발견되지 못하다가 1954년 당시 법무부검찰국장이던 신언한이 영국으로 출장갔다가 대영박물관에 보관되어 있는 이 지도 사진을 찍어와 당시 동아일보에 보도된 바 있는데 그 실물이 발견된 것이다. 그런데, 이 지도의 발견과 함께 새로 밝혀진 것은 일본은 과거 바로 이 지도를 갖고 오가사와라 제도에 대한 영유권을 미국측에 주장하여 미측을 설득시키는데 성공했다는 것이다.

한국연구원의 최서면교수에 의하면 1853년 일본에 온 미국 페리 제독의 대표인 아담스와 일본막부측의 이토 이시미마모리는 요코하마에서 오가사와라의 영유권을 둘러싸고 서로 선점했다고 담판을 했는데 일본측이 증거서류로서 이 지도의 프랑스어판('클라프로토'라는 독일인이 프랑스어로 번역한 것)을 제시하자 미국이 말이 막혔다는 기록이 있다.

아울러 이 신문기사 하단에는 당시 한국의 석학들도 이 삼국접양지도를 한·일간에 영토분규를 가름할 귀중한 사료라고 평가하고 있다.[95]

---

95) 이병도 박사(학술원 원장 역임)는 '삼국접양지도는 독도의 한국령을 주장할 충분한 자료가 되어 발견한 자료가(프랑스어판 원본이 아닌) 사본으로 유감이지만 매우 귀중한 것이다.' 홍이섭 박사(연세대)는 '하야시 시헤이는 일본 국방론의 선각자로 이 지도는 매우 귀중하고 정확한 것이다'라고 했으며, 이한기 박사(서울대 사법대학원장)는 '독도가 한국령임이 명확히 드러난 것이며, 일

〈그림 15〉 이진명 박사의 저서 '독도, 지리상의 재발견'(2005)에 수록된
프랑스어판 흑백 삼국접양지도

증거 93(일본서기의 소존명존王) : 「일본서기」에 소잔명존(스사노
오)왕이 대마도의 한향지도(韓鄕之島 : 한국의 섬)이며, 하한지
정(下韓之政 : 한국의 정치가 미치던 섬)이라 했다.[96]

본 막부의 지도는 하야시 시헤이의 지도가 가장 정확한 것이다.'라고 언급하
였다.

96) 대마도는 한일 간의 정치·경제·문화·무역의 창구로서 역할을 하였고, 양국
의 군사·정치적 충동 속에서는 희생양으로 임해야 하는 불운의 위치를 점하
기도 하였는데 이 내용은 일본정부 및 우리 정부에서 대마도가 한국영토임을
확고하게 규정짓는 몇 가지 항목을 추출해 볼 수 있다.

소잔명존(스사노오왕)은 단군3세 가륵 무신 10년에 두지주(豆只州)의 여읍이 반란을 일으켰다.

왕은 여수기(余守己)에 명하여 그 추장 「소시모리」를 참하였다. 마한의 관경지인 이 땅을 소시모리라 하고, 소리가 바뀌어 우수국(牛首國)이 되었으며, 그 후손인 섬야노(陝野奴: 소잔명존)라는 자가 바다로 도망하여 일본 왕이 되었다(환단고기와 일본서기에 똑같은 기록 현존).[97]

즉, 환원과 단군편에 신화적 내용이 있지만 어느 나라건 건국설화과정이 있는 데 이책은 그래도 일본서기에 비하면 무척 체계적으로 특히, 삼한 관경 본기편과 태백일사고구려편 및 대진국 내용에는 왜에 대한 기록이 많아 우리 민족의 내용과 일본 내용을 그 곳에서의 활약상을 소상히 적고 있다. 예로부터 구주와 대마도는 마한에서 다스린 땅으로 본래 왜인이 사는 지역이 아니었고 (우리도래인)임나가 나뉘어 3가라가 되었다. 여기서 가라란 그 지방의 중심되는 말을 칭한다.

증거 94(일본대제부 공문) : 1083년(고려 文宗 36년)부터 1318(고려 恭愍王 17)까지 대마도는 고려국의 영토였기 때문에 고려에 조공을 바치고 쌀, 콩 등 곡식을 답례로 받아갔다.

---

97) 일본서기(720년) 신무왕에서 41대 지통왕까지(696년) 고사기(712년)와 함께 일본고대사 연구에 있어 단지 둘 밖에 없는 사료이나 사실의 결함으로 문제가 많은 것으로 알려지고 있다. 여기서 환단고기는 안함노, 원동중의 「삼성기 2편」, 이암의 「단군세기」, 범장의 「북부여기」, 이맥의 「태백일사」 등 일제강점기인 1911년 우리나라의 민족혼을 기리기 위해 운초 계연수선생이 한권의 책으로 엮은 것을 말한다.

1222년 고려고종 9년 5월 14일자. 일본대재부(大宰府: 일본정부의 대변기관으로 무역 및 군사합참본부)에서 전라도 관찰사에 보낸 공문에서 "당신나라 대마도 사람이 방물을 보내와 두 나라가 오랫동안 우호를 유지했다."[98])는 것은 바로 고려의 속령임을 일본정부나 모든 일본인이 인지하고 있었다는 증거다.

고려의 대마도 통치

■ 대마도는 고려의 목(牧)으로, 조공(진봉)을 바치고
  → 회사품(回賜品) 수령
■ 우리 韓나라 아비류(阿比留)씨가 고려의 구당관(勾當官)으로,
  대마도 통치
■ 고려문화와 무역 → 대 일본 수출기지
■ 8만대장경 등 불교문화 대마도 전수
  → 현재 133존 우리 韓나라 불상 존재

증거 95(명치, 시말탐서) : 1870년 메이지 정부에서 조선탐사에 보낸 세밀사(시게루, 사다하쿠모, 사이토에이)가 일본외무성에 보고한 내용에서 정치적으로는 대마도주가 조선 임금으로부터 인장을 받아 국사를 처리한 것은 분명 조선의 속도이다. 그리고 해마다 콩500석, 쌀500석(사실은 10만석이 넘었음)을 받았다는 것은 조선의 경제적으로 예속되었던 섬이다(메이지 정부의 시말탐서 내용).

---

98) 彼對馬島人 方物 去來 長期和好

1870년 메이지 정부의 사절파견과 대마도의 보고문서에 보면, 일본 외무성은 시게루(森山茂)와 사다하쿠모(佐田白茅), 사이토에이(齊藤英) 일행이 조선을 밀행하여 작성한 보고문서를 상신한 역사적 기록이 이를 뒷받침 한다. 그 내용인 즉, "대마도는 조선의 제도에 포함되어 있는가에 대한 답변에서 대마도주가 국왕이 하사한 인장을 받은 것은 조선의 제도상에서 신하가 된 것이다. 뿐만 아니라, 세사미(歲賜米)는 매년 쌀 50석, 콩 50석(사실은 매년 10만석)을 종씨가 대대로 받았다. 이와 같은 사실을 보아 대마는 확실히 조선에 대한 영토로서 신하의 예를 취하는 것이 가장 대표적인 일이다."라고 보고했다.

증거 96(조선지원으로 생존인정) : 대마도민은 조선의 경제적, 정치적 지원 없이는 그들의 생존권을 유지할 수 없었다. 그들의 인구를 3만(조선초기)으로 본다면 2/3가 한국의 지원이다.

수직왜인에게 지급된 곡식이 10만석이고, 동래왜관을 통한 교역품에서 10만석 지급(1439년 조선에조에서 대마도주에게 보낸 서계)하였으며, 나머지 10만석은 대마도 자체의 생산품(1905년 일본관리의 통계)이었다. 조선의 품을 벗어날 수 없었다.

증거 97(대마도 구분의식) : 일본인은 대마도사람을 조선사람이라하여 깔보고, 무시하고 "조센진"이라며 무시하였다. 이것을 "대마도 구분의식"이라 하는데 일본인의 의식속에 깔려 있으며 이는 곧 "대마도가 한국땅임"을 스스로 인정하는 증거다. 그밖에 일본인은 대마도를 외국으로 알고 있었다(한문 同).

그 내용은 일본사람들이 신주처럼 받드는 『일본서기』 신공황후
(神功皇后)편에 많은 지면을 차지하고 있다. 일본학계에서는 삼한
정복설과 임나일본부설을 아전인수격으로 사실화하여 차세대의 교
과서에 상세히 실어 교육시키고 있다.

물론 한국 교과서에는 한 줄도 그런 내용이 없다. 그러나 광개토
대왕의 비문날조 및 백제 근초고왕이 일본왕에 하사한 칠지도(七支
刀)가 혼합하여 그들이 임진왜란과 삼포왜란, 그리고 끝없는 왜구
의 침입 및 1910년의 한일합방으로 이어진 조선침략사에 있어 원
본임을 밝혀주고 있다.

역대 일본학자들은 이때 일본정권이 바다 건너 한국 남부를 경영
하였다는 증거로 삼아 이 부분에 심혈을 기울인다. 그러나 이 같은
내용들은 일본왕실의 일방적인 가필이며, 그 당시에는 일본열도 내
에서는 통일왕정은 없었으므로(통일왕정은 7세기 후반임), 도래한
한국소국 중에 대마도를 증거한 임나연정왕의 증거임이 이미 드러
났다.[99]

그밖에 일본은 대마도를 외국으로 알고 대마도인을 반 조선인이
라 불렀다(海行摠載).

**증거 98(일본서기) : "먼 옛날 마한(馬韓) 지역에서 건너간 이주민
들이 대마도 · 일기도 지역에서 살고 있었다.[100]**

---

99) 〈광개토대왕비문〉: 왕 10년(400~479)후에 대마도에 임나연정이 수립되었고,
   5왕(찬 · 진 · 제 · 흥 · 무)은 곧 대마도의 임정왕을 칭함)(김석형 · 조희성 저『일
   본에서의 조선분국』, 이병선 저『임나국과 대마도』
100) 한국의 「태백일사」, 「삼한관계기」, 「한단고기」에도 같은 내용이 기록되어 있다.

이 때문에 이들 지역은 마한의 지배를 받았음을 밝히고 있다. 이 때 소잔명존은 아들 오십맹신을 데리고 신라국(규슈 내에 있는 拷衾新羅: 신라소국)에 내려서 소시모리라는 곳에 있었다. 그리고 "이 땅은 내가 살고 싶지 않다"라고 말하며 진흙으로 배를 만들어 동쪽으로 가 이즈모(出雲)의 파천상류에 있는 조상봉으로 갔다(『일본서기』 신대 상8단).

대마도 신앙

- 한 웅 → 단군 → 웅야권현 → 백악산신앙 → 제정일치
- 마 한 → 소도(蘇塗)
- 대마도 → 소도(卒土)
  일본 → 히로모기

증거 99(일본서기의 국인신화) : 신라국은 『일본서기』 중애천황 8년 9월조에 나오는 고금신라 및 출운풍토기의 국인신화(國引神話)의 고금신라와 같은 곳으로, 규슈에는 도래인이 세운 신라소국이 많았음을 알 수 있다. 이때 소잔명존이 일본의 이즈모로 이주한 것은 옛날 왕검조선 때 대마도·일기도와 규슈 등이 마한의 관경 속에 속하여 있었기 때문이다.

이같은 내용들은 대마도를 중심으로 한 일기도와 규슈지방이 왕검조선 때부터 우리 민족이 이주하여 통치했다는 실증적 자료이다. 『일본서기』에 쓰여 있는 신(神)은 그 모두가 우리나라에서 건너간

지배인들을 칭한다는 것은 『일본서기』의 내용을 읽어보면 쉽게 알수 있으며, 섬야노(陝野奴)를 우두천왕(스사노오)으로 모신 신사(神祠)를 우두사(寺: 소머리데라)라고 부른데서 이를 뒷받침한다.

증거 100(한향지도) : 일본의 『고사기』에는 '진도(津島)로 나와 있고 『일본서기』의 신대(神代)에는 '한향지도(韓鄕之島)'로 기술 되어 있다.

이것은 대마도 이름의 뜻과 관련된 것으로서 '쓰시마(津島)'는 한반도로 가는 배가 머무는 항구와 같은 섬이고, '가라시마(韓鄕之島)'는 바로 한국인의 섬으로서 한국사람이 고대로부터 사는 섬 또는 한반도로부터 사람과 문화가 건너올 때 거쳐온 섬, 교역이 이루어졌던 섬으로도 표현된다.

또 하나 유력한 설은 한국어의 해설이다. 일본어의 시마(島)는 한국어의 '섬'에서 유래된 말로서 한국말의 두 섬이 두시마, 쓰시마로 되었다는 설이 있다.

위의 내용들을 놓고 볼 때 3세기 이전부터 대마도가 바로 구야한국(가야)에 속했다는 것이 『삼국사기』 실성왕 7년편과 『가락국기』 6대 좌지왕 2년의 기록 및 『대동세보』에 수록되어 있다. 이러한 역사적 고증을 통해 볼 때 5세기 이전에 대마도는 오랫동안 바로 가야의 영토이었음이 밝혀졌다. 즉 일본의 영토가 아님을 일본인 스스로 증명하는 대목이다.

4. 조선땅 입증, 대마도 자체의 증거

증거 101(고쿠신) : 이즈하라에 있는 대마역사민속자료관의 정문에는 조선통신사를 영접했던 '고려문'이 복원돼 있다. 전시장 안에는 조선통신사의 장엄한 행렬을 그린 그림과 통신사들을 대접하는 밥상그림 등 당시의 화려했던 접대문화를 나타내고 있다. 전시된 유물 중 가장 눈에 띄는 것은 수직왜인(受職倭人)들에게 벼슬을 내릴 때 주던 관직임명장인 '고쿠신(告身)'이 있다.

이 유물엔 '조선 명종 때 대마도인 다이라노 나가치카가 성능이 좋은 총을 바쳐 조선왕실이 그 공을 치하하고자 당상관 벼슬을 내렸다.'는 설명이 붙어 있다. 고쿠신의 설명서를 보면, '한국 국사편찬위원회 수장 유물'이란 표시가 돼있다. 대마도 호족이 조선왕실로부터 받은 관직임명장이 전시된 것이다.

대마도가 예로부터 왜구의 소굴이었던 점을 되새겨 본다면, 일본출신, 중국출신, 한국출신 왜구를 비롯한 대마도 거주민의 정체성을 찾는 방법 중의 하나일 것이다. 13세기 중엽부터 메이지유신 까지 600여 년간 대마도를 다스려왔던 소(宗)씨 일가에 앞서 대마도를 지배한 가문은 '아비류(阿比留)'씨 가문이었다. 아비류씨는 어원적으로 '아사달', '아직기', '아사녀'와 같은 백제계통의 성씨인 것으로 알려져 있다.[101]

---

101) 조선통신사는 1607년을 시작으로 1617년, 1624년 쇄환사 3회와 사절의 명칭을 통신사로 바꾸고 부터는 1636년, 1643년, 1682년, 1711년, 1919년, 1748

증거 102(숭정대부 판중 추원사) : 한편 세조 때에는 대마도주 종성 직(宗成職)의 수직을 추천하던 과정에서 대마도주에게 내린 교서에서도 "경의 조부가 대대로 우리의 남쪽 변경을 지켜서 국토를 보호하게 되었는데, 지금 경이 선조의 뜻을 이어서 더욱 공경하고 게으르지 아니하며 거듭 사람을 보내 작명(爵命)을 받기로 청하니, 내가 그 정성을 가상히 여겨 특별히 숭정대부 판중추원사 대마주 병마도절제사를 제수한다"고 했다.[102]

그 후 성종과 연산조의 조정에서 대마도주에게 주는 서계(書契)에서도 "대마주는 우리나라의 속신(屬臣)인데 어찌하여 조선과 대마도를 양국이라 칭하느냐. 너의 도주가 우리 조정에 신하라 칭하였으니 대마도는 조선의 일개 주현에 지나지 않을 뿐이다"란 기사가 많이 보인다.[103]

증거 103(한민족 사찰) : 서기656년에 백제귀족 비구니 법명스님이 대마도에 와서 구품원 수손암을 세운 것이 그 시초다.[104]

이는 대마도가 한국의 속국으로 한국의 불교 전래를 통해 절이 세워졌을 뿐만 아니라 한국식으로 운영되어 오늘날까지 이어져 오고 있음을 뒷받침한다.

년, 1811년 등 9회 모두 12회 일본을 방문하는 조선통신사를 맞이하는 중간 기착지가 대마도였다. 이재청(2005). 『간도에서 대마도까지』. 동아일보사.

102) 『세종실록』 7년 8월 28일.

103) 『성종실록』 25년 2월7일, 『연산군일기』 8년 정월 19일.

104) 대마도에는 39개의 절과 29개의 신사가 있다. 일본 전체에는 20만개의 신사와 약 10,000개의 절이 있는데 일본 본토의 일본식 신사보다 절이 많은 지역은 일본 전국에서 이곳 대마도뿐이다.

대마도에 한국식 사찰로 현존하는 수선사는 최초의 일본 불경과 불상전래지이다.[105]

당시 창건자는 法明이란 백제 출신 女僧--"維摩經"이 창건했으며, 이 절의 처음명칭은 구품원 수선암 〈유마經典〉의 音頌을 對馬島에 남겼다. 그 후 수선사로 명칭이 변경된 것은 1573년, 비구니(比丘尼)절로 구우홍인(九品院)으로서의 修善庵이었으나 비구比丘절로 그 성격이 바꾸면서 修善寺[106]로 개칭되었다. 여기에 소장된 불상은 10.2cm 크기의 신라 금동 대일 여래불(大日如來佛=摩訶毘盧遮那)[107]이 있다.

현재, 대마도에 소장되어 있는 한국 불상은 133체[108]로 대마도(일본) 승려들은 타 직업을 가지고 있어서 출타중인 경우가 많아 도난 방지를 위하여 숨겨 놓고 있는 곳이 많다. 현재 대마도의 절은 한국의 영향으로 재산과 세습은 사유재산이기 때문에 주지는 세습직이다.

---

105) 西紀540年〈欽明天皇〉元年庚申-百濟樂人이 佛經과 佛像을 한국에서 가지고 오고, 이를 바탕으로 수선암 건립은 656年(齊明天皇3年丙辰: 新羅 武烈王 3年: 高句麗 寶藏王15年: 百濟義子王16年 唐 高宗)에 했다. 538년이라는 기록도 있으나 대마도역사바이블인 〈대주편년약〉에는 540년이다. 領木棠三(昭和47). 『대주편연략(對州編年畧)』. p.35.

106) 領木棠三(昭和47). 『대주편연략(對州編年畧)』. p.39.

107) 마가비로자나(摩訶毘盧遮那): 訶: 꾸짖을 가. 책망, 遮: 막을 차. 대일여래(大日如來)란? 밀교(密敎) 진언종(眞言宗)의 본존(本尊)이자 교주(敎主)다. 또 마하는 〈大〉, 비로자나는 〈日〉로 의미하기 때문에 합치면 대일(大日)이다. 大日은 〈大遍照: 위대한 광휘〉를 뜻하기 때문에, 편조여래(遍照如來)라고도 한다. 밀교 이전의 대승경전인 범망경(梵網經), 화엄경(華嚴經) 등에서 연화장세계(蓮華藏世界)를 중심으로 한 광대한 세계관의 주체로 묘사되었으며, 이후 우주적 통일원리가 인격화된 형태로 인식되었다.

108) 대마관광물산협회. 『국경의 섬 쓰시마를 가다!!』. p.23.

증거 104(조선통교대기) : 대마도의 송포윤임(松浦允任)이 지은 『조선통교대기(朝鮮通交大紀)』 권1, 원통사공(圓通寺公)에서도 대마 문적(文籍)에 대하여 "생각컨대 아주(我州: 대마도)가 본래 조선 경상도의 속도였다는 것이 언제나 일본과 대마도의 서(書)에 보인다.

『여지승람』에도 아주를 동래의 속도(屬島)라고 하였다. 조선측에서도 자주 이 구절을 인용하지만, 문적(『한단고기』, 『삼국사기』, 『삼국유사』, 그 외의 史書)에 관해 토론을 하였다. 뒤에 이익과 안정복 등이 대마속국론을 들고 나온 것은 지당한 일이라 본다"고 하여 이를 뒷받침 한다.

증거 105(나가도메 히사이의 한문명) : 일본사학자 나가도메 히사이의 저서 『대마도 역사관광』에 나타난 대마도의 소도(卒土)는 마한의 소도(蘇塗)와 같은 것이며, 다카무스 비노미코도와 데라시스 오오미카미(天照大御神) 등의 각종 신화가 조선분국의 존재를 증명한다. 다시 말해 대마도신의 고향은 바로 한국이다.[109]

일본 사학자인 중촌영효(中村榮孝)는 그의 논문에서 조선과 대마도의 속지관계(개연성)을 인정하면서, 일본측으로서는 대륙을 잇는 생명선과 같은 섬기기에 그것을 아전인수격으로 우긴 것에 지나지 않으며, 지정학적 여건을 볼 때 조선의 영토이었다고 실토하였다.

---

109) 나가도메 히사이 저, 『대마도 역사관광』

영락 10년(410)에 세가라 (대마도 三韓分國: 左護·仁位·鷄知)는 모두 고구려에 귀속되고 이로부터 바다와 육지의 모든 왜가 임나 (任那)에 통합되어 열 나라로 나누어 다스리니 이름하여 임나연정 (任那聯政)이라 하였다.[110]

구야한국(금관가라)에서 1천여 리 떨어지 바닷길을 한 차례 건너서 대마국에 이르니 사방이 400여 리쯤 외었고 그곳에 조선 도래인이 주거하고 있었다(위지 왜인전, 태백일사 대진국 본기). 이때의 國은 지방이 부족국이란 좁은 의미의 國이다.

대마도에서 1천여 리 떨어진 바닷길을 한 차례 건너서 일기국(壹岐國)에 이르니 사방이 300리쯤 되었다. 본래 이곳은 사이기국(斯爾岐國)인데 자다(子多)의 여러 섬 사람들이 모두 조공하였다(대마도의 治所를 중심으로 한 조선분국임).[111]

증거 106(대마여지도) : 대마도가 한국 땅으로 표기된 '대마여지도 (對馬輿地圖)'와 '청구도 동래부 기장현'지도가 있다.[112]

2003년 출간된 모리고안 지도(森幸安地圖)에 수록된 이 지도에는 '부시준조선국지지례칙부향군령지470리'라고 적혀 있다.[113]

---

110) 『태백일사』 고구려편. 이병선 저 『임나대마도』, 문정찬 저 『일본상고사』, 『일본서기』 5 王代, 〈광개토대왕비문〉
111) 조선분국 주장설은 김형석·조희승 저 『일본에서의 조선분국』, 『한단고기』 대진국편
112) 대마여지도는 1756년 6월 일본 지리학자인 모리고안(森幸安)이 에도(江戶) 시대 막부의 명을 받아 제작한 뒤 공인을 받은 것으로 현재 원본이 교토 기타노덴만쿠(北野天滿宮)에 소장돼 있는 것을 김문길(부산외대) 교수가 찾아내 공개했다.

〈그림 16〉 '대마도는 조선 땅'으로 표기된 대마여지도

---

113) 釜示准朝鮮國地之例則有抱郡令之470里. 이는 '대마도의 부·향·군 모든 법칙은 조선국 부산에 준한 것이다. 거리는 470리다'로 풀이된다.

증거 107(산가요략기) : 대마도의 등정방(藤定房)이 1723년에 편찬한 『대주편년략(對州編年略)』 3권으로 구성된 산가요략기(山家要略記에는 "대마도는 고려국의 행정치소인 목(牧)이었다. 옛날에 신라사람들이 이곳에 살았다"고 기록되어 있다.

그러나 그가 지적한 신라는 대마도에 있는 좌호가라(佐護加羅) 중심의 신라이며, 중애천황 8년(199년)9월조에는 천황이 신라정토의 신탁을 믿지 않고 억지로 웅습(熊襲)을 토(討)하다가 승리하지 못하고 돌아왔다는 기록을 남겼다.[114]

가마쿠라 막부시대 중기(13세기 말에 만들어진 『진대(塵岱)』 11권의 사서(辭書)로서 저자 불명의 권2에 의하면 "무릇 대마도는 옛날에는 신라국과 같은 곳이다. 사람의 모습도, 그곳에 나는 토산물도, 있는 것 모두가 바로 신라의 것이다"로 되어 있다. 이것은 옛날부터 대마도에 신라 사람들이 대를 이어 살았다는 사실을 보여주고 대마도가 신라와 같은 곳임을(左護加羅: 신라)증명하며, 인종적·문화적으로 동질임을 강조하고 있다.

그 이외에도 전·후술하는 모든 내용들이 대마도는 한반도와 지척간에 있는 부속도서로서 우리의 정치 및 문화권에 상존해있었다는 것은 일본학자들이 증명하는 바이다. 대마도에 산재해 있는 수많은 문화유적과 생활습속들에 대해서 『대마도·일기도 종합학술조사 보고서』(서울신문사, 1985) 및 일본인이 쓴 『신대마도지』에 잘 정리되어 있다.

---

114) 『일본서기』, 『한단고기』 고구려편

증거 108(의화묘비) : 대마 만송원(萬松院)의 종가무덤에서 32대 의화(義和)의 묘비에(1842년, 조선 헌종9년)종삼위 종조신 의화경오묘(從三位宗朝臣義和卿奧墓)라고 크게 쓰여 있다.

종가 말년의 분묘에서(메이지 직전까지)종가는 조선의 신하로서 역할을 다했다는 것은 그 이전까지도 대마 종가는 조선의 가신(家臣)으로 그 의무에 충실했다는 것과 대마도가 조선의 속주임을 증명하고도 남음이 있다.

또한 『신찬대마도지(新撰對馬島誌)』에는 대마 스스로가 조선의 속주라 칭하고 있다. 대마 만송원(萬松院)의 종가(宗家), 현재 무덤에서 32대 의화(義和)의 묘비(18842년, 조선의 24대 헌종 9년)에는 "종삼위종조신의화경오묘(從三位宗朝臣 義和卿奧墓)"라고 크게 쓰여 있다. 종가 말년의 분묘에서까지 조선의 신하로서 그 역할을 다했다는 것은 바로 그 이전까지 대마 종가는 조선의 가신(家臣)으로 있었다는 것을 증명한다.

5. 중국의 역사기록 증거

중국의 삼국지 위지(魏志) 동이전(東夷傳) '왜인전'에 보면 대마도는 일본도, 한국도 아닌 독립된 '대마국(對馬國)'이란 표현으로 등장한다.

증거 109~110(주서, 수서) : 대판만(大阪灣)에는 담로(擔魯)와 일치하는 담로도(淡魯島)가 있다. 즉, 일본열도 내에 한국어 계통이 많이 남아 있는 것을 보면, A.D 18년에 공주(熊津)에 도읍한 비류 백제는 처음부터 백가가 되는 많은 세력이 바다를 건너왔다(初以百家濟海)."115)

규슈(九州)에는 7개의 담로(對馬, 壹岐, 伊都奴, 投馬, 邪馬臺)가 있었다(井上光貞). 서기 100년경에 이미 규슈지역의 키 작은 원주왜인(原住倭人: 고고학상의 키작은 남방계 단신인)을 정복하고 비류백제 왕실의 자제(子弟)『양서(梁書) 백제전(百濟傳)』가 담로주(擔魯主)로 통치하고 있었다.(『위지왜인전(魏志倭人傳)』). 이 때문에 담로가 많이 있었다.

『일본서기(日本書紀)』의 신대성기(神代成紀)에 다음과 같은 기록이 있다.

"음신과 양신이 성교하여 부부가 된 이후 산월(産月)에 이르러 이들 담로주(淡路州)를 모태(母胎)로 대일본을 낳았다".116)

이같은 내용은 백제인이 세운 담로가 일본 혼슈(本州)는 물론 규슈연안과 대마, 일기도에 있었다는 것을 증명한다.

115)『주서(周書)』와『수서(隋書)』
116) 陰陽始, 合爲夫婦, 反至産時, 先以淡路洲爲胞…生日本.(金聖昊, 恩師 韓國편)

증거 111(위지동인전) : 『위지동이전(魏珪夷傳)』 왜인전의 3세기 대마도 모습의 기록은 대마도가 대마국(對馬國)으로 표기되어 있고, 『한단고기』 고구려편에는 혼슈·규슈·대마도에는 본래의 왜인이 없다고 기술되어 있으므로 그곳 주민들은 곧 우리나라 도래인(度來人)을 뜻한다.

'아메노 히보코' 설화는 당시의 한국세력이 대마도를 거쳐 일본열도에서 땅을 개척하였으며, 그 후손들이 일본왕정에서 번영하게 된 경위 등을 진실하게 쓰고 있다.[117]

또한 한국영토의 남쪽 구야한국(拘邪韓國:加耶)에서 바다를 건너면 대마국에 이른다. 그곳의 대관(大官)을 '히고(卑拘)'라 하고 부관을 '히노모리(卑奴母難)'라고 불렀다는 대목의 '대막국도(對馬國島)'가 있는데 이것이 최초의 쓰시마(對馬) 기록이다. 또 『위지(魏志)』의 편집자는 '津의 島'라는 의미로 이해했을 것이다. 즉 쓰(津)는 배가 닿는 곳이며, 따라서 배가 닿는 섬이란 뜻으로 쓰시마(津島)로 표기해야 옳았고, 『고사기(古事記)』에도 쓰시마로 되어 있다.

증거 112~116(中國史書 5종) : 중국의 역대 왕조들은 한국침략을 위하여 왜를 두둔하고 끌어들이는 입장이었다. 『한서』, 『위서』, 『신·구당서』, 『진서(晉書)』, 『송서(宋書)』 등의 옛 중국문헌들이 對馬國로 기록하고 있는데 여기서 國의 뜻은 조선分國, 즉 조선의 자치령이란 개념이다.

---

117) 일본의 『고사기(古事記)』

　중국 사서(史書: 宋書, 梁書, 南史) 등의 5세기에 실린 일본기사 가운데서 왜·신라·임나·가라·진한(秦韓)·모한(慕韓) 등의 사지 절도독(使持節都督: 정권을 위임받은 총독)의 칭호를 받았다.

증거 117(17세기 중국지도) : 1652~1767년 조선 후기 중국식 세계지도에 한반도와 유구를 추가하여 그린 지도의 부분도이다. 대마도가 제주도에 비하여 크게 그려져 있으며(대마도의 속주 의식 강화), 울릉도, 독도는 조선전기와 같이 반대로 그려져 있다.

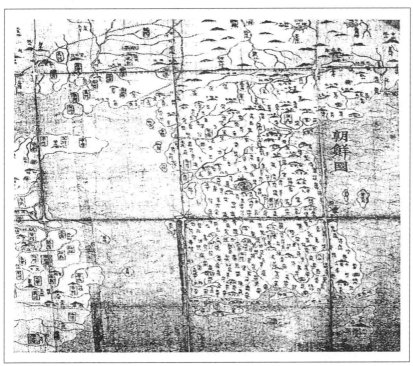

〈그림 17〉 천하대총일람지도(天下大摠一覽之圖)

**증거 118(조선팔도총도) : 중국사진 동월의 조선팔도 총도에는 대마
도와 독도는 조선영토로 표기되어있다.**

위 서적은 1488년(성종19) 중국사신 동월(董越)이 중국 황제의
명을 받고 조선에 와서 보고 들은 것을 조술한 고서적이다. 이 서
적에는 조선의 사회, 문화, 지리가 상세히 적혀 있으며, 독도도 조선
영토로 그려져 있고, 대마도(對馬島)도 조선 영토로 표기된 것이다.

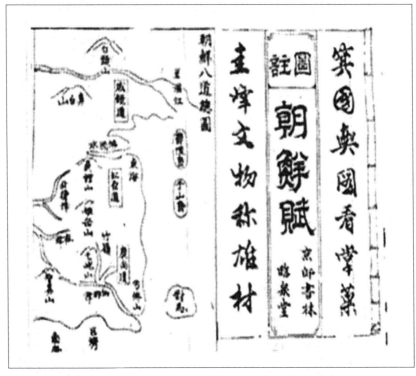

〈그림 18〉 동월(董越)의 조선팔도총도

당시 이 서적이 얼마나 평이 좋았는가 하면 우리나라에서는 1697년(숙종23)에 필사본을 만들었고, 일본도 1717년에 필사본을 편찬하여 조선의 사회와 지리를 알게 되었다. 도쿠가와(德川)막부는 백성들에게 조선 풍토를 가르칠 때 좋은 교재로 사용했다. 이 책이 세계적으로 인기가 있어 중국은 사고전서(四庫全書)에 이 책을 넣어 출간하였다. 사고전서(四庫全書)란 유고, 경전, 역사 등 3458종 7만 9582권이나 수록한 유명한 역사서이다. 또한 사고전서관도 만들어 오늘날까지 현존하고 있다.

증거 119(황명홍지지도) : 대마도는 조선의 수계(戍瞀)이다.

황명홍지지도는 1536년 중국에서 제작한 것으로 중국 연호로서는 가정(嘉靖) 15년 병신년에 김계오(金谿吳)가 그린 중국지도이다. 이 지도에는 독도를 장비(長臂)라 하였는데 장비는 긴팔이라는 뜻이다. 그리고 울릉도는 장각(長脚)이라고 하는데 긴 다리라는 뜻을 가지고 있다. 즉, 16세기에 중국인들은 독도를 장비라 했고, 울릉도는 장각이라고 하여 장비와 장각은 육지에 붙어있는 팔과 다리의 역할을 했다고 볼 수 있다.

또 대마도는 우리 해협에 붙어 그려져 있는데 16세기에는 중국 사람은 수계(戍瞀)라고 했다. 수계(戍瞀)의 의미는 견고하게 바라보고 지킨다는 뜻이다. 수비는 전쟁 시에 수루(망루)를 지어서 적이 쳐 들어오는 것을 보도록 한다. 그리고 전투 길목을 지키는 병사를 수병이라 하고, 작전사령부 정문을 지키는 자는 수위(戍衛)라고 하였다.

대마도의 명칭은 중국 사람들은 수계(戌膺)라고 했다는 것이 큰 의미가 있는 것으로 지도에서 본 바와 같이 대마도는 한국 밑에 그려져 있다.

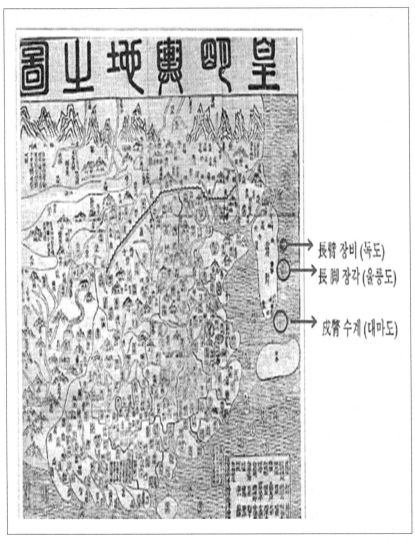

長臂 장비 (독도)
長脚 장각 (울릉도)
戌膺 수계 (대마도)

〈그림 19〉 황명흥지지도(皇明興地之圖)

6. 서구열강의 지도·역사기록 증거

증거 119(프랑스, 조선왕국전도) : 대마도가 조선과 같은 색깔로
표시되어 일본과 구별이 쉽게 조선 영토로 인식되게 그려져 있다.

〈그림 20〉 조선왕국전도–프랑스 광빌 1737년

증거 120(페리제독) : 미국의 페리제독에 의해 일본이 개항되고 미·일 수호 통상조약을 체결(1858년)한 지 7년이 되는 해에 발행된 지도에 대마도와 독도는 조선의 영토로 표시되어 있다.[118] 19세기 중반 미 페리함대와 관련된 지도작성 기록을 살펴본 결과, 1778~1992년 사이의 국제조약과 관련된 기록 중「 」에 표시한 내용에서와 같이 "일본과의 조약체결에 따라 페리제독 함대의 측량가들이 1854년에 일본과 시모다의 항구 지도를 작성함."[119]이라고 기록되어 있다.

지도는 근대 일본의 영토에 관한 지도로, 미국 뉴욕에서 발행되었으며, 발행자인 존슨은 여전히 고지도 판매업을 하고 있다.

지도 하단에는 '미국의 일본 탐사대가 현지정찰(Reconnaissances)과 측량(Surveys)을 통해 자료를 모으고 편집했다. 여기에 전해 내려오던 독일인 시볼드(Siebold)의 여러 지도 자료를 종합해서 작성했다'라고 기술함으로써 지도가 미국탐사대에 의해 일본과 그 주변을 탐사하여 작성된 것임을 표기하고 있었다.[120]

이는 일본지도(1865년 제작된 미국의 일본지도) 내부에 기록된 바와 같이 '페리제독의 현지 정찰과 측량의 결과를 기초로 제작하였다'는 것, 그리고 이 지도가 '일본과의 조약에 따라 미 의회의 지

---

118) 1864~1903년 미국 자료에 기록된 대마도 자료를 보면 고문서 전시회에 전시된 미국지도를 보면 지도의 작성된 시기는 일본 에도시대(1603~1867)의 막바지인 1865년이다.

119) Manuscript map of harbor of Simoda(Shimoda), Japan, compiled in 1854 by surveyors with Commodore Matthew Perry's fleet, to accompany the American treaty with Japan.

120) 미국대사관 자료

시로 미국 정부에서 제작했다'는 사실과도 일치함을 알 수 있다.

아울러 위 〈그림 20〉의 지도에 기술된 내용의 앞뒤 문맥을 살펴보면, 지도를 작성한 이유가 일본의 경우는 스페인, 멕시코, 알레스카와 달리 미·일 양국 조약체결에 따른 영토 확인용이었음을 명시하고 있다.

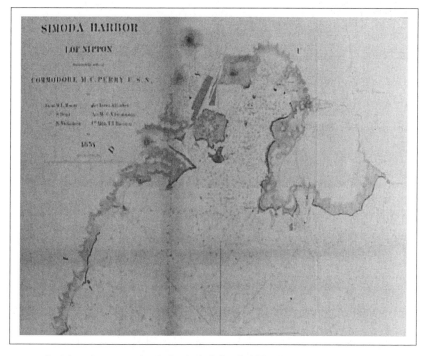

〈그림 21〉 1855년 페리 탐사대가 작성한 일본 시모다 항 지도

주: 바봇 알폰스(Barbot, Alpohonse),; Perry Matthew Calbraith, 1794~ 1858.; United Sates. Hydrographic Office.; Maury, William L.; Bien, Julius, 1826~1909.; Siebert, Selmar.; Sels, Edward.; Nicholson, S.; Bent, Silas, 1820~1887.

증거 121(존슨의 일본지도)

〈그림 22〉 1865년 제작된 미국의 일본지도

자료 : 존슨의 일본지도(Johnson's Japan, 1865). New York Johnson & Co, 98호.

그리고 맨 밑 테두리 위에 일렬로,

"의회의 법률에 따라 표기하였음. 1855년 J. H 콜튼과 그 회사.
미합중국 남부 지방법원 총무과."로 기록되어 있다.[121]

---

121) Entered according to Act of Congress. in the year 1855, by the J. H.
Colton & Co. in the clerks office of the District Court of the United Sates
for the Southern District of New York.

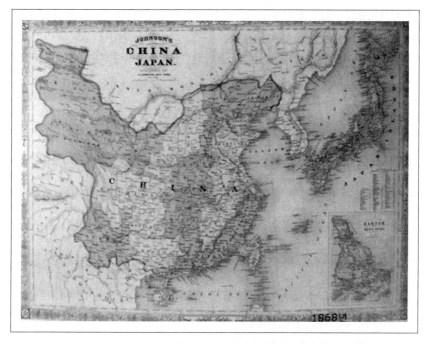

〈그림 23〉 존슨의 1868년 중국, 한국, 일본지도

자료 : Google. China and Japan. http://pastpresent.com/chinajapan. html.1868.

Johnson의 지도에서 나타난 대마도와 독도의 우리영토 표기가 〈그림 23〉에서 처럼 비슷한 연대에 그가 작성한 중국 및 일본지도 에도 대마도를 조선의 소유로 표기하고 있었고, 다시 아래 〈그림 24〉의 그가 제작한 아시아 전체지도에도 동일하게 나타나고 있음 을 알 수 있다.

증거 122(존슨의 아시아지도) : 대한해협이 대마도 아래로 표시되어
있고, 대마도는 조선의 영토로 표시되어 있다.

그가 작성한 아시아 전체지도에 나타난 대마도 부분은 조선과 일
본 부분을 확대하여 볼 때 아래 〈그림 25〉에서 채색 뿐 아니라 대
한해협을 대마도 남단에 표기하여 제작자가 실수나 오기가 아닌 일
관성 있는 사실에 입각하여 제작하였다는 것을 알 수 있다.[122) 일
본은 원래의 해당 경계선을 무시하고, 위로 밀어올려 지도를 조작
하여 왔다.

〈그림 24〉 존슨의 1864년 아시아지도

자료 : Google. Johnson 1864 antique map of asia. http:// pastpresent.
com/john18anmapof9.html.1864.

---

122) 미국대사관 자료

〈그림 25〉 존슨의 1864년 아시아 지도 중 대마도 부분

증거 123(미국 정부기록 문서보관소)

지도에 명시된 '페리함대의 측량과 현지정찰의 결과로 표기하였다'는 증거는 미국 정부 기록문서 보관소에 기록되어 있다(아래 그림).

11.4 INTERNATIONAL TREATIES AND RELATED RECORDS 1778-1992

◀ TOP OF PAGE

11.4.1 Treaties and Executive agreements

Textual Records: Treaties, 1778-1992. Executive agreements, 1922- 45, with lists by number, date, and country, 1922-40. Unnumbered international agreements, 1943-45. Treaties and other international acts (TIAS), 1942-83, which include both Executive agreements and perfected treaties ratified and proclaimed after January 1, 1946. Treaties, agreements, and other international acts for which the United States is the depository party, 1943- 74. Treaties that have not gone into effect ("unperfected treaties"), 1803-1982.

Maps (17 items): A published copy of the 1818 edition of the John Melish map of the United States, referred to in the 1819 treaty with Spain. Published copy of the 1847 edition of J. Disturnell's map of Mexico used in preparing the Treaty of Guadalupe Hidalgo, 1848. Manuscript map of the harbor of Simoda (Shimoda), Japan, compiled in 1854 by surveyors with Commodore Matthew Perry's fleet, to accompany the American treaty with Japan. Manuscript plan of Sitka, Alaska, 1867, later published in H. Ex. Doc. 125, 40th Cong., 2d

〈그림 26〉 미 국가기록보존소에 있는 1854년 기록

주 : 미 국가기록보존소(U.S National Archives: 통상 NARA; National Archives and Records Adminstration라 칭함)의 정부 일반기록(General Records of the United States Government) 11.4항, 국제조약과 관련된 기록 (International Treaties and Related Records).

자료 : Goole Http://www.archives.gov/guide-fed-records/groups /011.html

증거 124(미국의 동해표시지도) : 미국의 원래지도에 한국은 COREA, 동해는 SEA of COREA(한국해)로 되어 있다.

아래 〈그림 27〉은 당시 미국지도로 한국을 COREA, 동해를 "Sea of Corea"로 표기한 것이 있었음에도 이때부터 일본해(Sea of Japan)로 표기하여 미국은 미·일 간 영토협상 및 국교수립 직후부터 지금의 동해를 일본해로 사용하고 있는데 이는 일본이 자기나라에 유리하게 일방적으로 표시하여 미국을 설득해 기정사실로 굳혀 나가고 있는 것이다.

일본은 국력과 앞선 지도제작기술을 앞세워 한국의 영토와 영행을 잠식해 오고 있는 것이다.

〈그림 27〉 1836년 미국지도에 표기된 Sea of Corea

자료 : 토마스 G, 브래드포드(Thomas Gamaliel Bradford, C.) 1836 from a Comprehensive Atlas Geographical, Historical and Commercial, Siberia and Central Asia.

증거 125(미국 Rand McNally & Co 지도) : 1868년보다 21년이 지난 1889년의 미국 Rand McNAlly & Co지도에 대마도는 조선영토로 표시되어 있다.

아래 〈그림 28〉에서의 지도는 1889년 미국의 Rand, McNally &

Co에서 제작한 것으로 이 회사는 도로, 교통지도로 지금도 유명한 지도제작 전문회사로서 당시 학교기관과 공공기관에 지도를 보급하던 회사였다.

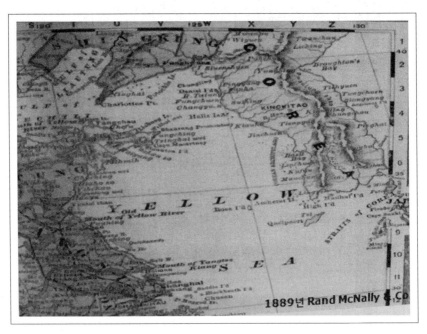

〈그림 28〉 대마도가 조선영토로 표기된 1889년의 미국지도
자료 : Rand McNally & Co, 1889. DavidRumsey Maps Co.

여기서도 대마도를 조선영토로 표기하여 일본이 대마도를 귀속하였다는 1868년의 21년이 지난 뒤에도 미국의 지도에는 여전히 대마도를 한국영토로 표기한 것이 있음을 볼 수 있다. 그리고 이 지도의 1903년판 뒷부분 색인에도 대마도가 KOREA소속의 섬으로 표기되어 있다. 이는 1868년 무력으로 조선영토를 강제로 편입한 것으로 조선, 미국, 세계가 인정하지 않는 것으로 무효임을 입증하고 있는 것이다.

증거 126(영국에서 제작된 일본지도) : 대마도는 일본령이 아니라 조선땅이라고 기록되어 있다.

아래 〈그림 29〉의 지도는 대마도 영유권 문제에 관한 또 하나의 중요한 자료 중 하나이다. 왜냐하면 지금까지 발견된 지도는 지도에 칠해진 색깔이나 경계 등으로 소유국을 나타낸 것은 있으나 글로 서술하여 대마도는 일본령이 아니라 한국령이라고 적시한 자료가 없었기 때문이다.

〈그림 29〉 1855년 영국에서 제작된 일본지도

자료 : 리처드, 필립스, 삼손과 그 회사(Richard Hildreth, Phillips, Sampson and
     Company) 1855, University of Texas libraries. http://www.lib.utexas.
     edu/maps/ historical/japan_1855. jpg.

먼저, 한국을 Corea로 표기한 점이다. 동해에 있는 두 개의 섬
즉, 울릉도, 독도에는 아예 명칭이 없이 Corea의 소유로 표기하였
다. 일본 각 지방을 번호를 매겨 표기하고 그 번호를 행정구역 단
위별로 매기되 행정구역에 포함되는 섬은 그 섬 내에 행정구역과
동일한 번호를 표기하고 있었으며, 지도 좌 상단에 별도로 무엇인
가를 글로 남겨놓은 것을 알 수 있다.

앞의 미국지도와 달리 채색으로 영토를 표기하지 않았지만 일본
영토만 섬 지방을 포함하여 특이하게 번호로 표기하고 있는데 일본

을 당시 한국과 같이 8도(道)로 하여 8개의 지방으로 나누고도 예하의 세부 현 단위까지 표기하고 있다.

지도에서 보듯 중앙의 일본 오끼섬(OKI, 지도에는 4번으로 표기)와 일본내 FEKI지역을 하나의 행정구역인 4번으로 표기되어 있는데도 지도 좌 하단에서 보듯 대마도(Tsuu Is), 이끼(IKI)와 울릉도, 독도에는 아무런 번호표기가 없다.

지도 좌 중앙에 서술되어 있는 사항을 살펴보면, 다음과 같은 사항이 기술되어 있다.

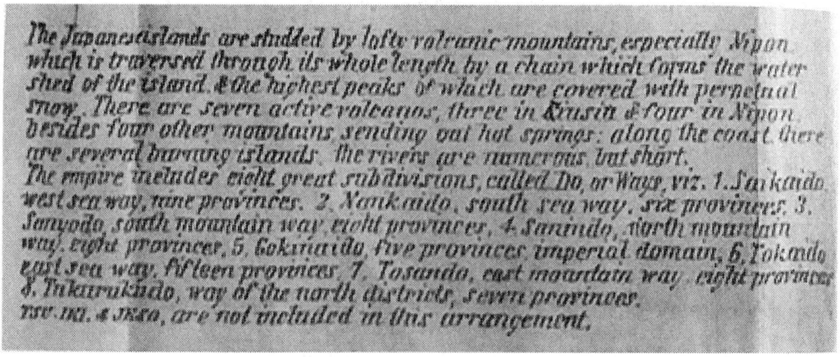
The Japanese islands are studded by lofty volcanic mountains, especially Nipon which is traversed through its whole length by a chain which forms the water shed of the island & the highest peaks of which are covered with perpetual snow. There are seven active volcanos, three in Kiusiu & four in Nipon besides four other mountains sending out hot springs; along the coast there are several burning islands. the rivers are numerous but short.
The empire includes eight great subdivisions, called Do, or Ways, viz. 1. Saikaido west sea way, nine provinces. 2. Nankaido, south sea way, six provinces. 3. Sanyodo, south mountain way, eight provinces. 4. Sanindo, north mountain way, eight provinces. 5. Gokinaido, five provinces imperial domain. 6. Tokaido east sea way, fifteen provinces. 7. Tosando, east mountain way, eight provinces 8. Hokurokudo, way of the north districts, seven provinces.
Tsu-iki. & Jesso, are not included in this arrangement.

〈그림 30〉 지도 상단에 기술된 내용〈1855년 영국에서 제작된 일본지도〉

일본은 만년설로 뒤덮인 가장 높은 봉우리와 섬들이 수로를 따라 체인과 같은 모양으로 길게 가로질러 있고 특별히 닙본이라 부르는데, 높은 화산에 의해 흩뿌려지듯 이루어져 있다.

일본에는 7개의 활화산이 있는데 3개는 규슈지방에, 4개는 닙본에 위치하고 있고 그 외에도 4개의 온천을 뿜는 산이 있으며, 해안선을 따라서 불타는 여러 개의 섬이 있다. 일본에는 강이 많지만 그 길이는 짧다.123)

특히, 맨 마지막 줄의 기록이 주목된다. 표기된 조선과 일본에 인접한 섬들인 대마도(TSU Is), 이끼(IKI), 오도(Gotto), 평호도(Firnado) 중 대마도와 이끼만을 명기하여 일본영토에서 제외한 것은 이 지도제작 1년 전인 1854년 일본과 영국이 나가사키조약을 맺었고,[124] 조선과 영국이 아직 국교수립 전이었음을 감안하면 영국도 미국과 동일하게 영토 확인용 지도에서 대마도를 한국령으로 인정한 것이라 볼 수 있다.

증거 127(영국의 일본지도) : 1868년의 9년 뒤인 1877년 영국지도에도 대마도는 조선 영토로 표기하고 있다.

더 중요한 것은 위에서 언급한 영국지도가 과거의 자료만은 아니라는 점이다. 현 일본의 인터넷 백과사전 격인 유기 백과에 이 지도를 일본의 1855년 행정구역을 나타내는 지도라고 소개하고 있는 것이다. 아래 우하단과 같이…

---

123) 일본왕국은 8개의 큰 지방으로 나뉘어 지는데 이를 도(道) 혹은 Way라고 한다. 이를 살펴보면, 1. 사카이도, 서해道, 9개현, 2. 난카이도, 남해道, 6개현, 3. 산요도, 남산道, 8개현, 4. 산닌도, 북산道, 8개현, 5. 고키나이도, 왕국직할 5개현, 6. 도카이도, 남해道, 5개현, 7. 도산도, 남산道, 8개현, 8. 다쿠라킨도, 북방道, 7개현. 두(Tsu; 현 대마도), 이끼(IKI; 현 이끼섬), 에조(JESO; 현 북해도)는 일본왕국에 포함되지 않는다. 김상훈(2012). 『일본이 숨겨오고 있는 대마도·독도의 비밀』. 양서각. pp.38-39.

124) 성황용(1992). 『근대동양외교사』. 명지사. p.88.

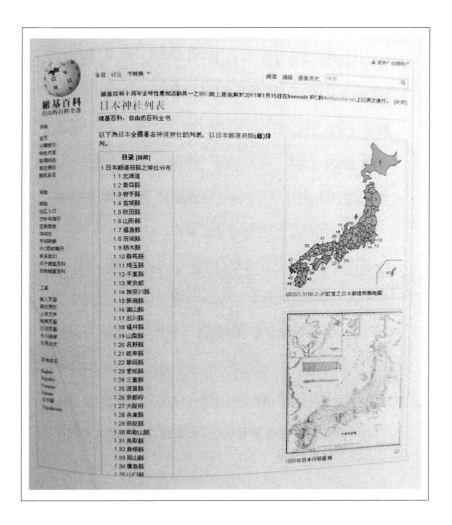

　지금까지 1850~70년대의 미국, 영국지도에서 당시 미국, 영국은
자국 정부의 주도 아래 어느 일정한 기준을 가지고 조선과 일본의
영토관련 지도를 작성하였음을 알 수 있다.

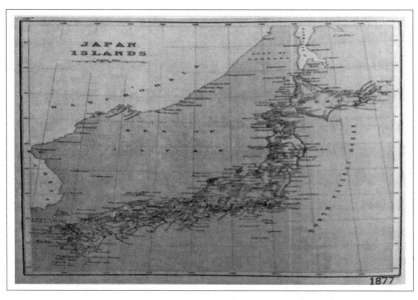

〈그림 31〉 1877년의 영국지도, 대마도를 한국영토로 표기

자료 : 콜린스(Collins, Edwa Weller, 1876), Japan Island.

국제적 영토분쟁과 영토회담

국제적 영토분쟁과 영토회담

1. 샌프란시스코 평화조약

대한민국은 SCAPIN 제677호와 민족자결권 행사의 UN총회결의에 의해 미군정으로부터 관할권을 넘겨받았다. 그러나 일본은 SCAPIN 제677호에 의한 영토 반환을 편의상의 행정조치로 치부하여 영토규정이 아니며, 샌프란시스코 평화조약 상 영토가 명기되지 않아 여전히 일본에 귀속되어 있다고 주장한다. 그리고 조약 체결 직전, 한국과 미국 간 주고받은 서신 중 "Dean Rusk"의 서신을 증거로 일본은 샌프란시스코 평화조약의 의도는 독도를 일본의 일부로 인정한 것이라고 주장한다.

1) 카이로 선언과 포츠담 선언

연합국은 1943년 11월 20일 카이로에서 회담을 갖고, 일본 패전 이후의 한국 및 일본의 영토처리 문제에 대해 합의를 하는 카이로 선언에서 한국에 대해 독립을 약속하였다.[125] 그 관련 사항을 인용하면 다음과 같다.

---

125) 김학준(2010). 독도연구. 동북아역사재단. pp.207-208.

" … 위 연합국의 목적은 일본국으로부터 1914년 제1차 세계대전 개시 이후에 일본국이 장악 또는 점령한 태평양의 모든 섬을 박탈할 것과 아울러 만주(滿洲), 대만(臺灣), 팽호도(彭湖島) 등 일본이 폭력과 탐욕에 의해 약취한 모든 지역으로부터 축출될 것이다.

위의 3대국은 조선 민중의 노예 상태에 유의하여 적당한 시기에 조선이 자유롭게 되고 독립하게 될 것을 결의하였다. … (… It is their purpose that Japan shall be stripped of all the islands in the Pacific which she has seized or occupied since the beginning of the fist World War in 1914, and that all the territories Japan has stolen from the Chinese, such as Manchuria, Formosa, and the Pescadors, shall be restored to the Republic of China. Japan will also be expelled from all her territories which she has taken by violence and greed. The aforesaid three great powers, mindful of the enslavement of the people of Korea, and determined that in due course Korea shall become free and independent. …)"[126]

위의 카이로 선언에 따라. 일본으로부터 반환되어야 할 지역은 3가지로 구분할 수 있다.

① 1914년 제1차 세계대전 개시 이후 일본이 장악 또는 점령한 태평양 안에 있는 모든 섬들, ② 1894~1895년 청·일전쟁 이후 일본이 중국으로부터 절취한 만주(滿洲), 대만(臺灣), 팽호도(彭湖島) 등, ③ 일본이 폭력과 탐욕에 의하여 약취한 모든 다른 지역들이다.[127]

---

126) 자세한 내용과 전문은 신용하(2000). 독도영유권 자료의 연구. 독도연구 보존협회, 3권, pp.241-244.
127) 신용하(2005). 한국과 일본의 독도영유권 논쟁. 한양대학교 출판부. p.204.

한국은 위의 분류에서 ③의 "일본이 폭력과 탐욕에 의해 약취한 모든 다른 지역들"에 속하며, 일본이 1895년 청·일전쟁 이후 제국주의적 방법으로 얻은 영토에서 축출되는 것에서 알 수 있듯이, 1910년 이후뿐만 아니라 그 이전에라도 약취한 영토가 있다면 한국에 반환 될 것을 선언하였다. 따라서 일본이 1905년 2월 대한제국으로부터 약취한 독도가 포함되는 것은 분명하다.[128)

이 카이로 선언은 3대 연합국인 미국·영국·중국에 의한 공동선언으로 일본을 구속하지는 않지만 패전 이후, 일본이 1945년 7월 26일의 미국·영국·소련에 의한 포츠담 선언을 수락하여, 이 '포츠담 선언'의 제8항에 흡수된 카이로 선언을 수락한 것으로 되어 일본을 구속하는 국제문서가 되었다.[129) 포츠담 선언 제8항은 다음과 같다.

"카이로 선언의 모든 조항은 이행될 것이며, 일본국의 주권은 혼슈(本州), 홋카이도(北海島), 규슈(九州), 시코쿠(四國)과 우리들이 결정하는 제소도에 국한될 것이다.(The terms of the Cairo Declaration shall be carried out and Japanese sovereignty shall be limited to the islands of Honshu, Hokkaido, Kyushu, Shikoku, and such minor islands as we determine.)"[130)

위의 포츠담 선언은 일본의 영토를 "혼슈(本州), 홋카이도(北海島), 규슈(九州), 시코쿠(四國)와 우리들이 결정하는 작은 섬들로"로 한정하

---

128) 신용하(2005). 한국과 일본의 독도영유권 논쟁. 한양대학교 출판부.
　　 pp. 205-206.
129) 이한기(1969). 한국의 영토. 서울대학교출판부. p. 264.
130) 신용하(2000). 독도영유권 자료의 연구. 독도연구 보존협회, 제3권,
　　 pp. 244-245.

였다. 이 선언 또한 4대 연합국간의 공동선언으로 일본에 구속력을 가지지 않는다.[131] 그러나 일본은 1945년 8월 14일, 포츠담 선언을 무조건 수락하고 한 달이 채 지나지 않아 9월 2일에 이 선언을 성문화한 항복문서에 조인하여 포츠담 선언과 카이로 선언에 구속되었다.[132]

일본의 항복문서에서 포츠담 선언의 규정에 대한 수락과 수행을 서약한 부분을 인용하면 다음과 같다.

"우리(일본)는 … 1947년 7월 26일 포츠담에서 미국·중국·영국의 정부 수뇌들에 의해 발표되고, 그 후 소련에 의해 지지된 선언에 제시한 조항들을 수락한다. … 우리는 이후 일본정부와 그 승계자가 포츠담 선언의 규정을 성실히 수행할 것을 확약한다.(We, … hereby accept the provisions set forth in the declaration issued by the heads of the Government of the United States, China, and Great Britain on 26 July, 1945 at Postdam, and subsequently adhered by the Union of Soviet Socialist Republics … We hereby undertake for the Emperor, the Japanese Government and their successors to carry out the provisions of the Postdam Declaration in good faith.)"[133]

위에서 살펴본 바와 같이, 연합국의 일본영토 처리에 관한 기본방침은 일본영토를 청·일전쟁 이전의 상태로 환원시키려는 것이다. 그리고 카이로 선언에서 본 바와 같이, 일본의 독도 '취득'은 1905년 "폭력과

---

131) 포츠담 정상회담에 참석하지 못한 중화민국도 이후에 동참하여 이 선언은 4대국 선언이 되었다.
132) 김학준(2010). 독도연구. 동북아역사재단. p.209.
133) 신용하(2000). 독도영유권 자료의 연구. 독도연구 보존협회, 제3권, pp.245-246.

탐욕에 의하여 약취"한 것이므로 일본은 당연히 독도로부터 축출되어야한다. 여기서 살펴 볼 문제는, 독도가 포츠담 선언 제8항에서 규정하는 "우리들(연합국)이 결정하는 작은 섬들"에 포함되는지 여부이다.134)

2) 조약의 체결 과정

① 미국 측 샌프란시스코 평화조약 : 1949년 12월 29일 이전 초안 미국 실무작업단이 작성한 1947년 1월 초안부터 1949년 11월 2일자의 초안에서 모두 '리앙쿠르 락스(다케시마)'를 일본이 아닌 한국의 영토로 규정하였다.

" … 이에 일본은 한국과 제주도(Quelpart Island), 거문도(Port Hamilton), 울릉도(Dagelet, Utsuryo), 독도(Liancourt Rocks, Takeshima)를 포함한 근해의 모든 작은 섬들에 대한 권리와 권원을 포기한다. … (… Japan hereby renounces all rights and titles to Korea and all minor offshore Korea islands, including Quelpart Island, Port Hamilton, Dagelet(Utsuryo) Island and Liancourt Rock(Takeshima). …)"135)

이것은 미국 측이 William J. Sebald의 로비를 받기 전, 즉 순수하게 사실적 측면에서 접근했을 때 독도를 한국의 영토로 판단하여 반환하도록 하였다.136)

---

134) 이한기(1969). 한국의 영토. 서울대학교출판부. p.265.
135) 1947년 1월 초안부터 1949년 11월 2일자의 초안의 전문은 신용하(2000). 독도영유권 자료의 연구. 독도연구 보존협회, 제3권, pp.284-301 참조.
136) 신용하(2005). 한국과 일본의 독도영유권 논쟁. 한양대학교 출판부. p.222.

② 연합국의 구 일본영토에 관한 협정(안)137)

이 문서는 1949년 12월 19일 작성된 것으로,138) 샌프란시스코 평화
조약의 당사국인 연합국·협력국(The Allied and Associated Powers)이
구 일본 영토의 처분에 관해 합의를 도출하기 위한 시안·초안의 성격
을 가진 문서이다.139)

Sebald의 1949년 11월 19일에 보낸 의견서에 따라 새로운 영토처리
조항을 위해 만들어졌으나 독도를 일본 영토로 하자는 Sebald의 주장
에도 불구하고 한국 영토로 표기하고 있다.140)

이 합의서는 1949년 11월 2일자 초안이 다루는 '일본이 이양할 영토
조항'을 새롭게 작성한 것으로 모두 5개 조문으로 구성되어 있으며, 그
중 제3조에서 한국에 반환할 영토를 다음과 같이 규정하고 있다.141)

"제3조 연합국은 한국 본토, 제주도, 거문도, 울릉도, 독도(Takeshima)
를 포함한 모든 한국 주변의 도서, 그리고 이들 밖에 위치한 기타의 섬
으로 일본이 과거에 영유권을 획득했던 도서 및 소도들에 대한 모든 권
리와 영유권은 완전한 주권의 형태로써 대한민국(the Republic of

---

137) 영문명칭은 Agreement Respecting The Disposition of Former Japanese
     Territories 이다.
138) 이석우(2002). 미국 국립문서보관소 소장 독도 관련 자료. 서울국제법연구,
     9(1), pp.155-156.
139) 정병준(2010). 독도 1947. 돌베개. p.479.
140) 정병준(2010). 독도 1947. 돌베개. pp.479-480.
141) 제성호(2008). 전후 영토처리와 국제법상의 독도 영유권. 서울국제법연구,
     15(1), p.151.; 나홍주(2007). 독도의용수비대의 독도주둔 활약과 그 국제법
     적 고찰. 책과 사람들. p.69, p.76.;
     http://theargus.org/detail.asp?p_ho=390&p_key=ar390OPINION2&p_idx=
     466&p_section=OPINION

Korea)에 이양할 것에 합의한다.(Article 3. The Allied and Associated Powers agree that there shall be transferred in full sovereignty to the Republic of Korea all rights and titles to the Korean Mainland territory and all offshore Korean islands, including Quelpart(Saishu To), the Nan how group (San To, or Komun Do) which forms Port Hamilton(Tonaikai), Dagelet Island(Utsuryo To, or Matsu Shima), Liancourt Rocks(Takeshima), and all other islands and islets to which Japan had acquired title lying outside.)"142)

③ 미국 측 샌프란시스코 평화조약 : 1949년 12월 29일 이후 초안

1949년 11월 4일 미국 국무성의 극동아시아담당 차관보인 W. Walton Butterworth는 주일 미국정치고문 William J. Sebald에게 미국 국무성이 완성한 평화조약의 초안을 검토하도록 요청하였다.143)

Sebald는 이에 1949년 11월 14일과 같은 달 19일에 의견서를 보내왔다. 14일에 보내온 의견서)는 Liancourt Rocks(Takeshima)에 대해 재고해 달라고 하면서144), "일본의 이 섬들에 대한 권리주장은 오래되었으며 유효한 것 같아 보인다."라고 하였고, 19일에 답신한 의견서145)에서는 Liancourt Rocks(Takeshima)를 일본의 영토로 규정하도록 제안하

---

142) 전문은 신용하(2000). 독도영유권 자료의 연구. 독도연구 보존협회, 제3권, pp.264-267 참조.
143) 정병준(2010). 독도 1947. 돌베개. pp.456-457 재인용.; Willian, J.(1965). Sebald with Russell Brines, With MacArthur in Japan: A Personal History of the Occupation, W. W. Norton & Company, Inc., New York. pp.243-244, p.246, p.249.
144) 정병준(2010). 독도 1947. 돌베개. p.458 재인용.
145) 정병준(2010). 독도 1947. 돌베개. p.84 재인용.

며 한국은 1905년 독도가 일본령이 된 이래로 단 한차례도 이의를 제기하지 않아 한국의 영토로 볼 수 없다고 하였다.[146] 이 답신에 의해 미국 국무성은 1949년 12월 29일자 초안에서 독도를 일본영토로 규정하였다.[147]

그러나 1950년 8월 7일자 초안은 '일본과 한국과의 관계는 1948년 12월 유엔총회에서 채택된 결의에 의한다.'고 하였고,[148] 같은 해 9월 11일자 개정 초안에서는 'Liancourt Rocks(Takeshima)'는 물론 제주도·울릉도·거문도에 대한 언급을 삭제하였다.[149]

미국 국무성은 1951년 3월 이후 본격적으로 초안을 작성하여 그 결과 「샌프란시스코 평화조약 임시초안(제안용)」(Provisional Draft of a Japanese Peace Treaty(Suggestive Only)을 확정했다. 이 초안은 미국이 국내용으로 작성한 이전의 초안들과 달리 최초로 대외협상용 초안이다. 여기서 독도 관련 조항은 삭제되어, 독도는 일본의 영토도 아니고 한국의 영토에도 포함되지 않았다. 한국에 대해서는 제3장 영토조항에 "3. 일본은 한국, 대만 및 팽호도에 대한 모든 권리·권원·청구권을 포기한다."라고 간단하게 규정했다.[150]

---

146) 박진희(2005). 전후 한일관계와 샌프란시스코 평화조약. 한국사연구, 131, 18. 재인용.
147) 정병준(2010). 독도 1947. 돌베개. p.487 재인용.
148) 호사카 유지(2012). 샌프란시스코 평화조약과 '러스크 서한'. 일본문화연구, 43, p.581.
149) 김채형(2007). 샌프란시스코평화조약상의 독도영유권. 국제법학회논총, 52(3), p.114.; 김학준(2010). 독도연구. 동북아역사재단. p.231.; 정병준(2010). 독도 1947. 돌베개. pp.509-512.; 호사카 유지(2012). 샌프란시스코 평화조약과 '러스크 서한'. 일본문화연구, 43, p.581.
150) 정병준(2010). 독도 1947. 돌베개. p.520.

④ 영국 측 샌프란시스코 평화조약 제1~3차 초안과 영·미 합동초안

영국은 미국의 초안을 더 이상 수용하기 어렵다고 판단하여 독자적으로 샌프란시스코 평화조약 초안을 작성하기 시작했다. 그리하여 1951년 2월 28일 제1차 영국초안이 발표되었지만 독도뿐만 아니라 울릉도와 제주도까지 일본영토에 포함시켜 며칠 후에 바로 제2차 영국초안을 작성하여 독도를 한국영토로 표기했다.[151]

영국의 공식적인 초안인 제3차 초안은 1951년 4월 7일 발표되었는데, 제1조는 일본의 영토한계를 위도와 경도를 사용하여 명확하게 나타내고 구체적으로 주변의 섬을 언급하였다. 이 영토조항에서 'Takeshima'는 일본의 영토에서 제외되었고, 지도를 첨부하여 독도가 한국의 영토라고 규정하였다.[152]

---

151) 호사카 유지(2012). 샌프란시스코 평화조약과 '러스크 서한'. 일본문화연구, 43, p.582.
152) 정병준(2010). 독도 1947. 돌베개. pp.574-575, p.577.

〈그림 32〉 영국 외무성 샌프란시스코 평화조약 초안 첨부지도(1951.3)

자료 : 김은미(2013). 독도문제 해결을 위한 한·미상호방위조약 적용 분석. 이화
여자대학교 대학원 석사학위논문. p.37.

    미국과 영국이 각각 작성한 초안이 상이하여 조정하기 위해 1951년
4월 25일부터 5월 4일까지 1~7차에 걸쳐 영·미 비밀 회담153)을 열어
그 결과 제1차 '영·미 합동초안'이 1951년 5월 3일 발표되었다. 이 합
동초안은 1951년 4월 7일 영국초안 제1조인 일본의 영토한계조항이 삭
제되어 독도가 어느 나라에 귀속되는지 판단하기 어렵게 되었다.154)

---

153) 정병준(2010). 독도 1947. 돌베개. p.522.

이후 제1차 '영·미 합동초안'에 대해 연합국들은 1951년 6월 1일에 워싱턴 D.C.에서 토론을 열었다. 여기서 뉴질랜드는 "일본에 인접한 섬들은 그 어느 것이라도 영유권 논란이 일어서는 안 된다."라며 영국 초안 제1조와 같이 일본의 영토를 위도와 경도로 결정해야한다고 제시하였다.[155]

연합국들의 토론을 거쳐 1951년 6월 14일에 '영·미 합동개정초안'은 발표되었고 한국 영토조항은 다음과 같이 확정되었다.

"제2조 (a) 일본은 한국의 독립을 인정하고, 제주도·거문도·울릉도를 포함한 한국에 대한 모든 권리, 권원, 청구권을 포기한다.(Article 2. (a) Japan, recognizing the independence of Korea, renounces all right, title and claim to Korea, including the islands of Quelpart, Port Hamilton and Dagelet.)"[156]

독도의 귀속에 관한 명시적인 설명 없이 일본 영토 표시에 대한 조항을 삭제하여 뉴질랜드가 위와 같이 지적한 문제점을 만들었다.[157] 이후 '영·미 합동 초안'은 1951년 7월 3일 제3차 개정초안, 8월 13일 최종초안까지 수정절차를 거쳤지만 6월 14일 개정초안과 같은 내용으로 최종안을 확정하였다.[158]

---

154) 호사카 유지(2012). 샌프란시스코 평화조약과 '러스크 서한'. 일본문화연구, 43, p.582.

155) 정병준(2010). 독도 1947. 돌베개. p.534.; 호사카 유지(2012). 샌프란시스코 평화조약과 '러스크 서한'. 일본문화연구, 43, p.582.

156) 원문은 신용하(2000). 독도영유권 자료의 연구. 독도연구 보존협회, 제3권, pp.354-359 참조.

157) 신용하(2005). 한국과 일본의 독도영유권 논쟁. 한양대학교 출판부. p.233.

158) 자세한 내용은 정병준(2010). 독도 1947. 돌베개. pp.545-550 참조.

3) 러스크 서한(Dean Rusk Statement)

① 작성 경위

한국정부는 샌프란시스코 평화조약의 조인국으로 인정받지 못했기 때문에 1951년 7월 3일자 초안을 전달받은 후에야 처음에 한국영토조항에 포함된 독도가 최종안에서 빠진 사실을 늦게 알았다. 이에 1951년 7월 16일 변영태 외무장관은 귀속재산문제를 한·일 양국이 직접 협상한다는 것은 위험하고 애매한 조문이라며 강도 높게 비판했다.[159] 국회에서도 초안 제4조 귀속재산 문제는 민족의 사활이 걸린 문제로 한국의 경제민주성을 해할 우려가 있다고 제기하였다. 따라서 미국에 외교사절단을 파견하여 조항을 수정하도록 정부에 건의할 것을 가결하였다.[160] 주미 한국대사인 양유찬 대사는 미국 국무성 고문인 Dulles 대사를 만나 아래의 서한과 같이 한국영토조항을 수정해 달라고 하였다.

" … (일본은) 한국과 제주도, 거문도, 울릉도, 독도, 그리고 파랑도를 포함한, 일본의 한국에 대한 합병 이전, 한국의 일부였던 도서들에 대한, 모든 권리, 권원, 그리고 청구권을, 1945년 8월 9일자로 포기했다는 것에 동의한다.(… (Japan) renounced on August 9, 1945, all right, title and claim to Korea and the islands which were part of Korea prior to its annexation by Japan, including the islands Quelpart, Port Hamilton, Dagelet, Dokdo and Parangdo.)"[161]

---

159) 박진희(2005). 전후 한일관계와 샌프란시스코 평화조약. 한국사연구, 131, p.24 재인용.; 경향신문(1951). 1951년 7월 17일자.
160) 박진희(2005). 전후 한일관계와 샌프란시스코 평화조약. 한국사연구, 131, p.25 재인용.
161) 양유찬 대사가 Dulles 대사에게 보낸 서한 전문은 신용하(2000). 독도영유권

양유찬 대사와 Dulles 대사의 회담에서 Dulles 대사는 "1905년 이전에 이 섬들이 한국영토였다는 것이 확실하다면 일본이 포기해야할 한국영토조항에 이들의 명칭을 명기하는 것은 큰 문제가 아니다."라고 하였다.[162) Dulles 대사는 이 때 독도와 파랑도의 위치에 대해 문의하였지만 양유찬 대사 대신 답한 한표욱 일등서기관은 "이 섬들은 일본해에 위치한 두 개의 작은 섬들"(These were two small islands lying in the Sea of Japan)이라고 답하였고, "그 서기관은 이 섬들이 울릉도 부근에 있다고 믿었다."라고 미국 국무성은 기록했다.[163) 또한 다른 미국부성의 기록을 보면, Dean Rusk 극동담당 차관보를 비롯한 미국 국무성의 관리들이 주미 한국대사관에 독도와 파랑도에 대해 문의하자 그 섬들은 울릉도 또는 "다케시마 암석" 옆에 있는 것으로 안다고 대답하였다.[164)

이에 Dean Acheson 국무장관은 1951년 8월 7일 개최된 연합국회의에서 한국정부의 한국영토조항에 대한 요청을 독도와 파랑도에 결론이 내려지지 않았지만 시간관계 상 샌프란시스코 평화조약에 기재하기 어렵다고 보고하였다. 이후에 미국 국무성은 한국에 체류 중인 Muccio 대사에게 두 섬을 알아보게 하였다.[165)

1951년 8월 9일 Dean Rusk 미국 국무성 극동담당 국무차관보는 양유찬 주미한국대사에게 다음과 같이 회신하였다.

자료의 연구. 독도연구 보존협회, 제3권, pp.376-377 참고.
162) 양유찬 대사와 Dulles 대사의 2차 회담록 전문은 신용하(2000). 독도영유권 자료의 연구. 독도연구 보존협회, 제3권, pp.369-376 참고.
163) 신용하(2000). 독도영유권 자료의 연구. 독도연구 보존협회, 제3권, pp. 371-371, pp.379-381; 정병준(2010). 독도 1947. 돌베개. p.763-764.
164) 신용하(2000). 독도영유권 자료의 연구. 독도연구 보존협회, 제3권, pp. 381-382; 정병준(2010). 독도 1947. 돌베개. p.765-766.
165) 정병준(2010). 독도 1947. 돌베개. p.775 재인용.; 이석우 편(2006). 대일강화조약자료집. 동북아역사재단. p.254.

" … 합중국 정부는, 1945년 8월 9일의 일본에 의한 포츠담선언 수락이 이 선언에서 취급된 지역에 대한 일본의 정식 내지 최종적인 주권 포기를 구성한 다는 이론을 (샌프란시스코 평화)조약이 취해야 한다고 생각하지 않는다. 독도, 또는 다케시마 내지 리앙쿠르 암(岩)으로 알려진 섬에 관하여서는, 통상 사람이 거주하지 않는 이 바위섬은 우리들의 정보에 의하면 조선의 일부로 취급된 적이 결코 없으며, 1905년경부터 일본의 시마네현 오키도사의 관할 하에 놓여져 있었다. 이 섬은 일찍이 조선에 의해 영유권 주장이 이루어졌다고는 볼 수 없다. … (… The United States Government does not feel that the Treaty should adopt the theory that Japan's acceptance of the Potsdam Declaration on August 9, 1945 constituted a formal or final renunciation of sovereignty by Japan over the areas dealt with in the declaration. As regards the islands of Dokdo, otherwise known as Takeshima or Liancourt Rocks, this normally uninhabited rock formation was according to our information never treated as part of Korea and, since about 1905, has been under the jurisdiction of the Oki Island Branch Office of Shimane Prefecture of Japan.)"[166]

이 서한은 샌프란시스코 평화조약에 대한 한국의 요구를 기각하는 것뿐만 아니라 미국의 정보에 의하면 1905년 일본이 불법으로 병합한 독도가 한국의 일부였다는 증거가 없으며 독도는 일본 시마네현 오키 섬 관할 하에 있다고 결론지었다.[167]

---

166) 양유찬 대사의 서한에 대한 Dean Rusk의 답변서 전문은 신용하(2000). 독도 영유권 자료의 연구. 독도연구 보존협회, 제3권, pp.379-381 참고.
167) 호사카 유지(2012). 샌프란시스코 평화조약과 '러스크 서한'. 일본문화연구,

② '러스크 서한'에 대한 검토

'러스크 서한'은 '통상 사람이 거주하지 않는 이 바위섬은 우리들의 정보에 의하면 조선의 일부로 취급된 적이 결코' 없다고 말하고 있다. 미국은 '우리의 정보'(our information)에 의해 독도가 한국의 영토가 아니라는 결론을 내렸다는데 여기에서 '우리들(미국)의 정보'란 어떤 정보인지 살펴보아야 할 것이다.

그것은 1952년 2월 4일자 미국 국무성의 비공개문서로 분류된 '리앙쿠르락스(다케시마 혹은 독도)를 둘러싼 한·일 논쟁'으로[168] 미국 국무성의 W. G. Jones가 주일 미국 대사관의 Gerald Warner 앞으로 보낸 내부문서이다. 독도가 일본영토라는 증거는 다음과 같다고 제시했다.

" … 1947년 6월에 일본정부 외무성은 '일본에 근접하는 작은 섬들(Minor Islands Adjacent Japan Proper)' 제5권을 출간했다. … 이 연구는 일본인이 고래로부터 마쓰시마라는 섬에 대해 알고 있었음을 서술하고 있다. 마쓰시마는 현재의 다케시마(=독도)이고 그들은 1667년의 공문서를 인용했다. 이 연구는 한국인들이 그 섬보다 북서쪽에 가까운 거리에 있는 울릉도에는 이름을 붙였지만 그 섬에 대해서는 한국 자체의 명칭을 붙이지 않았다고 주장한다. 이 섬은 1905년 2월 22일 일본 시마네현 오키 섬 지청 관할 하에 들어갔다. 1904년 오키 섬의 어부들이 이 섬에서 임시 오두막을 설치해 울릉도를 기점으로 하면서 강치 사냥을 시작할 때까지는 이 섬에는 거주자가 없었다. 1912년 출판된 '일본백과

43, p.585.
168) 원제는 〈Japanese-Korean Disapute over Liancourt Rocks(Takeshima or Tok-do〉 이다.

대사전' 제6권 880페이지를 보면 보다 상세하게 나와 있다. 일본의 어부 나카이는 1904년 이 섬에 일본깃발을 세웠다. … (… In 1947, the Japamese Government published a study Minor Islands Adjacent Japan Proper, Part Ⅴ, … This study states that Japanese had knowledge of the island of Matsushima, presently called Takeshima, from ancient times, and cites a documentary reference in 1667. It asserts that the Koreans have no name of their own for the islets, as they do for Ullung Island a short distance northwest. The island was placed under the Oki Islands Branch Office of Shimane Prefecture on February 22, 1905. The islets have never been settled, except that Oki Island seal hunters who began operations there in 1904 shortly thereafter built temporary summer shelters on the islets, using Ullung Island as their base. The Nihon Hyakka Daijiten (Encyclopedia Japonica), Tokyo Sanseido Press, 1912 Ⅵ, p.880 gives further detail. A Japanese fisheman named Nakai placed a Japanese flag on the islets in 1904. …)"[169]

위에서 보듯이 미국의 정보는 일본의 연구서나 백과사전에 의존한 것들로, 이런 정보들은 1949년 주일 미국정치고문관 Willian J. Sebald 가 샌프란시스코 평화조약 각 조문이 일본에 유리하게 기재되도록 제출한 자료들로 보인다.[170]

---

169) 호사카 유지(2012). 샌프란시스코 평화조약과 '러스크 서한'. 일본문화연구, 43, p.585.
170) 호사카 유지(2012). 샌프란시스코 평화조약과 '러스크 서한'. 일본문화연구, 43, p.585.

이런 러스크 서한은 치명적인 결함을 갖고 있는데 그것은 러스크 서한이 비밀서한이었다는 증거들이다.[171] 1953년 7월 22일 미국무성 동북아과 직원 L. Burmaster가 동북아과장대리 Robert J. G. McClukin에게 보낸 '한·일 간의 리앙쿠르 락스 논쟁에 대한 바람직한 해결책'이라는 문서에 기재되었다.[172]

" … 누가 리앙쿠르 락스(일본에서는 다케시마, 한국에서는 독도로 알려진)에 대한 주권을 누리는가 하는 문제에 대해서는 1951년 8월 10일에 한국대사 앞으로 보내진 통첩에 있는 미합중국의 입장을 상기시키는 것이 유익하다.… 이 입장[독도가 일본영토라는 미국의 입장]은 지금까지 한번도 일본정부에게 정식으로 전달된 적이 없는데 이 분쟁이 중개, 조정, 중재재판, 또는 사법적 재판에 회부되면 밝혀질 것이다. …
(… With regard to the question of who has sovereignty over the Liancourt Rocks(which are also known in Japanese as Takeshima, and in Korean as Dokdo), it may be of interest to recall that the United States position, contained in a note to the Republic of Korea's Ambassador dated August 10, 1951 reads in part … (This position has never been formally communicated to the Japanese Government but might well come to light were this dispute ever submitted to mediation, conciliation, arbitration or judical settlement.) …)"[173]

---

171) 호사카 유지(2012). 샌프란시스코 평화조약과 '러스크 서한'. 일본문화연구, 43, p.587.
172) 원제는 〈Possible Methods of Resolving Liancourt Rocks Dispute between Japan and the Republic of Korea〉 이다.
173) 호사카 유지(2012). 샌프란시스코 평화조약과 '러스크 서한'. 일본문화연구,

위의 문서에서 미국이 1953년 7월 22일 당시까지도 일본정부에 '러스크 서한'의 내용을 알리지 않았음을 밝히고 있다. '러스크 서한'은 미국 정부 내부에서도 비밀문서 취급을 받았고 일본정부에게 통보된 바가 없는 한국정부에만 송부된 비밀스러운 문서였다.[174]

샌프란시스코 평화조약의 다른 연합국들에게 '러스크 서한'이 전달되었지 여부에 대한 자료도 존재한다. 그것은 일본이 일본의 독도영유권 주장의 증거로 외무성 사이트에 게재한 'Van Fleet 대사 귀국보고서'로 한국전쟁에 참전한 Van Fleet 대사가 극동사절단 단장으로 Eisenhower 대통령의 특명을 받아 한국, 일본, 대만, 필리핀 등을 순방한 결과를 1954년 8월에 보고한 내용이다.[175]

"4. 독도 소유권 : 독도(리앙쿠르, 다케시마라고도 불린다)는 일본해에 위치해 있고 대략 한국과 혼슈(本州) 중간에 있다(동경 131.8도, 북위 36.2도). 이 섬은 사실 불모의, 거주자 없는 바위들의 집합체일 뿐이다. 일본과의 평화조약 초안이 작성되었을 때, 대한민국은 독도 영유권을 주장했지만 미합중국은 그 섬이 일본의 주권 하에 남는다는 결론을 내렸고 그 섬은 일본이 평화조약 상포기한 섬들 중에 포함되지 않았다. 이 섬에 대한 합중국의 입장은 대한민국에 비밀리에 통보되었지만 우리의 입장은 아직 공표된 바가 없다. 합중국이 이 섬을 일본영토로 생각하지만 [두 나라 간의] 논쟁을 방해할 우려가 있다. 이 논쟁을 국제사법판소로 회부하는 것이 바람직하다는 우리의 입장은 비공식적으로 대한

43, pp. 587-588.
174) 호사카 유지(2012). 샌프란시스코 평화조약과 '러스크 서한'. 일본문화연구, 43, p.587.
175) 호사카 유지(2012). 샌프란시스코 평화조약과 '러스크 서한'. 일본문화연구, 43, p.588.

민국에 전달된 바 있다."176)

이 보고서는 독도가 '일본 주권 하에 남는다'고 미국이 결론내고 독도
에 대한 '합중국의 입장은 대한민국에 비밀리에 한국정부에 통보되었지
만 아직 공표된 바가 없다.'고 보고한다. 그러므로 러스크 서한이 한국
에만 송부되고 일본은 물론 다른 연합국에도 미국이 알린 적이 없다는
것을 보여주고 있다.177)

다른 연합국들과 합의되지 않고 비밀리에 한국에 통보된 미국의 견
해는 샌프란시스코 평화조약의 공식 의견으로 볼 수 없다. 이것은 '러스
크 서한'이 연합국들의 통일된 견해가 아니라 미국만의 견해라는 것이
다.178)

③ '러스크 서한'과 평화선

미국은 한국이 수정요청을 한 뒤 단독으로 8월 10일에 한국에만 '러
스크 서한'을 보냈다. 한국의 요청에 미국이 답변을 보내 '러스크 서한'
이 법적 효력을 가진다는 주장이 있으나 한국 측은 미국의 견해를 수용
한다는 답변을 보낸 적이 없다. 또한 1954년까지 한국은 1905년 이전에
독도가 한국영토였다는 증명을 공표하였다. 이것은 한국이 러스크 서한
을 받아들이지 않겠다는 법적증거로 볼 수 있다.179)

---

176) 원문은 일본 외무성 사이트 '죽도문제' :
    http://www.mofa.go.jp/mofaj/area/takeshima/index.html 참조.(검색일 :
    2012.12.06)
177) 호사카 유지(2012). 샌프란시스코 평화조약과 '러스크 서한'. 일본문화연구,
    43, p.589.
178) 정병준(2010). 독도 1947. 돌베개. p.797.; 호사카 유지(2012). 샌프란시스코
    평화조약과 '러스크 서한'. 일본문화연구, 43, pp.588-589.

그리고 대한민국은 1952년 1월 18일, 이승만 대통령은 '해양주권선 언'을 선포하여 동해에 평화선을 긋고 독도를 한국 측 해역에 포함시켰 다.180) 이것은 1948년 8월 15일 이래 대한민국이 독립을 인정받은 주 권국가로서 취한 행동으로, 주권국가로서 한국이 미국의 일방적인 '러 스크 서한'을 따를 이유가 없으며 당시 미국 등 연합국들은 평화선에 즉시 반대하지 않았다. 이 평화선 또한 러스크 서한에 대한 한국의 입 장 표명으로 보아야 한다.181)

4) 샌프란시스코 평화조약 제2조의 해석

위의 과정을 거쳐 1951년 9월 8일 체결된 샌프란시스코 평화조약은 제2조(a)에서 다음과 같이 선언하였다.

"일본은 대한민국의 독립을 인정하며, 제주도 · 거문도 · 울릉도를 포 함한 한국에 대한 모든 권리 · 권한 · 청구권을 포기한다.(Japan, recognizing the independence of Korea, renounces all right, title and claim to Korea, including the islands of Quelpart, Port Hamilton and Dagelet.)"182)

이 조항에 일본은 샌프란시스코 평화조약에서 독도를 한국의 영토로

---

179) 호사카 유지(2012). 샌프란시스코 평화조약과 '러스크 서한'. 일본문화연구, 43, pp.589-590.
180) 정병준(2010). 독도 1947. 돌베개. pp.818-821.
181) 호사카 유지(2012). 샌프란시스코 평화조약과 '러스크 서한'. 일본문화연구, 43, p.592.
182) 샌프란시스코 평화조약 전문은 신용하(2000). 독도영유권 자료의 연구. 독도 연구 보존협회, 제3권, pp.387-389 참고.

명시하지 않았다는 것을 빌미로 다케시마는 일본 영토로 남아있으며 독도에 대한 한국의 영유권은 인정할 수 없다고 주장한다.[183] 이러한 주장은 조약에 명시되지 않은 한국의 도서는 곧 일본의 영유에 있다는 것으로 볼 수 있다. 곧 샌프란시스코 평화조약 제2조(a)항이 '網羅的 列擧主義'(exhaustive enumeration)에 입각하여 만들어졌다는 것이다. 그러나 이런 해석은 법적 증거를 찾아볼 수 없으며 평화조약에서는 일본에 점령당했던 한국의 수천 개의 도서를 전부 열거할 수 없어 代表的(主要) 島嶼만 명시하였다고 보아야 한다.[184]

또한 일본의 해석에 의한다면 샌프란시스코 평화조약에 적시되지 않은 수천개 한국 근해의 도서는 조약에 명칭이 없다는 이유로 일본 영토라고 봐야하는데, 이런 해석은 비합리적이므로 샌프란시스코 평화조약 제2조(a)항은 '例示的 列擧主義(illustrative enumeration)'를 취했다고 판단하는 것이 옳다.[185]

그리고 일본은 한국의 영토로서 샌프란시스코 조약에 명시되지 않은 독도 외에 수천 개의 도서들에 대해 '망라적 열거주의'를 택하려면 협정 해석에 특별한 의미를 부여하는 자가 지는 거증 책임 원칙에 의해 합리적 해명을 할 책임을 지어야 할 것이다.[186]

위의 주장 외에도 일본의 우에다 하야오[植田捷雄] 교수나 다이주도

---

183) 제성호(2008). 전후 영토처리와 국제법상의 독도 영유권. 서울국제법연구, 15(1), p.147.

184) 제성호(2008). 전후 영토처리와 국제법상의 독도 영유권. 서울국제법연구, 15(1), p.147 재인용.; 김명기(1985). 독도의 영유권과 제2차대전의 종료. 국제법학회론총, 30(1), pp.94-95.; 이장희(2002). 일본의 독도 영유권 주장의 부당성과 남북간의 협력방안. 안암법학, 15, p.212.

185) 제성호(2008). 전후 영토처리와 국제법상의 독도 영유권. 서울국제법연구, 15(1), p.147 재인용.

186) 나홍주(2000). 독도의 영유권에 관한 국제법적 연구. 법서출판사. p.218.

가나에[太壽堂鼎] 교수는 샌프란시스코 평화조약 제2조(a)항이 한국의 최외측 3개 도서를 명시한 조항으로 이 도서들 밖에 있는 독도는 결국 일본의 영토로 확정되었다고 주장한다.[187] 이 주장은 영문으로 논문이 발표되어 영미권의 학자들에게도 인용되는데 핵심적인 부분은 다음과 같다.

"제주도·거문도·울릉도는 한국 근해의 대표적인 섬들뿐만 아니라 조선영역의 최외곽선을 형성하고 있으며 일본에 가깝다. 따라서 만약 다케시마가 이러한 섬들보다 한반도에 가까운 내측에 있으면 그 명칭을 샌프란시스코 평화조약에 특기하지 않더라도 당연히 한국영토에 포함되는 것은 의심할 여지가 없다. 그러나 이 섬은 사실 이러한 세 섬들보다 외측(外側)에 있으며 일본보다 가까운 위치를 차지하고 있으므로 이 섬을 한국영토에 포함시키는 경우가 상기(上記)의 세 섬들과 더불어 이 섬의 명칭을 샌프란시스코 평화조약에 명기해야 한다. 그러나 현실적으로는 샌프란시스코 평화조약에 다케시마의 명칭은 나타나 있지 않다. 이것은 이 섬이 여전히 일본영토의 일부로 남겨진 것을 의미하는 것이라고 말하지 않을 수 없다."[188]

이에 대해 이한기 교수는 "독도가 울릉도 외측에 있는 섬이므로 독도의 명칭이 평화조약의 영토표기규정에 명기되지 않는 한 그것을 일본에의 귀속을 의미한다는 일본학자들의 견해는 명백히 잘못이 있다."라고 지적하며 다음과 같이 반론하였다.

"제주도와 거문도 및 울릉도는 일본 학자들의 말과 같이 '한국 근해에

---

187) 김학준(2010). 독도연구. 동북아역사재단. p.237.
188) 김학준(2010). 독도연구. 동북아역사재단. pp.237-238.

있어서의 대표적인 도서'인 것이 분명하나 절대로 '한반도의 최외측'에 있는 도서도 아니고 또한 일본에 가깝다기보다 한국에 가까이 위치한 섬들이다. 만약 전기(前記) 3도의 외측에 있는 섬이 평화조약에 한국령으로 명기되지 않았다고 하여 그것이 한국령이라 한다면 제주도의 외측에 있는 마라도(馬羅島)는 똑같은 이유로 일본령이 돼야 마땅하다는 묘한 결론이 나온다. 그러므로 평화조약에 나열된 도서는 글자 그대로 '대표적인 도서'에 국한된 것이고 독도와 같이 작은 섬의 명칭까지 낱낱이 나열하는 방식을 취하고 있지는 않다고 보는 것이 정당한 견해일 것이다."189)

일본은 주미 한국 대사관에 대한 1951년 8월 9일자 미국 국무성 Dean Rusk가 보낸 서한이 독도에 대한 한국의 영유권을 부정하는 증거라고 보는 입장도 있다. 그러나 이것은 앞에서 살펴보았듯이 미국의 입장에 불과하며 연합국 전체의 입장을 대변한다고 볼 수 없다. 오히려 이 주장과 반대로, SCAPIN 제677호 및 제1033호와 샌프란시스코 조약 체결과정에서 살펴본 '연합국의 구 일본영토 처리에 관한 협정(안)', 그리고 영국과 오스트레일리아 등의 미국외의 다른 연합국들의 입장190) 등을 고려하면 독도는 한국의 독립이래 귀속, 유지되어왔다고 보아야 한다.191)

---

189) 이한기(1969). 한국의 영토. 서울대학교출판부. p.269.
190) 제성호(2008). 전후 영토처리와 국제법상의 독도 영유권. 서울국제법연구, 15(1), p.149 재인용.; 신용하(2001). 독도 영유권 문제와 샌프란시스코 조약. 독도영유권학술심포지엄. pp.95-97; 연합뉴스(2005). 독도 한국영토 규정 영국 정부 지도 발굴. 2005년 2월 27일자.; 동아일보(2005). 이래도 독도가 일본땅인가…영정부 한영토 규정 지도 나와. 2005년 2월 28일자 참조.
191) 제성호(2008). 전후 영토처리와 국제법상의 독도 영유권. 서울국제법연구, 15(1), p.149.

일본이 주장한 것과 같이 샌프란시스코 평화조약에서 독도를 누락시킨 사실은 만일 미국이 SCAPIN 제677호에 의해 일본으로부터 분리시켜 한국의 영유권을 인정한 독도를 다시 일본의 영유에 놓이게 할 의사가 있었다면 별도의 각서가 있어야만 할 것이다. 이것은 독도를 분리시킨 SCAPIN 제677호에 의해 북위 29°~30° 사이의 남서제도가 일본의 영토에서 명시적으로 제외되었다. 1951년 12월 5일자 각서에 의해 반환된 것과 동일한 맥락이다.192)

일본의「마이니치 신문(每日新聞)」은 이 샌프란시스코 평화조약이 발표된 직후 이 조약을 설명하기 위해『대일평화조약』(1952)을 발행하였는데 여기에「일본영역도(日本領域圖)」를 게재하였다. 샌프란시스코 조약에 의해 확정된 새로운 일본 영토를 표시한 이 지도는 독도를 다케시마라는 이름으로 일본의 국경선 밖에 표시하였다.193)

---

192) 김학준(2010). 독도연구. 동북아역사재단. p.239.
193) 동아일보(2005). 독도는 한국땅 일본도 인정. 2005년 2월 23일자.

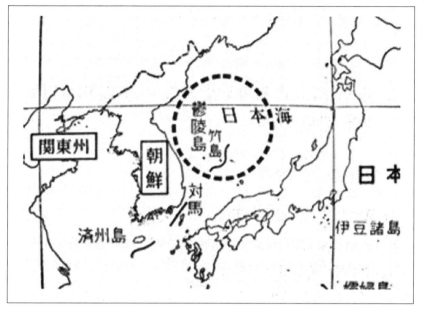

〈그림 33〉 일본 영역도

자료 : 김은미(2013). 독도문제 해결을 위한 한·미상호방위조약 적용 분석. 이화
여자대학교 대학원 석사학위논문. p.49.

그러므로 일본이 샌프란시스코 평화조약 제2조(a)항에 의해 독도를
일본영토라고 주장하는 것은 국제관습법인 조약법에 관한 비엔나 협약
제31조 1항194)에 반하는 해석으로 인정될 수 없다.195) 또한 일본은
1948년 8월 15일 UN총회결의에 의해 승인받은 한반도 유일의 합법정
부인 대한민국의 독립을 인정한 것이며, 동시에 대한민국 정부 관할 하

---

194) Article 31 General rule of interpretation: 1. A treaty shall be interpreted
in good faith in Article 31 General rule of interpretation : 1. A treaty shall
be interpreted in good faith inaaccordance with the ordinary meaning to
be given to the terms of the treaty in their context and in the light of
its object and purpose.
195) 나홍주(2000). 독도의 영유권에 관한 국제법적 연구. 법서출판사. p.213.

의 독도 또한 승인한 것으로 볼 수 있다.

2. 샌프란시스코 평화조약 체결 이전 일본의 영토처리에 관한 조치

1) 전시 중 국제문서

(1) 포츠머스 러·일 평화조약

러·일 전쟁 중 일본 해군력의 성장이 앞으로 태평양에 위협이 될 수 있고, 또 러시아에 승산이 보이지 않자 미국이 주선하여 1905년 9월 5일 평화조약을 체결하였다. 이 조약에서 일본은 사할린을 북위 50도선으로 남북으로 분할을 요구하였다. 그리고 1855년 쿠릴열도를 러시아와 일본이 분할한 시모다 조약과 1875년 북쿠릴과 남부 지역의 사할린을 교환한 빼쩨르부르크 조약을 모두 폐기하였다.

러시아 니콜라이II 황제는 협상대표단에게 영토는 한 치도 양보해서는 안된다는 칙령을 보냈으나 만주전선에서 러시아의 전황이 악화되어 부득이 일본의 요구에 동의해야 했다. 일본은 이 조약으로 남 사할린과 함께 전 쿠릴열도를 합병시키고 북 사할린만 러시아 영토로 남겨놓았다.[196]

(2) 얄타협정

일본이 독일의 항복에도 불구하고 여전히 항복할 기세가 보이지 않

---

196) 박종효(2011). 러시아 쿠릴열도에 관한 러·일 분쟁사 연구: 러·일이 체결한 영토조약을 중심으로. 군사, 80, p.177.

자, 미국과 영국수뇌부는 당시 일본과 상호불가침 조약을 채택하고 있던 러시아를 전쟁에 가담시켜 최종적으로 일본의 항복을 받아내어 전쟁을 종결시키기로 얄타회담에서 비밀리에 결정하였다. 이때 영토불확장 원칙은 무시되어 1945년 2월 11일 일방적인 러시아의 주장과 요구를 수용하여 「1904년 일본국의 배신적인 공격에 의해 침해된 러시아의 구 권리는 다음과 같이 회복된다. 사할린 남부 및 여기에 인접하는 모든 섬은 소련에 반환한다(제2항). 쿠릴열도는 소련에 인도한다(제3항)」고 했다.

(3) 포츠담 선언

카이로 선언이 있은 후 1945년 7월 26일, 일본에 대해서 항복을 권고하고 제2차 세계대전 후의 대일처리방침을 표명하기 위한 포츠담선언이 발표되었다. 처음에는 미국 대통령 트루먼, 영국 총리 처칠, 중국 총통 장개석이 회담에 참가하였으나, 얄타회담 때의 약속에 따라 소련이 대일선전포고를 하게 되어 소련공산당 서기장 스탈린도 8월 이 회담에 참가하고 이 선언문에 함께 서명하였다.

「카이로선언의 제조항은 이행되어야 하며, 또 일본의 주권은 혼슈, 홋카이도, 큐슈, 시코쿠 및 우리들이 결정하는 제소도에 국한된다.」

이 선언은 4대국에 의한 일방적 선언에 불과하여 그 자체가 일본에 대한 구속력을 갖는 것은 아니다. 따라서 동 선언에 의해 일본의 영토가 분리되는 것은 아니다.[197] 그러나 1945년 8월 14일 일본은 이 선언

---

197) Rosenne, S.(1950). The Effect of Change of Sovereignty upon Municipal

을 수락하였고, 항복문서의 서명에 의하여 그 수락이 성문화되었다. 그
리하여 포츠담 선언은 일본에 대한 구속력을 갖게 되었다.[198]

2) 샌프란시스코 평화조약의 체결과정

연합국 측의 맥아더 최고 사령관은 1947년 3월 17일 "우리가 일본과
평화회담을 해야 할 시기가 도래했다"라고 발표함으로써 평화조약의 필
요성을 제기하였다.[199] 1947년 7월, 미국은 일본과의 평화조약 문제를
논의하기 위한 회의를 개최하자고 극동위원회(Far Eastern Commission)[200]
의 회원국에게 제안하였다. 이 제안은 소련의 비협조로 실패하였다.

소련은 오로지 4대국(중국, 영국, 소련, 미국)에 의해서만 일본과의
평화조약 문제를 다루어야 하며, 이 조약의 준비 작업은 외무장관회
의(Council of Foreign Ministers)[201]에서 이루어져야 한다고 주장하
였다.

1949년 5월 파리에서 개최된 외무장관회의에서 소련대표는 회의의제
에 일본과의 평화문제를 포함시키고, 공산주의 중국을 초청할 것을 요

Law. British Yearbook of International Law, 17, p.268.

198) 정갑용 · Van Dyke, J. M.(2005). 1951년 샌프란시스코조약과 독도 영유권에
관한 연구. 국제공동연구(2005-03), 한국해양수산개발원, p.6.

199) Aduard. L. V.(1954). Japan: Form Surrender to Peace, Praege. pp.103-104.

200) 극동위원회는 1945년 12월 27일에 모스크바에서 채택된 일본에 대한 극동위
원회(Far Eastern Commission) 및 연합국 협의회(Allied Council)의 설립을
위한 협정으로 설립되었다. Zanard, R. J.(1953). An Introduction to the
Japanese Peace Treaty and Allied Documents. The Georgetown Law
Journal, 40, p.92.

201) 외무장관회의(중국, 프랑스, 영국, 미국, 소련)는 1945년 7월 17일부터 8월
2일까지 개최된 포츠담회의의 결과로서 설립되었다. Zanard, R. J.(1953).
An Introduction to the Japanese Peace Treaty and Allied Documents. The
Georgetown Law Journal, 40, p.92.

청하였다. 그러나 미국과 영국은 이러한 제안을 거절하였다. 그리고 동 회의에서 나타난 소련의 의도로 인하여 미국은 일본과의 평화조약을 준비하는 주된 협상국가에 공산주의 국가를 포함시키게 되면 일본과의 평화조약을 체결하는 것이 불가능해진다는 결정을 내리게 되었다.[202]

이에 따라 9차례에 걸친 미국 측의 초안과 3차례에 걸친 영국 측 초안, 그리고 2차례의 영미 공동 초안 성안 작업이 진행되었고, 1951년 1월 미 국무장관 고문 John Foster Dulles의 일본 회견 이후 미국 측의 평화조약 제9차 초안이 극동 위원회 구성 11개국 및 한국, 인도네시아에 배부되었다. 초안의 성안 작업이 계속되면서 1950년 1월 콜롬보 영연방 외상회담과 방콕의 극동 주재 미외교관 회담에서 샌프란시스코 조약의 조기 체결 문제가 논의된 것을 시작으로 미국과 영국을 비롯한 연합국의 몇 차례에 걸친 토론회를 개최하였다.

미국이 샌프란시스코 평화회의의 초청장을 배포했을 때, 54개국이 일본과의 전쟁상태에 있었지만 그 중 이탈리아와 중국은 초대받지 못하였고, 미얀마, 인도, 유고슬로비아는 참석하지 않기로 결정하였다.[203] 따라서 최종적으로 체코슬로바키아, 폴란드와 소련을 포함하여 51개국이 샌프란시스코 평화회의에 참석하였다. 1951년 9월 8일 샌프란시스코 평화회의에서 일본과의 평화조약이 서명되었는데, 소련, 체코슬로바키아, 폴란드는 조약에 서명하지 않아 결국 48개국과 일본이 이 조약에 서명하게 되었다. 동 조약은 제2조부터 제4조까지 일본의 영토에 대하

---

202) Min Pyong-gi(1996). The San Francisco Peace Treaty and The Korea-Japan Relations, Koreana Quarterly, 8(9), pp.72-74.; 김채형(2007). 미국 국무성 문서조사에 의거한 1951년 샌프란시스코평화조약과 독도문제, 국제법의 최근동향과 한국의 현실문제. 2007년 국제법학자대회. p.115.

203) Zanard, R. J.(1953). An Introduction to the Japanese Peace Treaty and Allied Documents. The Georgetown Law Journal, 40, p.94.

여 규정하고 있다.

국제법상 조약해석 원칙에 따르면 입법자의 의도를 참작할 수 있는 경우란 조약 문면의 내용이 불명확하거나 모호한 경우에 한하게 된다.[204] 이는 법적 안정성을 강조하기 위한 국제법의 중요한 원칙 중의 하나이다. 따라서 샌프란시스코 평화조약의 불명확한 조문을 해석하기 위해서는 그 초안의 내용을 살펴보는 것이 중요하다.

1947년 3월 20일자 1차 초안[205]은 1947년 3월 20일자로 작성되었는데, 영토조항은 다음과 같이 규정되어 있다.

제1조 일본의 영토적 한계는 1894년 1월 1일에 존재했던 한계이며, 이는 제2조, 제3조에 규정된 변경에 따라 제한된다. 이러한 한계에는 혼슈, 큐슈, 시코쿠, 홋카이도의 네 개 주 도서와 모든 근해 소도들을 포함한다.… 쿠릴제도는 제외되고, 류큐제도의 가고시마현, … 은 포함된다.

제3조 일본은 북위 50도 남부 사할린 섬 일부와 Kaiba섬을 소련에게 할양한다. 일본은 캄차카와 홋카이도 사이에 위치한 쿠릴 섬의 전권을 소련에 할양한다.

1947년 8월 5일자 초안[206]은 평화조약의 기초 초안이 나온 이후, 과

---

204) 김영구(2005). QUO VADIS,DOKDO? 독도: 어디로 가려는가. 다솜출판사. p.84.
205) General Headquarters, Supreme Commander for the Allied Power, Memorandum for General MacArthur; Outline and Various Sections of Draft Treaty, [USNARA/740.0011 PW(PEACE)/3-2047], 1947.; In이석우(2006). 대일강화조약자료집. 동북아역사재단. pp.49-50.
206) USDOS, Office Memorandum from Mr. Borton to Mr. Bohlen; Draft Treaty of Peace for Japan, 1947/8/6, [USNARA/740.0011 PW (PEACE)/8-647

거 제2차 세계대전 패전국들의 점령 하에 있던 국가들의 권원이 미치던 영토회복의 의견이 본격적으로 반영되어 1947년 8월 5일 제2차 초안이 작성되었다.[207] 관련 조항은 다음과 같이 기술되어 있다.

제2조 일본은 대만과 인접 소도(Hokasho, Menkasho, Kaheisho, Kashoto, Kotosho, Shokotosho, Shichiseigan, Ryukyusho와 팽호제도) 및 북위 26도, 동경 121도의 지점에서 시작하여, 동경 122도 30분까지 정동으로 이동, 그곳에서부터 북위 21도 30분까지 정남, 그 지점에서 서경 119도까지 Bashi Channel을 통해 정서방향, 그 지점에서 북위 24도의 지점으로 정북방향, 그 지점에서 북동쪽으로 시작점을 잇는 선 안에 일본이 권원을 획득한 모든 기타의 섬에 대한 모든 주권을 중국에 할양한다.

제3조 일본은 여기에 1875년 조약에 의해 일본이 러시아에 의해 할양받았던 우루푸부터 시무슈까지를 포함하는 에토로후 해협의 북동부 도서로 절충된 쿠릴열도에 대한 전권을 소련에 할양한다.

1949년 10월 13일자 초안[208]에서 쿠릴 섬에 대한 영토조항은 제1조 "일본의 영토는 혼슈, 큐슈, 시코쿠 및 홋카이도와 에토로후, 쿠나시리, 하보마이, 시코탄의 도서를 포함한 모든 인접소도서로 한다."라고 규정하고 있다.

CS/W].

207) 정갑용 · Van Dyke, J. M.(2005). 1951년 샌프란시스코조약과 독도 영유권에 관한 연구. 국제공동연구(2005-03), 한국해양수산개발원, p.9.

208) USDOS, (Office Memorandum; Attached Treaty Draft, ([USNARA/740.0011 PW (PEACE)/10-1449), 1949. 10. 14.

제3조 1. 북위 50도의 남부 사할린 섬 일부와 Toramoshiri와 Robben 섬을 포함하여 인접도서에 대한 전권을 소련에게 할양한다.

3) 일본은 쿠릴 섬에 대한 전권을 소련에게 할양한다.

1949년 12월 29일자 초안[209])에서는 일본의 영토를 제3조에서 규정하고 있다.

제3조

일본의 영토는 혼슈, 큐슈, 시코쿠와 홋카이도의 4개 주요 도서 및 나이카이의 섬; 쓰시마, 다케시마, 오키렛토, 사도, 오쿠지리, 레분, 리시리 그리고 쓰시마, 다케시마, 레분의 외측 해안을 연결하는 선 내측에 있는 일본해 내의 다른 모든 제도서; 고토군도, 북위 29도 이북의 류큐도 그리고 동경 127도 선의 동쪽, 북위 29도 선의 북쪽에 있는 동중국 해상의 다른 모든 제도서;...(중략)...를 포함하는 모든 인접 소도서로 한다.(이하 생략)

제5조 1. 북위 50도의 남부 사할린 섬 일부와 Toramoshiri와 Robben 섬을 포함하여 인접도서에 대한 전권을 소련에게 할양한다.

---

209) USDOS, Draft Treaty of Peace with Japan on December 29, 1949, [USNARA/Doc. No.N/A], 1949.

4) 일본은 쿠릴 섬에 대한 전권을 소련에게 할양한다.

1950년 8월 7일자 초안[210]은 제7차 초안에 해당하며, 일본의 영토에 관한 조항이 삭제되고, 다음과 같이 규정되었다.

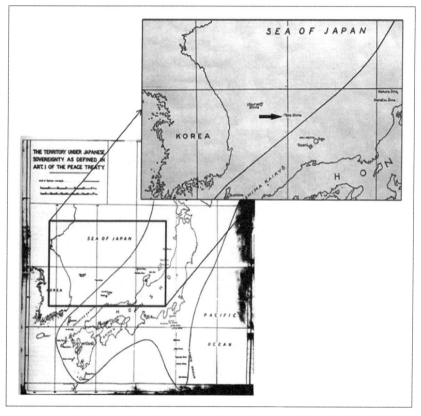

〈그림 34〉 샌프란시스코 평화조약 1947년 초안 제1조에 따른 일본의 영토

자료 : General Headquarters, Supreme Commander for the Allied Power(1947). Memorandum for General MacArthur ; Outline and Various Sections of Draft Treaty. 1947. 3. 20. [USNARA/ 740.0011 PW(PEACE)/3-2047]

210) USDOS, Office of the Secretary, Memorandum to Mr. Thorp from Mr. Dulles; Japanese Treaty, [USNARA/694.001/8-950 CS/H], 1950. 8. 9.

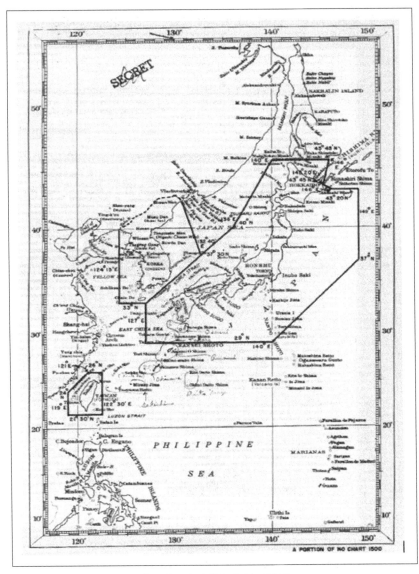

〈그림 35〉 일본의 영토범위

자료 : USDOS(1951). Office Memorandum to John M. Allison from Robert A. Fearey; Nansei Shoto. [USNARA/694.001/4-551], 1951. 4. 5.

제5조 일본은 미국, 영국, 소련 및 중국이 쿠릴 섬의 향후 지위에 관련하여 합의될 수 있는 결정이 무엇이든지 간에 수용한다. 일년 내에 합의하지 못한 경우, 이 조약의 당사국은 유엔총회의 결정을 수용할 것이다.

최종적으로 채택된 샌프란시스코 평화조약에서는 제2장 영토조항 제2조에서 일본의 영토와 관련하여 규정하고 있다.

제2조

(a) 일본은 한국의 독립을 승인하고 제주도, 거문도 및 울릉도를 포함하는 한국에 대한 모든 권리, 권원 및 청구권을 포기한다.211)

(b) 일본은 대만과 팽호도에 대한 모든 권리, 권원 및 청구권을 포기한다.212)

(c) 일본은 쿠릴 섬과 일본이 1905년 9월 5일 포츠머스 조약의 결과로 주권을 획득한 사할린의 일부와 그에 인접하는 도서에 대한 모든 권리, 권원 및 청구권을 포기한다.213)

---

211) Japan, recognizing the independence of Korea, renounces all right, title and claim to Korea, including the islands of Quelpart, Port Hamilton and Dagelet.

212) Japan renounces all right, title and claim to Formosa and the Pescadores.

213) Japan renounces all right, title and claim to the Kurile Islands, and to that portion of Sakhalin and the islands adjacent to it over which Japan acquired sovereignty as a consequence of the Treaty of Portsmouth of 5 September 1905.

5) 평화조약 이후

(1) 모스크바 소·일 공동선언

샌프란시스코 평화조약의 거부로 소·일 양국간에 평화조약이 존재하지 않으므로 이해관계에 상호 모순이 발생하기 시작하였다. 일본은 미국에 국방은 의존하고 있었으나 다른 긴박한 현안문제로 쿠릴열도 인근 해역에서의 어업활동과 UN가입문제 그리고 러시아에 남아있는 일본인 포로귀환문제 등의 해결이 시급했다.

결국 소·일 양국은 샌프란시스코 평화조약 체결 이후 3년이 경과하면서 1955년 처음 런던에서 양국 대사급 회담을 개최하였다. 일본이 쿠릴열도와 남사할린의 반환을 요구하자 회담은 1년여 간 별 진전이 없이 교착상태에 빠졌다. 당시 일본 외무성 조약국장 다게소 시모다의 회고에 의하면 마츠모토(松本)주영 일본 대사에게 3개의 일본 측 협상안이 전달되었다고 한다. 각 안을 살펴보면 다음과 같다.

제1안 : 전 쿠릴열도와 남 사할린 요구
제2안 : 남 쿠릴 4개 도서
제3안 : 최소한 하보마이와 시코탄 2개 도서

제1안과 제2안은 협상 전략으로 부수적인 것으로 판단되었으며, 사실은 일본 북해도에 연접해 있는 2개 도서의 반환이 목적이었다. 최악의 경우는 소련이 상기 안을 전부 거절할 것을 가정했으나 런던 주재 소련 대사 야꼬프 말리크(Яков А.Малик 1945년 주일대사, 6.25때는 UN주재 대표)가 본국에서 귀임한 후 1955년 8월 초에 하보마이와 시코탄 두 개 도서를 평화조약 체결조건으로 양도할 수 있다고 제안하였다.[214] 이에 일본은 수상 하도야마(鳩山)를 단장으로 하는 일본 대표단을 1956년 모스크바에 보내고, 10월 19일 양국 정상화에 대한 "소·일 공동선언"을 발표하였다. 공동선언문 제9조에는 소련정부와 일본정부는 전쟁상태의 종결을 확인하고 외교관계를 수복한 다음에 평화조약의 체결을 위한 협상을 계속한다는 합의였다.

소련은 선언문에서 "일본의 희망에 회응하여 일본정부의 이해를 고려하여 하보마이와 시코탄 두 도서를 일본에 양도하는데 동의하며, 실질적인 양도는 평화조약을 체결한 이후에 이행한다"고 하였다. 선언문 중에서 중요한 조문은 다음과 같다.[215]

제1조 소련과 일본과의 전쟁상태는 본 조약의 발효일부터 중지되며 양국간 평화와 우호적인 선린관계를 회복한다.

제2조 소련과 일본은 외교 및 영사관계를 회복시킨다. 양국은 바로 대사급 외교관을 교환하고 양국 내의 영사관 설치는 외교관례에 따라 결정한다.

제4조 소련은 일본이 UN회원국 가입을 반대(거부권 행사)하지 않는다.

제9조 소련과 일본은 외교관계를 정상화시킨 후 평화조약의 체결을 위한 협상을 계속한다. 소련은 일본의 요청에 부응하고 일본정부의 이해를 감안하여 일본에 하보마이와 시코탄 두 도서를 양도하는데 동의한다. 그러나 실제적인 양도는 평화조약을 체결한 이후에 이행한다.

---

214) 박종효(2011). 러시아 쿠릴열도에 관한 러·일 분쟁사 연구: 러·일이 체결한 영토조약을 중심으로. 군사, 80, p.192.

215) 이 선언서는 소련최고회의 간부회의에서 1956년 12월 8일 비준되었고, 일본은 1956년 12월 8일 비준하였다. 양국은 1956년 12월 12일 비준서를 교환하였다.

제10조 본 선언문은 양국정부의 비준을 받아야 한다. 비준서를 교환하는 날부터 본 선언은 효력이 발생하며 비준서는 조속히 동경에서 교환한다.

이 선언서를 통해 일본과 소련은 "전쟁 상태의 종결과 외교 및 영사관계의 회복, 소련은 일본의 UN가입을 반대하지 않으며 일체의 전비배상을 요구하지 않는다"는데 합의 하였다. 또한 향후 양국이 평화조약의 체결을 위한 협상을 계속하고 조약체결 이후에 하보마이와 시코탄 두 도서를 일본에 양도한다는데 원칙적인 합의를 보았던 것이다.

(2) 미일 신 방위조약 체결 이후 남쿠릴 열도 영토문제

일본은 약속한 평화조약에 관한 협상을 계속 지연시키면서 1959년에는 각종 지도를 발행하고 남쿠릴을 북해도에 포함시켰다. 그리고 동년(同年) 기시(崔)수상은 영토문제는 일본이 쿠릴을 포기하는 것으로 생각해서는 안 된다는 공개 성명을 발표하였다.216)

이때부터 북방영토 반환투쟁이 일본 국민운동으로 발전하는 계기가 되었다. 남쿠릴 문제에 관해 관방장관 하토야마(鳩山)가 그리고 얼마 지나지 않아 수상 이시바시(石橋)는 소련과의 평화조약 체결문제가 제기될 때마다 소련과 북방영토문제로 의견이 충돌하여 오늘날까지 미결문제로 남아 있게 되었다고 하면서 여론을 부추겼다.

일본은 국토방위를 강화하려는 의도로 1960년에 다시 미국과의 밀접한 군사협력과 일본에 재무장을 허용한 신 미·일 방위조약을 체결하였다. 소련은 이 신 미·일방위조약이 1956년에 모스크바에서 체결한 소·

216) 매일신문(1960). 1960년 3월 9일자.

일 모스크바 공동선언에 정면으로 위배된다고 항의하고 일본에 양도하기로 한 하보마이와 시코탄 두 도서에 대해 양도를 취소한다고 하였다.

즉, 니키타 흐르쉬초프(Nikita Khrushchyov) 소련 수상은 소련에 적대적인 미·일 신 방위조약이 발표되자 1960년 일본정부에 외교 각서를 보내 "일본에서 외국군을 철수시키고 소·일 평화조약을 체결한 다음에 두 개 도서를 양도할 수 있다."고 하였다. 그 양도할 2개의 도서에 미군의 군사시설을 설치하게 되면 소련에 위협이 된다고 말하면서 국제조약법에 관한 비엔나 협정 제62조 제2항과 제3항에 "조약 체결 이후 일국이 조약 당시의 조건과 다른 상황이 발생할 경우 조약을 완전히 이행하지 않거나 연기 또는 부분적으로 이행하지 않을 수 있다."라는 조항을 들어 2개 도서 양도를 취소한 것이다.

이런 사건이 있은 후 1977년에 전 일본 수상 다나까(田中)가 소연방 최고 간부회의 의장이며 소연방 공산당 중앙위원회 총비서로 최고의 권력을 행사한 레오니드 브레즈네프(Leonid Brezhnev)와 모스크바에서 도서문제로 협상을 시도했었다.

그러나 "브레즈네프는 일본이 의도적으로 도저히 수용할 수 없는 조건을 제시하지만 않는다면 소련은 평화조약을 체결할 준비가 되어 있다. 일본은 제2차 세계대전의 결과로 나타난 현실을 이성적인 태도로 인정해야 한다고 강조하고 평화조약이 통상 광범위한 문제를 포함하게 되므로 그 안에 국경선 문제가 포함된다고 도서문제를 우회적으로 언급했었다."고 했다.217) 이후 소련은 일본과 도서문제 자체를 회담 의제로 일정에 상정하는 것을 거부하다가 고르바초프 대통령 때에 와서 비로소 다시 논의하기 시작하였다.

---

217) 조일신문(1977). 1977년 4월 7일자.

고르바초프(Mikhail Gorbachev)는 개혁 정책을 실시하면서 전 소련 지도자들과는 달리 유연하게 일본과 쿠릴문제 등을 포함해 평화조약을 논의하였다. 고르바초프는 소련 대통령으로서 1991년 4월 16~19일에 전후 소련지도자로서는 최초로 일본을 공식 방문하여 일본 천황의 초대도 받았다. 소·일 수뇌회담에서 일본 수상 가이후(海部)는 남쿠릴을 포함하는 평화조약 문제 등 소·일 관계의 전반에 걸쳐 우호적인 개선에 대한 문제를 제기했다.

고르바초프는 곧 남쿠릴 4개 도서에 일본인의 무비자 방문과 교류를 확대하는 조치를 취하고 이 지역에서 소·일의 공동 경제활동이 실현될 수 있도록 노력하고, 특히 남쿠릴에 주둔하고 있는 소련군 병력을 감축하겠다고 하였다. 그리고 소·일간에 도서에 대한 문제가 있다는 것을 인정하였으나 일본 측의 도서반환에 대해서는 고르바초프도 전임자와 다를 바 없었다. 그는 1956년에 체결한 소·일 모스크바선언에 언급된 평화조약 체결 후 2개 도서 양도 문제를 재검토하자는 일본 수상의 제안에는 응답을 피하면서 양국간에 장애물을 제거하고 평화조약을 조기에 체결하자는 말만 반복했다.

하지만 곧 발트 3국(리투아니아, 라트비아, 에스토니아)의 소련 탈퇴 선언 그리고 러시아 내의 민주화혁명으로 고르바초프는 권좌에서 물러날 수밖에 없었다.

3. 일본의 국제법을 어기고 대마도 강점에 따른 반환의 이유

1) 국제법상 대마도 반환 주장의 증거

국제법상의 영토취득 권원에는 선점(Occupation), 공인(Recognition), 시효(Prescription), 실효적 지배 등이 있는데 19세기까지 한·일 양국 공히 선점에 대한 증거는 모두 보유하고 있다고 볼 수 있다.

그러나 1868년 이후 일본이 실효적 지배를 하고 있다고 하지만 일본의 실효적지배 6년 전인 1862년 일본 스스로 제 외국에 우리 영토임을 공인하였고, 이것이 지도로 표기되었다. 이것은 국제법에 정통한 이한기(李漢基) 박사에 따른 것으로서[218]

"一國의 영토주권에 대한 타국의 공인(Recognition)은 공인한 타국이 장래 그 지역의 지배권을 다투는 것을 스스로 금하는 이른바 禁反言(Estoppel)의 효과를 발생한다."라는 것에 해당하는 것이다.

이의 예로 과거 노르웨이와 덴마크 간 그린란드에 대한 영토의 분쟁을 언급하고 있다. 노르웨이가 덴마크보다 그린란드에서 거리도 가깝고 접근성도 좋아 소유권을 주장하곤 했으나 과거 영토 협상시 덴마크 영토로 공인했었기 때문에 이것이 아직도 유효하다고 판정된 것이다.

만약 이 원칙이 벗어나면 국제사회에서 영토와 관련, 약육강식의 영토분쟁이 계속 반복되기 때문이다.

이제 일본이 대마도를 국제사회에 인정한 그 원본 물증이 발견된 이

---

218) 이한기(1969). 한국의 영혼, 영토취득에 관한 국제법적 연구. 서울대 출판부.

상, '일본이 불법적으로 삼킨 우리 영토를 반환해야 한다'는 이승만 대통령의 주장은 국제법적으로도 검토가 가능하고, 현 일본의 실효지배는 그 증거를 잃게 되는 것이다.

한편, 근세사 국제조약(1952년 샌프란시스코 조약)으로 대마도가 일본령으로 확정되었다는 일본 측 주장에도 동 조약에서 대마도가 국제조약에 일본령으로 인정되었지만 여기서 오가사와라는 일본령에 누락되어 미국령이 되고 말았다. 그러나 미국은 1862년의 국제 합의(삼국접양지도 프랑스어판)를 존중, 국제적신의(Friendship)라는 명분아래 지금부터 44년 전인 1968년 오가사와라를 일본에 조건없이 반환하였다.

그렇다면 일본도 동 조약에서 우리영토로부터 누락된 대마도를 1862년 합의(삼국접양지도 프랑스어판)를 존중, 53년 전 반환을 요구한 건국대통령의 주장대로 조건없이 즉각 반환하는 것이 국제조약과 국제적신의에 입각해서도 합당한 것이다.

2) 국제법을 교묘히 이용하는 일본의 영토욕망

국경분쟁의 중재재판이나 국제사법재판소의 판결의 기조는 국민들의 영토의식이 영토귀속을 판단하는 중요한 기준이 된다. 영토의식은 역사교육과 뗄 수 없는 관계다.

대마도에 대한 영유권의 성격은 국민정서의 마찰과 갈등, 국제법적 논쟁, 역사학적 논쟁 등 3가지로 압축된다.

대마도에 대한 국제적 분쟁의 여부는 객관적인 문제이므로 우리가 일방적으로 분쟁의 성격을 부인한다고 해서 분쟁이 아닌 것으로 되지 않는다.

국제법에서는 국제분쟁의 평화적 해결방식으로서 정치적 분쟁과 법률적 분쟁으로 구별하고 그 해결방식을 달리한다. 즉, 분쟁의 성격에 따라 정치적인 것인가 법률적인 것인가를 구별하여 해결방식을 결정하는 것이다.

일본이 국제적 분쟁으로 몰고 간 것은 1954년 부터이다. 독도문제를 한일간의 법률적 분쟁으로 간주하면서 1954년 국제사법재판소에 제소하여 해결하자는 주장을 내놓은 것이다. 그러나 우리는 분쟁지역이 아니라는 이유로 거부하고 있으며, 국제법상 어떤 국가라도 국제사법재판소에 의해 분쟁을 해결할 의무가 없으므로 우리는 일본의 주장을 받아들이지 않고 있다. 또, 법률적 분쟁이 존재하지 않는다는 입장과 함께 독도영유권 문제는 정치적 분쟁이기 때문에 사법적으로 해결될 가능성이 희박하다는 주장을 펴고 있다.[219]

따라서 우리나라 초대 이승만 대통령의 '일본의 대마도 점령은 불법'이 의미하는가? 대마도에 대해서 우리 선조들이 어떻게 인식하고 있는가에 대해서는 많은 자료들이 있었으나 언급하지 않았다.

그 이유는 일제시대 일본이 관련 수많은 자료를 은폐하거나 파괴해 버렸음에도 우리 주변의 고지도나 자료를 조금만 살펴보아도 한일합방 전까지 우리 선조들이 대마도를 우리영토로 기록하고 표기한 자료가 너무 많고,[220] 관련된 우리 학자들의 선행연구도 상당하다.

물론, 일본도 대마도가 일본령이라는 옛 자료를 보유하고 있을 것이며 이를 모두 부정하는 것이 아니다. 여기서 언급하고자 하는 것은 현재의 영토문제를 결정짓는 도서지역 영토문제가 불거진 근현대사를 말

---

219) 독도라는 명칭은 1904년 일본 해군이 최초로 독도라는 명칭을 사용했다(조선인들이 리앙쿠르라는 바위섬을 독도라고 표기한다라고 기술돼 있다.). 또 1906년 울릉군수 심흥택이 정부에 올린 보고서에서 '본군 소속 독도'라는 구절에서 확인된다.

220) 이찬(2003). 우리 옛지도. 서울역사박물관.

하는 것이다.

동양에서 도서지역에 대해 영토 수호개념이 강화되기 시작한 것은 서구열강의 식민지 정책으로 인한 것이다. 일본도 19세기 중반 페리제독의 강제개항을 계기로 식민지 정책을 구사한 서양제국과 영토협사오 가정에서 비로소 자국의 도서를 확인하고 이를 수호하려는 개념이 체계화되기 시작했다고 보아야 한다.

따라서 19세기 중반인 1861년 이후 일본이 삼국접양지도를 통하여 서양에 대마도가 우리의 고유영토임을 공인하고 외국이 이를 인정해 준 것은 그 전후와는 분명히 다른 지금도 국제법적으로 유효한 효과를 지니게 된다.

일본이 이렇게 우리 영토를 국제적으로 인정하고도 그 후 7년 뒤 명치유신(1868년)과 더불어 외국의 동의없이 임의로 약취해갔으므로 불법임으로 한국에 반환해야 하는 이유가 바로 여기에 있다.

일본이 대마도를 반환하지 않으면 안되는 이유임과 동시 대마도와 관련한 이승만 대통령의 주장은 아직도 유효하며, 2013년 2월 박근혜 제18대 대통령이 이어지도록 방치한 한국인과 통치자들이 각성해야 하는 이유이기도 하다.

제3장

한민족과 대마도의 역사변천

한민족과 대마도의 역사변천

1. 단국조선 시대

일연 선사(1206~1289)는 고려시대의 승려로서 고려 충렬왕 때에는 임금의 스승인 국존(國尊)에 이른 인물이다. 그가 편찬한 『삼국유사』 고조선편에는 단군조선 이전에 환인(桓囜)이 다스리는 환국(桓國)이 있었는데, 그후 환웅(桓雄)이 태백산 신단수 아래로 내려와 신시(神市)에 도읍하고 배달국(倍達國)을 열었으며, 그후에 단군왕검(檀君王儉)이 조선을 개국한 것으로 기록되어 있다.

결국 환인과 환웅이 존재하였기 때문에 단군조선도 존재할 수 있었던 것으로 환인과 환웅이 실존했다면 그 역사를 기록한 문헌도 있어야만 했다. 그런데 신화·전설로 알았던 단군조선 47대의 역사를 밝혀주는 대표적인 문헌으로 『단군고사』, 『단군세기』, 『규원사화』가 있고, 게다가 환인과 환웅의 역사를 기록한 문헌으로는 신라와 고려시대에 씌어진 두 권의 사서 『삼성기(三聖記)』와 조선왕조 때 편찬된 『태백일사(太白逸事)』가 있다. 여기 『삼성기』와 『단군세기』, 『태백일사』 및 고려 말의 『북부여기』 등을 한 권으로 엮어놓은 것이 바로 『한단고기』이다.

이 책은 시대순으로는 한단의 역사에서부터 고구려와 발해, 그리고 고려시대 역사까지 망라하고 있다.

2. 삼국시대

기록상으로 대마도가 나오는 최초의 사서(史書)는 중국의《삼국지(三國志)》위지(魏志) 동이전(東夷傳)〈왜인전(倭人傳)〉이다. 3세기의 대마도 모습을 묘사한 이 기록에는 대마도가 '대마국(對馬國)'으로 표기되어 있다.

《삼국사기》에는 '대마도'로 기록되어 있으며,《일본서기(日本書紀)》에는 '대마국', '대마도', '대마주(對馬洲)' 등으로 표기되어 있다. 이것으로 보아 한자의 음을 빌린 '대마(對馬)'란 이름이 중국의《삼국지》이래로 널리 쓰여졌다. 한편, 일본의《고사기(古事記)》에는 '진도(津島)'로 나와 있고,《일본서기》의〈신대(神代)〉에는 '한향지도(韓鄕之島)'로 기술되어 있다.

이것은 대마도 이름의 뜻과 관련된 것으로서, '쓰시마[津島]'는 '한반도로 가는 배가 머무는 항구와 같은 섬'이고, '가리시마[韓鄕之島]'는 '한반도로부터 사람과 문화가 건너올 때 거쳐 온 섬', 혹은 '한국섬'이라는 의미가 강하다. 후자는 한반도와의 관련성이 더 강하게 표현된 것이지만 대마도가 한반도와 일본의 사이에 있으면서 교량적 역할을 한 섬이라는 데서 그 이름이 유래되었다고 볼 수 있다. 즉, 대마도는 한국과 일본열도를 연결하는 징검돌 역할을 한 섬으로 이 섬은 한국과 서로 바라다 볼 수 있는 가까운 거리에 있어, 삼국(三國)·삼국시대(三國時代)부터 고대 한국인들이 많이 건너가서, 큰 포(浦)마다 수장이 되어 읍락국(邑落國)을 형성하였던 것이다.[221] 이 섬은 산지가 많고 또 험하여

---

221) 고대 한국인이 일본열도에 이주해 간 시대적 배경이다. 2세기 경 이후, 수도농업(벼농사)의 기술을 가진 남한인이 많이 건너갔고, 5세기경부터에는 기마인이, 그리고 백제·신라·고구려의 높은 문화를 가진 사람들이 많이 건너갔

육로로서는 내왕이 불편하여 큰 포마다 독자적인 읍라국이 발달하였다. 대마도의 십향(十鄕)이니 판군(八郡)이니, 「분치십국(分治十國)」이니 「임나십국(任那十國)」이니 하는 것은 이를 두고 하는 말이다.

일본 사가(史家)들이 임나국을 낙동강 유역에 있었다고 하는 것은, 지명에 대한 지식의 부족과 한국 지배에 대한 목적의식이 앞섰기 때문이다.

이병선의 연구에 의하면 임나국은 대마도에 있었다. 그리고 『서기(書紀)』 조공(朝貢)기사에 임나와 함께 나타나는 신라·백제·고구려 대마도에 있었던 읍락명으로 보아야 한다.

『한단고기』에 '고대부터 구주(仇州, 九州)와 대마도는 곧 삼국이 분치(分治)한 곳이라' 함은 이를 뒷받침하는 것이다. 삼국시대에 들어와서는 신라·백제·고구려 사람들이 읍락국을 이루어 집단적으로 살았다. 『한단고기』에는 '임나는 삼가라로 나뉘었으니 좌호가라는 신라에 속하고, 인위가라(仁位加羅)는 고구려에 속하고, 계지가라(鷄智加羅)는 백제에 속하게 되었다'는 기록이 있다. 그리고 같은 책에서 '영락 10년(400)에 모두 우리(고구려)에 귀속하게 되었는데, 이 이후로 해륙(海陸)의 여러 왜가 삼가라에 통어(統禦)되어 십국으로 분치(分治)하였다'라고 하였다. 이는 광개토대왕이 군사 5만명으로 신라를 도와서 왜를 뒤쫓아 임나가라에 이르렀다는 광개토대왕의 비문이 이를 뒷받침한다.[222]

13세기 말 《진대(塵袋)》 2권에 의하면 무릇 대마도는 옛날에는 신라

다. 따라서 한반도의 삼국인은 그 발판으로서 혹은 중계지로서 대마도에 분국(分國)이나 속국이 필요했던 것이다.
[222] 『한단고기』에서 광개토대왕이 대마도를 정벌하여 이를 십국으로 나누어 통치하고, 또 고구려가 직할하였다고 기록하였다. 이를 보아서, 고대 대마도는 한국의 속도(屬島)였다고 할 수 있다.

국과 같은 곳이었다. 사람의 모습도 그곳에서 나는 토산물도 있는 것은 모두 신라와 다름이 없다. 즉, 인종적으로나 문화적인 면에서 동일함을 강조하고 있다.

이병선의 연구에 의하면 그 가운데서도 신라의 읍락국가(邑落國家)가 가장 강성하여 8세기까지 대마도를 지배하였다고 한다. 따라서 대마도가 완전히 일본영유로 들어간 것은 8세기 이후의 일로 보고 있다. 또한 우리의 고전인 《증보동국문헌비고(增補東國文獻備考)》에서는 "호공이 대마도 인으로서 신라에 벼슬하였으니, 당시 대마도가 우리 땅이었음을 알 수 있으나 어느 시기에 저들의 땅이 되었는지 알 수 없다."고 논평하였다.223)

이같은 자료로 볼 때 고대로부터 대마도가 신라를 비롯한 삼국의 지배하에 있었거나 최소한 신라의 영향권 안에 있었음을 알 수 있다.

이러한 대마도가 언제, 어쩌다가 일본의 영유가 되었을까 하는 생각은 누구나 한 번쯤은 생각해 보게 될 것이다. 그러나 『삼국사기』에서는 이에 대해 전혀 기록된 바가 없다. 『삼국사기』의 편찬자인 김부식(1075~1152)의 생존 당시는 대마도가 이미 일본에 속해 있었으므로, 4~6세기경의 임나에 관한 것이나, 7세기 말 내지 8세기 초경까지, 이 섬에 있었던 신라·백제·고구려 등 읍락국에 관한 기록을 빠뜨린 것이다. 한반도인에 의해 세워진 이러한 읍락국들이 멸망한지 오래 되어서 (약 450년 이상), 이에 대한 것을 기록하지 않았던 것이다. 이에 비해 『한단고기』는 『삼국사기』 이후의 것이기는 하나, 대마도에 임나(任那)

---

223) 『서기』에 「백제국(百濟國)」이 보이고, 흠명기(欽明記)에 「백제군(郡)」이 보이는데, 이는 그 기사 내용으로 보아서 대마도는 백제로 보아야 하며, 이는 한반도 백제의 속국으로 보아야 한다. 이병선(1990). 대마도의 신라 읍락국. 일본학지 제10집.

가 있었다 하였고, 또 이섬의 좌호(佐護, 사고)·인위(仁位, 니이)·계지(鷄智, 게찌)에 각각 신라·고구려·백제가 있었다고 기록하였다.

또한 대마섬에는 가야, 백제, 신라, 고구려 등의 분국은 물론, 임나연방이라는 통합된 국가형태(400~479년)가 존속한 것으로 보아 틀림없이 조선의 영토임이 증명된 셈이다.

대마도에 우리 민족이 텃밭을 일구고 우리와 똑같은 생활문화권 안에서 삶을 이루었다는 것은 바로 현지의 문화 유적과 생활습속이 대변하고 있다.

이 섬이 일본영토로 된 것은 섬의 지정학적 여건이 일본의 교두보로서 외교통상과 군사적 중요성 때문에 양국의 이해관계가 얽혀 있었기 때문이다. 대마도의 왜인은 도래(신석기 시대~7세기)한 삼국인들과 가야인들의 분국형태로 존재하다가, 삼한의 분국이 형성되고 그 후로 금관가야의 땅(408년 이전)을 이어 임나연정(任那聯政) 체제를 형성했다.224)

이상의 자료를 볼 때 『서기』 조공기사 등에 나타나는 신라·백제·고려는 대마도에 있었던 한반도 삼국의 분국 혹은 속국이었다는 결론을 지을 수 있다.

---

224) 삼국시대의 산대마도에는 좌호가라(佐護加羅)를 중심으로 한 신라촌과 인위(仁位)가라를 축으로 한 고려촌이 있었으며, 하도에는 계지(鷄智)가라의 임나(任那) 및 안라(安羅)를 중심으로 한 백제촌이 있었다.

3. 고려시대

8세기 말 통일신라와 일본의 국교가 단절된 이래 고려시대에 들어서도 양국의 관계가 정상화되지 않아 양국 간의 공식적인 교류가 거의 없었다. 그러나 중앙정부 사이의 사절 왕래는 없었지만 상인들에 의한 교역과 표류민 송환과 같은 민간교류는 유지되었다. 이와 같은 교류는 고려 중기 문종대(1047~1082)에 들어서 활발해졌는데, 특히 대마도에 의한 표류민 송환과 토산물 진헌이 가장 많았다.

11세기 후반 문종대 이래 대마도와 일본 서국 지역의 호족들 간에 이루어진 교역이 12세기 후반에 이르러서는 진봉선무역(進奉船貿易)으로 정례화 되었다. 사료에 의하면 고려사 공민왕 17년(1368)에 즉, 고려 말 공민왕대에 대마도만호가 사자(使者)를 보내고 조공을 하였다는 기사가 있다. 이 시기에는 대마도주가 아비류 씨에서 종씨(宗氏) 일족으로 바뀌었는데 위 사료의 '대마도만호 숭종경(崇宗慶)'은 대마도주 종경무(宗經茂)를 가리킨다.[225] 이 기사를 통해 대마도주가 고려 정부로부터 만호(萬戶)라는 관직을 받았음을 알 수 있다. 대마도만호란 직책은 물론 왜구 금압을 위한 대가로 경제적 보상과 함께 주었다.[226] 만일 그렇다면 대마도주의 '수직왜인화(受職倭人化)'가 고려시대에 이미 이루어졌음을 의미한다.

현재 이 섬에는 고려불·고려대장경·고려정(鉦)·고려문 등의 유물과 유적들이 많이 남아 있다. 또 1246년에 도주(島主) 종씨의 조상인 유종

---

225) 종씨가보 등에 나와 있는 수호의 계승에 관한 내용이 반드시 역사적 사실과 일치하지 않음은 알려진 바다. 종경무(宗經茂)는 종씨가보 중 5대로 나와 있지만 종씨로서는 최초로 대마도의 수호대가 된 인물이다. 시기는 14세기 중반이다.
226) 만호(萬戶)란 고려에서 생긴 관직명이다.

중상(惟宗重尙)이 200기(騎)를 이끌고 이섬에 상륙하여 아비류(阿比留, 아하루) 재청을 친 것도, 당시 도도주격인 아비류씨가 왜보다 고려에 더 친밀한 관계를 맺어왔고, 또 이로써 무역으로 많은 이득을 얻었기 때문이다. 지금도 대마도에서는 고려불을 가운데 안치하고 왜불을 그 옆에 앉힌다.

《고려사》에 의하면 고려는 선종 2년(1085) 이래 대마도주를 '대마도 구당관(對馬島勾當官)'으로 불렀다고 하는데 이 점이 시사하는 바는 상당히 흥미롭다. 이와 비슷한 사례로는 제주도의 성주(星主)를 '탐라구당사(耽羅勾當使)'로 명명하였다. 구당관은 고려시대 변방 지역 내지 수상교통의 요충지를 관장하는 행정 책임자들에게 붙인 관직명이다. 이를 보면 탐라, 대마도의 지배자에게 고려가 구당사 혹은 구당관이란 명칭을 쓴 의미를 알 수 있다.

즉, 앞의 섬을 고려의 속령(屬領)으로 인식하였거나 아니면 고려 정부가 대마도와 제주도를 고려고유의 지배 질서 속에서 같은 차원으로 취급하고 있었음을 보여 주는 것이다.[227]

또 고려 말 공민왕대에는 대마도주가 만호라는 고려의 무관직을 양국 간에 국교가 없었는데도 불구하고 주었고, 대마도가 진봉선무역이라는 형태로 고려와 통교하였다는 사실, 그리고 도주가 고려로부터 관직을 받았다는 것은 대마도의 반독립성을 의미한다고 볼 수 있다. 이러한 사실로 볼 때 고려는 대마도의 속령 내지 속주로 인식하였을 가능성이 충분하다.

일본 천태종의 승려인 현진(顯眞)의 저서 『산가요략기(山家要略記)』에서는 "대마도는 고려의 목(牧)이다"라고 했으며, 고려에서 만호(萬戶)

---

227) 고려적 고유질서의 의미와 성격에 대해서는 조선사연구회 논문집 16, 1979 참조

라는 지방관을 파견하여 다스리던 고려의 부속도소임을 알 수 있다.[228]

한편, 통상적으로 고려시대의 일본과의 관계는 삼국시대의 정상적인 통교보다는 그렇지 못할 대가 많았다. 그러나 대마도 관계는 고려속주로서 계속적인 주종관계를 맺어왔고, 진봉선의 조공무역에 대하여 하사품을 내려 그들의 핏줄을 이어왔다.

고려 후기 러·일이 협력적이기보다는 항시 일본 측의 일방적 행위가 많았던 관계로 제한적인 태도와 거절의 태도를 취하였으므로 따라서 조선은 일본과의 정치적 관계가 침체되어 진봉형식의 통상이 겨우 두 나라의 창구 역할을 하는 정도였다.

고려는 왜구방어의 필요성에서 또 일본은 어려운 경제난을 타개하기 위하여 정치적 관계를 맺게 되나, 공민왕 15년(1366년)에는 금구교섭사(禁寇交涉使)를 무로마치(室町) 막부에 파견하고, 막부는 보빙사(報聘使)를 보내와 단절되었던 려·원이 새 출발을 하게 되었다.

고려는 태조 왕건의 3대 정책인 민족융합, 숭불, 북진정책을 계승하여 발해유민은 물론 대마도민의 포용정책이 지속되었음은 주지의 사실이다.[229]

이와 같이 고려의 정치·경제적인 상황 속에서 당시 일본은 문화적으로 미개했을 뿐만 아니라, 생필품과 특히 식량의 부족으로 생존상 필연적으로 무역을 해야만 하였다. 대마도도 마찬가지의 입장에 처해 있었다.

---

228) 또한 대마도는 조선국민의 의식 속에 이 땅은 우리의 고유영토라는 '대마고토의식(對馬故土意識)'과 대마도는 고려정부에서 파견한 만호가 다스렸다는 '고려속주의식(高麗屬州意識)'(조선 세종 이후엔 동래의 부속섬)이 고려시대의 일관된 역사적 사실이었다.

229) 고려의 경제적 기반은 농업에 있었으며, 무역에는 관심이 적었다. 고려는 끊임없이 왜침(10~11세기 거란 침입, 12세기 여진 침입, 13세기 몽고침입, 14세기 왜구·홍건적 침입)속에 있었기에, 무역은 선진 중국의 문물을 수입하여 이것을 매체로 평화관계를 유지하려고 하였다.

당시 일본 경제는 왜구들의 침략을 통한 자급자족의 경제활동이 행해지고 있었다. 그러나 이러한 제한적인 활동으로서는 일본의 경제적 모순을 해결할 수 없었기에, 1380년 후반기에 들어서 양국의 정세가 호전되자 막부를 비롯한 호족들은 고려와 통상관계의 개선만이 자신들의 경제적 모순을 해결할 수 있는 유일한 방법으로 생각하여 사적 통상이라는 무역형태가 나타나기 시작했다.

고려에서는 왜구에게 잡혀간 양민의 송환을 강력히 요구하게 되었고, 이러한 요구에 응해온 일본의 지배계급인 호족들에 의해 극히 제한된 무역의 창구를 통하여 사무역이 행해졌다.[230]

특히 대마도는 무역 및 왜구의 거점이 되었으니, 살기 위해 시류에 편승한 종씨(宗氏), 일가와 조전씨(早田氏), 일기도의 지좌(志佐), 좌지씨(佐志氏), 송포당(松浦黨)의 제영주(諸嶺主), 남구주의 도진(島津), 이집원씨(伊集院氏), 중국 지방의 소조천씨(小早川氏) 등의 지배자와 호족에 한하여 사무역을 허락했다.

기록에 의하면 삼국시대부터 우리 해변은 물론 내륙지방까지 깊숙이 침탈해 오던 왜구가 고려 말(14세기)에 이르러 더욱 극심하여, 민생은 도탄에 빠지고, 수많은 민초(民草)들이 그들의 칼 앞에 죽어갔으며, 또한 많은 사람들이 그들의 노역자로 잡혀갔다.[231]

---

230) 13세기 이후 몽고와의 거센 전쟁 속에 휘말린 고려로서는 원거리에 있는 울릉도 및 대마도의 통치에 소홀했고, 몽고는 제주도와 대마도 등지에 목마장을 설치할 정도였으니, 이때를 이용한 일본은 왜구들을 침투시켜 노략질을 멋대로 자행했던 것이다. 어떤 때는 조선은 공도화 정책을 썼다. 공도화 그 자체는 영토 포기가 아니라 일시적 상황변동에 대처하는 국가의 지속적 정책의 일환이었다.

231) 가락국 6대 좌지왕(坐知王)때 대마도에 거점을 둔 고구려의 임나연정 왜에 의하여 대마도를 잃었다고 했다(408). 그 후에 일본은 대마도를 통하여 우리의 변방을 침입하여 갖은 만행을 자행해 왔다.

이런 차체에 고려정부에서는 일본과의 공식적인 교섭을 몇 차례 가졌으나, 봉건영주들의 권한이 확대된 중앙정부로서는 별 효과를 거두지 못하였다.

공민왕 15년(1366년)에 왜구가 개경까지 침략하여 성내를 소란케 하였을 때 조정에서는 김일을 일본에 보내어 왜구침탈을 금지해 줄 것을 요구하였다. 이때 일본정부는 남·북조의 분립과 번(藩)의 내란 등으로 분쟁이 그치지 아니하였으므로 우리 사절단은 성과를 거두지 못했다.

그런가 하면 1368년 5월에는 일본에서 보낸 등경관이라는 무사두목이 왜구를 직접 이끌고 쳐들어와 해안지방의 주민학살은 물론 경기, 충청도 지방까지 약탈하였다. 게다가 우왕 2년(1375년)에는 강화도까지 올라와 전선 수척을 불 지르고, 양민을 대량 학살하였으며, 재물을 약탈하더니, 서울까지 쳐들어왔다.

고려 정부에서는 드디어 반격을 나서 원수 나세와 최무선 등이 함선을 이끌고 화통과 화포 등으로 진포(금강 입구) 등지에 참입한 왜선 500척을 격파했다(이때 최무선의 화포가 처음 사용되었다).

이때 왜적은 진포의 참패 이후에도 침략근성을 드러내어 전라, 경상도 일대에서 방화와 살육, 겁탈과 주민 나포 등을 자행하였다. 즉, 남부 해안과 깊숙한 내륙지방까지 국토는 일본해적들에 의하여 무법천지가 되어갔다. 조정에서는 적극적인 소탕작전에 임하여 최영 장군과 이성계, 정지(鄭地) 등이 왜구무리를 황산에서 대파시켰다.[232]

다시 말해 대마도 정벌은 어디까지나 우리 국토를 수호하기 위한 자위적이며 극히 합법적인 정당방위의 응징이었다. 이는 일본의 도적 무

---

232) 남해전에서도 적을 몰아가던 중, 정지(鄭地)의 진청에 의하여 다음 창왕원년에 경상도 원수 박위(朴葳)에 명하여 전함 백 척으로 삼국 이래 우리 민족을 괴롭히던 일본도적의 거점이 된 대마도(쓰시마)를 정벌하였다(1388).

리가 수천 년을 두고 우리 민족을 괴롭힌 불운의 본거지가 된 대마도를 다시 한번 확보한 것이었으며, 일본에게 우리 땅임을 재확인시키는 역사의 실증적 자료가 된다.

4. 조선시대

1) 조선전기

대마도가 조선의 영토라는 인식은 세종 원년의 대마도 정벌과 뒤이은 대마도의 경상도 속주화 조치 때 집중적으로 나타났다.

대마도 정벌 출정전(出征前) 태종의 교유문(敎諭文)을 보면,

"대마는 섬으로서 본래 우리나라의 땅이다. 다만 궁벽하게 막혀 있고, 또 좁고 누추하므로 왜놈이 거류하게 두었더니 개같이 도적질하고 쥐같이 훔치는 버릇을 가지고 경인년부터 뛰놀기 시작하였다"고 기록되어 있다.

다음 대마 정벌 후 도주에게 보낸 교유문(敎諭文)을 보면

"대마는 섬으로서 경상도의 계림(鷄林)에 예속 되었던 바 본시 우리나라 땅이라는 것이 문적(門籍)에 실려 있어 호가실학 상고할 수 있다. 따라서 모든 보고나 또는 문의할 일이 있으면, 반드시 본도(경상도)의 관찰사를 통하여 보고하게 하고, 직접 본조에 올리지 말도록 할 것이요.…"라는 기록이 있다.

또한 우의정 신개가 국왕에게 보고하는 내용에 "신의 뜻도 황희 등의 의논과 같사오나, 왜인이 고기 잡기를 청하는 일에 이르러서는, 신이 망령되게 생각하기를, 대마도는 본시 우리나라 땅(我國之地)이 온데 고려

의 말기에 기강(紀綱)이 크게 허물어져서 도적을 금하지 못하여 드디어 왜적의 웅거하는 바가 되었사온데…"라고 했다.

"다만 그 땅이 매우 작고 또 바다 가운데 있어서 왕래함이 막혀 백성들이 살지 않았을 뿐이다. 이에 왜놈으로서 그 나라에서 쫓겨나 갈 곳 없는 자들이 몰려와 모여 살며 소굴을 이루었던 것이다. 만약 빨리 깨닫고 다 휩쓸어 항복하면 도주에게는 좋은 벼슬과 두터운 몫을 나누어 줄 것이요, 나머지 대관(代官)들은 평도전(平道全)의 예와 같이 할 것이며, 그 나머지 무리들도 옷과 양식을 넉넉히 주어서 비옥한 땅에 살게 할 것이다. 이 계책에 나아가지 않는다면 차라리 무리를 다 휩쓸어서 본국으로 돌아가는 것도 가하다. 만일 본국에 돌아가지도 않고 우리나라에 항복하지도 않으면서 도적질할 마음을 품고 섬에 머물러 있으면 마땅히 병선을 갖추어 다시 섬을 에워싸서 정벌할 것이다."라고 했다.

결국 대마도는 이듬해 이 요구에 응해 조선의 번병(藩屏)을 자처하며 속주(屬州)가 될 것을 요청하였다. 따라서 조정은 대마도를 경상도에 예속시키고 도주에게 인신(印信, 즉 도서(圖書))을 하사하였다. 이로써 대마도는 경상도의 속주로 편입되고 도주는 조선의 수도서인(受圖書人)이 되었다. 이후 모든 서계에는 반드시 이 도서를 찍어야만 효력을 인정받았다. 도주가 새로 바뀌면 대마도측은 조선정부에 신청해서 새로운 도서를 하사받았다. 도서제와 함께 모든 보고사항을 경상도 관찰사를 통해서만 하도록 한 점은 고려시대 진봉선체제하에서의 방식과 아주 흡사하다.

그런데 그 후 막부측의 개입, 소이전(小貳殿)과 대마도측의 항의, 회례사(回禮使) 송희경(宋希璟)의 유화적 태도 등에 의해 속주화 조치는

1년 3개월 만에 철회되었다. 조선 정부는 대마도를 영토적으로 복속시키는 대신 도주가 신하가 되어 변경을 지킨다는 명분과 정치적 종속관계에 만족하였다.[233]

이상과 같이 조선시대에 들어와 왜구를 근절하기 위해 수차례 대마도를 정벌하였고 이후 수직왜인(受職倭人·조선 정부로부터 관직을 받은 왜인)제도와 '세견선 무역' 등의 제도를 실시했다. 본격적인 속주와 작업은 조선 세종 때 이뤄졌다.

1590년(선조 23) 임진왜란 직전에 통신사 부사로서 일본을 방문했던 김성일(金誠一)은 귀국 후 조정에 제출한 보고서에서 볼 수 있듯이 대마도를 조선에 부속된 섬으로 생각했던 인식은 이미 조선 초기부터 조선인들에게 일반화된 보편적인 사고였다.

즉, 세종실록에 의하면 대마도가 역사적으로 우리 땅의 일부로 경상도에 속했다는 기록을 여러 군데에서 볼 수 있다. 그런데 고려 말기에 나라의 기강이 해이해진 틈을 타 자기들 나라에서 쫓겨나 오갈데 없는 일본 사람들이 모여 들어 왜적의 소굴이 된 것이다. 이는 역사적 기록이 아니더라도 우리나라 사람의 노비문서로도 확인된다.

이상 기록으로 볼 때 한반도에 들어와서, 세종대왕은 대마도의 왜구를 토벌하고, 그 곳의 호족들에게 무관이 록(錄)을 주어서 왜구를 막았으니, 현재 이 섬에는 당시의 교지(敎旨, 그 속에서는 이를 고신(告身)이라 함)가 남아 있다.[234]

---

233) 즉, 조선정부의 대마도정벌의 목적은 왜구의 진압이었지 대마도에 대한 영토적 지배에 있었던 것은 아니었다. 이것으로 조선 정부는 대마도가 조선의 번병으로 속령화 되었다고 본 것이다. 위의 내용은 《동국여지승람(東國輿地勝覽)》에 그대로 계승되면서 이후 조선시대 대마도 인식의 근간을 이루었다.
234) 왜는 684년(천무 백봉 12)에 대마도의 나랑(야라, 임나)에 국부를 두었다. 그러나 중앙정부(中央政府)와 먼 거리에 있었으므로, 관리가 중앙정부의 임

이와 같이 대마도와 조선이 역사적으로 깊은 관계가 있었던 까닭은, 지리적으로 가까울 뿐만 아니라, 농경문화와 불교문화 등 한국에서 높은 문화가 건너갔으며, 20세기 초반까지 한국의 식량에 의존해야 했기 때문이다.

2) 조선후기

전반적으로 볼 때 조선 전기에 비해 대마도의 일본 예속화가 진전되었고, 그만큼 양국관계는 약화되어갔다고 할 수 있다. 이러한 여러 가지의 변화는 대마도가 형태적으로 조선과 일본 사이에서 양속관계를 유지하였지만 실제에 있어서는 막부 쪽으로 기우는 것이었다. 이른바 조선전기의 대마도가 '조선 측의 대일 외교 창구'였다면 후기는 '도쿠가와 막부의 대조선 외교의 창구 내지 대리자' 역할을 하였다고 볼 수 있다.[235]

특히, 조선 후기 조선인의 대마도 전개양상을 통신사 행원과 실학자의 대마도관을 살펴보면 먼저, 조선통신사 행원들을 일본에 사행(使行)하면서 대마도에 관하여 직접적인 체험을 가지고 있었으며, 또 귀국 후에는 대부분이 정부의 대일정책 결정에 참가하였던 일종의 대일 전문가 집단이라고 할 수 있다.

광해군 9년(1617년) 오윤겸(吳允謙)의 『동사상일록(東槎上日錄)』에

명을 받고도 부임하지 않은 자가 많아, 중앙정부의 힘이 미치지 못하였다. 그리하여, 연관이던 아비류씨의 재청 때는 물론, 종씨가 도주가 된 이후에도 조선과 깊은 관계를 맺어왔다.

235) 무로마치 막부시기에 반독립적인 지위를 누리며 조선과 독자적인 통교를 하였던 대마도는 전국시대(戰國時代)를 통일한 도요토미 히데요시(豊臣秀吉)에 의해 예속화의 길로 들어선다.

의하면 "지성으로 조선에 대하여 사대(事大)하며 시종 한 마음을 가져 영원히 속주가 되어 충성을 다할 것이다. 또 이 섬의 인민들은 오로지 우리나라 난육(卵育)의 은혜에 힘입어 생계를 삼고 있는 처지이니 이 뜻을 모든 인민들이 알아야 할 것이다."라고 했다.

인조 21년(1643년) 조선의 조경(趙絅)의『동사록(東槎錄)』망마주(望馬州)에는 "조선의 쌀과 베가 배고플 때 너의 밥이 되고 추울때는 옷이 되었다. 너의 목숨은 조선에 달렸으니 너희들 자손 대대로 제발 속이지 말라. 거듭 위하여 고하노니 너희 조그만 대마주는 양국 간에 끼었으니 모름지기 조선의 속주로서 충심을 다해 백년토록 하늘의 복을 누리리라."라고 대마도인에게 말했다.[236]

영조 39년(1763년) 조엄(趙曮)의『해사일기(海槎日記)』에 기록하였다.

한편 조선 후기의 지리지를 보면 전기적인 인식이 그대로 계승되고 있음을 알 수 있다. 특히 조선 후기에는 풍수 지리적 관념이 발달하였는 바, 우리나라의 지세를 인체에 비유하여 설명한 점이 흥미롭다. 즉, 영조대인 1750년대 중반 제작된《해동지도(海東地圖)》의〈대동총도(大東總圖)〉에는 "백두산이 머리가 되고 태백산맥은 척추가 되며, 영남의 대마와 호남의 탐라를 양발로 삼는다."라고 서술되어 있다. 비슷한 시기에 제작된 것으로 추정되는〈서북피아양계만리일람지도(西北彼我兩界萬里一覽地圖)〉에도 거의 같은 내용의 기사가 수록되어 있어 당시 이러한 인식이 당당히 일반화 되어 있었음을 보여준다. 영조 36년(1765)에 제작된《여지도서(輿地圖書)》와 순조 22년(1822)에 편찬된《경상도

---

236) 숙종 45년(1719년) 신유한(申維翰)의『해유록(海遊錄)』에 기록하기를 "이 고을은 조선의 한 고을이다. 태수가 도장(圖章)을 받았고 녹을 먹으며 크고 작은 일에 명을 청해 받으니 우리나라에 대하여 속신(屬臣)의 의리가 있다." 고 했다.

읍지》 등에는 대마도가 동래부 도서조(島嶼條)에 수록되어 있으며, 그 내용은 대개 《신증동국여지승람》의 대마도인식을 보완한 것이다. 그리고 1830년경에 제작된 것으로 보여 지는 〈해좌전도(海左全圖)〉에는 울릉도·독도와 함께 대마도를 우리 영토로 표시하면서 이종무의 정벌 이후 우리 영토로 사용해 왔다고 기록되어 있다.

5. 근세시대

1) 19세기 초엽

조선 말기에 제작된 것으로 추정되는 세계지도 《소라동천(小羅洞天)》의 〈동국조선총도(東國朝鮮總圖)〉, 〈강원도도(江原道圖)〉, 〈경상도도(慶尙道圖)〉에는 독도와 대마도가 우리나라 영토로 그려져 있다.[237)

이와 같이 위의 지리서는 대마도를 여전히 동래부의 부속도서로 취급하고 있어 전시기의 대마번병의식을 계승하고 있다.

19세기 순조 22년(1822년)에 편찬된 〈경상도읍지〉 등에는 대마도가 동래부 도서조(島嶼條)에 명확하게 수록되었고, 그 당시의 여러 지도 등에서 대마도가 조선의 영토로 확인된 사실이 있다.

16세기 말엽 일본의 무력침공이 있은 후 무려 300년이 넘는 긴 시간의 여정에서 대마도는 우리의 영토로서 그 속민과 함께 우리 정부의 통제를 받고 있었음을 증명하는 것이다.[238)

---

237) 소라동천의 동국조선총독
238) 메이지 정부의 판적봉환(版籍奉還)이 있었던 1869년에 일본은 우리 영토를 이즈하라(嚴原)번으로 예속시키고 1877년에는 폐번치현(廢藩置縣)에 의해 나가사키현에 편입시켰다.

메이지 정부 이전까지는 대마도가 조선의 속주로서 조선 중앙정부의 은혜를 입은 사실이 있다.

2) 19세기 중엽

대마도와의 속주관계는 근대에 들어와서 특히 일본의 국제적 정세의 변화에 의하여 변해갔다.

1854년 미·일 강화조약 이후 급변하는 국제정세 속에서 도쿠가와 막부는 종래 그들의 무역 교역장이었던 대마도를 배제하고 조선무역을 직접 관장하려고 했다. 그러나 대마도와 우리 정부의 반발로, 또한 그들 자체의 정치적 혼란 때문에 이 조치는 결행하지 못하고 메이지 정부의 정치적 숙제로 넘어갔다.

1868년 메이지(明治)유신 후에 성립된 신정부는 외교권을 장악하여 1869년에 대마도는 '이즈하라(嚴原)번'으로 개칭되었다. 동시에 대마도주는 종씨의 조선외교권을 신정부에 강제로 넘겨주게 되고, 같은 해 9월에 외무성 관리가 대마도로 파견되었다. 그들의 계속된 정책은 1871년에 대마번은 이즈하라현으로 바뀌어 이마리(伊萬里)현에 병합되었다가 1877년 다시 나가사키현에 편성되었다.

그러한 결과 대마도는 나가사키현 부속의 일개 지방행정 단위로 변했다. 또 메이지정부의 외교일원화 조치에 dlm해 1872년 모든 외교사무가 외무성으로 이전되었다. 1872년 5월 28일에 메이지정부에 의하여 부산의 왜관이 접수되었으며, 수도서제(受圖書制)와 세견선이 폐지되었고, 표류민 송환도 외무성이 관장하게 되었다.[239)]

메이지정부의 이러한 일련의 조치에 의해 고려에 이은 조선시대의

---

239) 황야태전(荒野泰典)(1987). 명치유신의 일조외교체제. 길주흥문사.

조일간의 전통적인 교린체제는 완전히 붕괴되었으며, 국운이 쇠약한 조선정부는 대마도와 어떠한 관계를 맺을 여지가 없었다. 이에 따라 조선 측의 대마속주의식은 그 현실감을 잃게 되었고, 본토와의 구분의식도 퇴색되었으며, 속주의식의 연대체계를 나타내는 기록마저 사라져 갔다.

이러한 내용들은 일본이 1854년 미국의 강요에 의해 통상의 문을 열고서 열강들의 방식을 따라 서구화를 추진하고 일본 자체의 산업혁명에 박차를 가하여 제국주의 팽창정책으로 나아가는 단계에 접한 것이었다.

일본은 우리와 1876년 강화도 조약을 미국 방식으로 강제적으로 체결하여 일본공사를 주둔시켰고, 이를 통해 또 다시 조선강점의 무력적 침략단계에 접어든 것은 근세의 기록들이 증명하고 있다.

모두가 그들의 일방적인 침략에 증거한 영토침탈의 만행이며, 한국 본토의 침략 및 대동아공영권의 장·단기적 계획에 의거, 그 과정에서 대마도를 다시 전쟁의 발판기지로 먼저 강점해간 것이다. 여기에 일본이 아무런 이의를 제기할 수 없는 것은 당시의 사실(史實)들이 확실하게 입증하고 있기 때문이다.

3) 19세기 말엽

이 시기 고종 32년(1895년)에 간행된 『영남읍지』나 순종 2년(1908년) 『증보동국문헌비고』와 같은 지리지의 내용에서 당시의 대마도 상황을 살펴 볼 수 있다.

이 중 『증보동국문헌비고』에는 대마도에 대해 "지금 비록 일본의 폭력으로 그들의 땅에 강제로 편제되었으나 본래는 우리나라 동래에 속했던 까닭에 이에 대한 기록들이 우리의 고사(故事)에 많이 있어 아울러 기록한다."고 하며, "섬 안의 남자들의 언어와 부녀자들의 의복이 조선과 같았다. 대마도인들이 왜를 칭할 때는 반드시 일본이라고 하였고, 일본인들도 그들을 일본 왜와는 크게 차별하여 대우하였으므로 대마도민 자체가 일본에 예속된 왜로 자처하지 않았다."고 기록되어 있다. 이는 그들의 고향은 역시 조선이며 도민의 문화유산이 바로 조선의 그것이라는 것을 알 수 있게 하는 증거이다.

결과적으로 조선 후기의 자료들을 볼 때 19세기 말과 20세기 초까지도 대마도가 조선의 영토였음이 고증된다.

이와 같은 기록에서 다시 한 번 주목할 것은 세종원년 이후 20세기 초까지 대마도를 여전히 경상도 동래부의 부속도서로 취급하고 있으며, 이것은 바로 번영의식을 넘어선 조선의 속주 부속도서로 계속되어왔다는 사실을 실증한다는 점이다.

일본은 대마도의 기반을 더 조여서 튼튼히 한 다음 1882년에 제물포조약 등을 맺어 일본군을 한반도에 주둔시키는 데 성공했다. 연이어 1894년에 청일전쟁을 거쳐 1904~1905년 러일전쟁의 승리로 1905년 을사조약을 체결하여 우리의 외교권을 박탈하였고, 드디어 1910년 한일합방으로 이어져 우리의 국권을 유린한 것이다.

6. 현대(1945년 광복 이후)

대마도 문제는 상해 대한민국 임시정부의 역사편찬 작업에서도 북방영토(간도)문제와 함께 거론되었다. 광복이후 미군정하의 입법의원에 선출되었던 허영관 의원 외60명 의원이 "대마도는 조선 땅이기 때문에 차제에 환속시켜야 한다."고 한 것은 2차 대전 종결 후에 우리의 영토를 되찾으려는 시도에서 나온 주장이다.

그 이론적 뒷받침은 최남선 선생의 결정적인 주장이 있었고, 그 뒤에 학문적인 연구 토대가 되었다. 많은 초대 의원들이 서명에 동참했다.

1949년 1월 8일 이승만 대통령은 신년 기자회견에서 대마도의 영유권을 주장하면서 일본에 대해 대마도 반환을 요구하였다. 이 섬은 우리나라 땅이었으나 우리가 관리를 소홀히 하고 있을 때 청나라에서 관리하였는데 청이 정신없던 1870년대에 일본이 무조건 삼킨 것이기 때문에 반환하라는 논리다.

당시 이 대통령의 발언내용을 상세히 보도하였고, 국회에서는 앞으로 열릴 대일강화회의에서 대마도 반환을 관철시킬 것을 촉구하는 건의안이 제출되기도 하였다. 한편 일본의 요시다(吉田茂, 길전무) 내각은 강력히 항의하는 동시에 연합군최고사령부(SCAP)의 맥아더 장군에게 이 대통령의 요구를 막아주길 요청하였다. 이때 일본측의 반응은 신속하여 이 대통령의 대마도 반환 요구에 대한 반대 자료를 작성하기 위해 일본은 외무성 산하에 위원회가 구성되었다.

대마도 영유권을 주장한 이승만 대통령의 발언은 면면히 이어져 온 한국인의 전통적 대마도 인식을 바탕으로 한 지도자로서의 당당한 태도이고, 이를 높이 평가하면서 현재는 물론 다음의 민족 지도자들도 이러한 자세로 대일외교에 임해줄 것을 당부하였다.[240]

또한 맥아더 사령부도 이 대통령의 발언이 전후(戰後) 동아시아에서 미국의 구도를 방해하는 것으로 받아들여 냉랭한 반응과 함께 유감을 표시하였다. 이러한 상황에서 이 문제가 국제법상 효과를 발휘하기는

---

240) 한편 일본은 학회 차원에서도 대응이 있었다. 이 직후 역사학·고고학·인류학 등과 관련된 일본의 5대 학회가 동원되어 2년간에 걸쳐 대마도를 조사하고 보고서를 제출하였으며, 이 대통령 발언의 부당성을 강조하는 논문을 잇달아 발표하였다.

어렵다고 보았는지 이 대통령도 대마도 영유권 주장과 반환 요구를 그 후 공식문서나 외교채널을 통해 정식으로 요구하지는 않았지만 각국의 외교사절을 만날 때마다 대마도 영유권을 역설했다.

그와 함께 이 대통령은 바다에도 '이승만 라인'이라는 어업구역을 설정해 이를 침범하는 일본 어선을 붙잡도록 했다. 1948년 9월 9일 한국 외무부에서 일본측의 이의제기를 반박하며, 대마도 속령을 강조하는 성명을 발표했다.

재일조선인 거류민단 대마도본부 이신연(李新演) 단장은 "이 대통령의 선언이 나왔을 때 대마도에 살던 일본 주민들은 '한국이 독립을 해서 미국의 힘을 업고 대마도를 차지하려고 한다. 이제 곧 일본사람들은 쫓겨나게 생겼다.'는 불안감에 크게 동요했다."고 회고했다. 1949년 3월 국회에서는 대마도 반환을 촉구하는 건의안을 제출했다.

당시 일부 언론은 '대일 배상 요구를 위해 미리 띄어 본 애드벌룬', 혹은 '고도의 외교적 책략의 일환'으로 분석하기도 하였다. 그러나 이 대통령의 이 발언은 돌연히 발표한 일회적인 것이 아니었다. 그는 건국 직후인 1948년 8월 18일 대마도 반환요구를 처음으로 발설한 뒤 일본측에서 물의가 일자 9월 9일 이를 반박하면서 다시 대마도 속령에 대한 성명을 발표하도록 하였다. 그리고 1949년 1월 대일 배상을 요구한데 이어 8일에 대일강화회의 참가 계획을 발표하면서 거듭 대마도 반환요구를 주장한 것이다. 또 이승만 대통령은 건국 초부터 북간도, 두만강 정계비, 독도, 대마도 등 영토와 국경선 문제에 대해 전문가들에게 자문을 구하고 보고서를 제출하도록 하였다[241].

---

241) 마산시의회 조례제정-1905년 1월 28일 일본이 독도를 시네마현으로 편입하고 2월 22일 시네마현 고시 40호로 고시했듯이 대마도에 대해 2005년 3월 18일 대마도의 날 조례 제정을 통해 6월 19일을 대마도의 날로 정해 100년

이와 같이 이대통령의 발언은 상당히 검토를 거쳐서 나온 만큼 나름대로의 역사적 증거를 기저에 깔고 있었으며, 거기에는 당연히 한국인의 전통적인 대마도관이 대입되었다고 보여진다.

2005년 3월 18일 경상남도 마산시 시의회에서는 109회 임시회의를 개최하고 전원찬성으로 「대마도의 날」조례 제정을 가결했다. 이날 제정된 조례는 '대마도가 우리 영토임을 대내외에 각인시키며 영유권 확보를 목적으로 하고, 조선조 초기 이종무 장군이 대마도를 정벌하기 위해 마산포를 출발한 6월 19일을 대마도의 날로 정한다.' 등을 주요 내용으로 하고 있다.

마산 시의회는 최근 일본 시네마현(島根縣) 의회가 「다케시마의 날」 즉, 독도의 날 조례 제정을 한데 대한 대응으로 시네마현의 다케시마의 날 조례 폐기를 촉구하며 「대마도의 날」 조례를 제정하고 대내외에 선포했다.242)

후에는 독도와 같은 외교적인 문제로 만들어야 한다.
242) 마산 시의회 「대마도의 날」 조례 전문은 다음과 같다.
대마도의 날 조례 전문
제1조(목적) 이 조례는 역사와 문화적 배경의 동질성을 지닌 대마도를 우리 대한민국 영토임을 대내외에 각인시키고 영유권 확보를 그 목적으로 한다.
제2조(제정) 조선시대 세종때 이종무 장군이 대마도 정벌을 위해 마산포를 출발한 6월 19일을 "대마도의 날"로 한다.
제3조(행사계획) 대마도가 한국땅이라는 역사적 증거가 있으므로 대마도가 우리땅이라는 사실을 입증하는데 노력한다.
제4조(위원회 구성) 필요시에는 위원회를 구성할 수 있다.

대마도에 서린 한국혼과
문화유산 및 자연·관광

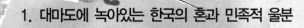

1. 대마도에 녹아있는 한국의 혼과 민족적 울분

2. 조선통신사 비와 아리랑 축제

3. 대마도의 자연환경과 관광

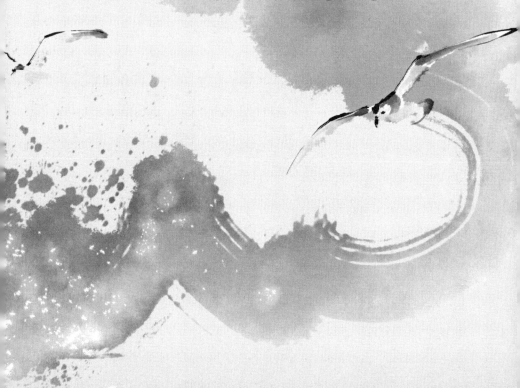

제4장

대마도에 서린 한국혼과
문화유산 및 자연·관광

1. 대마도에 녹아있는 한국의 혼과 민족적 울분

1) 신라의 혼이 서린 박제상 순국비

『삼국사기』권 제45의 열전 제5편에 실린 박제상편을 보면 「서기 402년에 신라는 왜국과 강화를 하였는데, 내물왕의 아들 미사흔(未斯欣)을 볼모(당시의 사신적 관행)로 청하였다. 왕은 아들을 거절하지 않고 보냈다. 또 왕 11년에는 미사흔(未斯欣)의 형 복호(卜好)를 고구려가 볼모로 삼고자 하므로 대왕은 또 그를 보냈다.

눌지왕이 즉위하자 지혜는 신하들에게 "나의 아들 두 사람이 왜와 고구려에 볼모로 잡혀갔다. 형제가 살아서 돌아오기를 바라는데 어찌하면 좋겠느냐?" 하고 물었다. 신하들이 답하기를 "삽량(양산) 주간인 제상(提上)이 강용(剛勇)하고 지모(智謨)가 있다 하니, 전하의 근심을 풀 수 있겠습니다."라고 하였다.

마침내 박제상은 왕명을 받들어 고구려에 볼모로 잡힌 복호(卜好)를 데려오는데 성공하였다. 임금은 기뻐 위로하면서 왜에 있는 왕자를 근심하기에, 제상은 또 다시 먼 왜국으로 출발하였다. 율포(栗浦)에서 이를 바라보던 그의 아내는 남편을 기다리다 돌이 되었고, 제상은 갖은 수를 써서 왜왕을 꾀어 왕자 미사흔(未斯欣)을 데려오는데 성공했으나, 결국 왕자만을 탈출시키고 그는 잡히어 굴하지 않고 의로운 죽음을 당하였다.」[243]

지금 아메노다구쯔다마 신사는 해안가 평지에 있고, 그곳에는 '신라 국사 박제상공 순국비(朴堤上公 殉國碑)'라 새긴 돌탑이 외롭게 서 있다. 그 옆 일본과 우리나라 지도 위에 박제상이 왕래한 곳을 이음줄로 표시하고 그 위에 한글과 일본어로 동판을 새겨 넣었다. 그 내용은 다음과 같다.

동아시아 격동기였던 5세기 초경 신라는 왜와 통교관계에 있었으며, 신라에서는 친선을 위하여 내물왕의 아들 미사흔(未斯欣)을 왜에 보냈는데 그 후 이 왕자의 귀환을 요청하러 왕사(王使) 박제상을 왜에 파견하였다. 미사흔(未斯欣)과 신라국사 일행이 귀국 도중 대마도의 이곳 조해수문(祖海水門)에서 충돌이 일어나, 지혜와 용기를 겸비한 박공은 왕자를 무사히 귀국시키고 자신은 이곳에서 순국하였다고 양국의 고사록에 보인다. 이렇듯 충절을 지킨 만고충신 박제상공의 숭고한 뜻을 기리기 위해 순국비를 세우다.

박제상이 일본에서 순국한 장소에 대해 두가지 설이 있다. 하나는 규

---

243) 박제상 순국비(朴堤上 殉國碑)는 신라의 내물왕은 왜국과의 통교를 위해 아들을 인질로 보내기로 하고, 지모가 뛰어난 박제상을 딸려 보낸다. 왕자 일행이 쓰시마의 사비노우미노미나토에 이르러 정박하게 되었을 때 박제상은 왕자의 침실에 짚인형을 재우고 다른 배로 왕자를 무사히 탈출시킨다. 다음날 이 사실이 발각되어 박제상을 비롯한 사신들은 죽음을 당학 된다. 이 비는 이국에서 나라를 위해 죽어간 이들의 넋을 기리고자 1988년 건립하였다.

슈지방이고, 또 하나는 대마도이다. 우리나라 측에서는 통신사들이 남긴 기록에 의하면, 박제상이 순국한 장소가 현재 규슈의 북부 후쿠호카현 '하카타'라고 보는 인식이 일반화되어 있다. 18세기 실학자 순암 안정복도 순국지를 규슈의 하카타로 보고 있다.

신라 충신 박제상을 추모하는 비는 서기 1988년 8월 8일 비를 세웠고, 「신라국사 모마리질지 박제상공 순국비」라고 새겨져있다. 삼국사기에는 박제상으로 되어있고 열전에는 세주(細註)로 그의 이름을 박제상혹은 「모말」이라고도 한다고 밝히고 있다. 삼국유사에는 김제상이라고 적혀있고, 내물왕조에는 「김제상」으로 되어있다.[244]

일본서기 제9권에서 그를 「모마리질지」라고 기록하고 있는 것과 유사하다.[245] 「모말」, 「마리」는 「제상」 같은 의미의 말이라고 해석되는데 모(毛)의 훈(訓)은 「톨」, 「토」, 「털」로서 현대어의「둑」[246]에 해당하고,「末」, 「麻利」는 「上」, 「首」의 어원「마리」와 같다.[247] 열전에는 그가 시조 박혁거세 후예이며, 파사니사금의 5대손으로 파진찬 물품)의 아들이라고 밝히고 있다.[248]

당시 삽량주[249]의 간[250]이라는 벼슬에 올라 있었다. 방아타령으로

---

244) 삼국사기와 삼국유사에 〈성씨(姓氏)〉가 〈박씨(朴氏)〉와 〈김씨(金氏)〉로 각각 다르게 기록된 것은, 신라시대에는 〈성씨(姓氏)〉를 잘 쓰지 않던 시대였고, 〈부친성씨(父親姓氏)〉뿐만 아니라 〈모친성씨(母親姓氏)〉도 따를 수 있었기 때문에 어느 쪽의 〈성씨(姓氏)〉를 따라 적었느냐에 따라 박제상 또는 김제상으로 표기되었다고 하는 설이 유력하다. 서울대학교 국사학과(2008). 추계정기학술답사 소책자. p.16.
245) 질(叱): 구짖다 혀차는 소리, 叱責(질책): 꾸짖다.
246) 堰: 언: 방죽언. 막다.
247) 김부식 지음, 이병도 역주(1996). 三國史記.
248) 『三國史記』卷第45 列傳 第5 朴堤上 始祖, 赫居世之後, 婆娑尼師今五世孫,祖, 阿道葛文王, 父勿品, 波珍湌
249) 현(現): 경남(慶南) 양산시

유명한 백결선생 박문량의 부친이기도하다. 자는 중운, 호는 관설당, 도원, 석당 등이다. 눌지왕은 국가를 위하여 순국한 박제상의 죽음을 애통히 여겨, 관직등급을 대아찬[251]으로 승급시키고 그의 부인 또한 국대부인으로 봉하고 차녀를 일본에서 귀국한 미사흔과 결혼시켜 박제상의 충절에 보답했다.[252] 서기402년 신라18대 실성 니사금은 고구려의 남하에 대비하기 위해서 남으로 왜국과 강화를 맺고, 선왕 17대 내물왕의 막내아들 미사흔을 일본으로 볼모로 보냈다. 서기412년, 실성왕 11년에는 미사흔의 형 복호를 고구려에 볼모로 보냈다. 서기417년 내물왕의 아들 〈눌지마립간〉이 실성왕을 죽이고, 왕위에 올라 왜국과 고구려에 인질로 가있는 두 동생을 데려오고자 했다. 서기418년 박제상은[253] 고구려에 들어가 복호를 데려왔고 다음에는 왜국으로 건너가 미사흔을 신라로 보내고 체포되어 피살 되었다고 삼국사기 제3권 신라본기에 전하고 있다. 신라 충신 박제상이 왕자의 침실에 허수아비를 만들어 잠자는 것처럼 위장해 놓았으나 신라로 도피시킨 사실이 밝혀져 고문을 받았다.

삼국유사에는 박제상의 절개를 보다 설화적으로 묘사하고 있다. 미사흔을 탈출시킨 후 왜왕이 계속해서 박제상을 설득하자 〈차라리 계림(경주)의 개, 돼지가 될지언정 왜국의 신하가 되고 싶지 않으며, 차라리 계림의 형장을 받을지언정 왜국의 작록을 받고 싶지는 않다〉고 하였다.

---

250) 신라시대(新羅時代)지방민에게 내리는 관직등급 中의 제7관등급.
251) 신라시대17관직 등급 中제5등급관직.
252) 서울대학교국사학과 추계정기학술답사)일부발췌재인용.
    오마이뉴스(http://www.ohmynews.com/NWS_Web/view/at_pg.aspx?CNTN_CD=A000); 두산백과사전(http://www.encyber.com/).; 박제상 지음, 김은수 번역. 주해(2002). 부도지. 한문화.; 한국역사연구회(2007), 2007여름수련회 대마도 답사 자료집. 한국역사연구회.; 한국중세사학회(2008), 2008대마도 답사 자료집. 한국중세사학회.
253) 서기363~419년.

고구려에서 돌아와 집에도 들리지 않고 왜국으로 떠난다는 소식을 듣고 부인이 쫓아가지만 만나지 못했다. 오랜 뒤 부인이 사모해 견디지 못하고 세 딸을 데리고 울산시 울주군 두동면 치술령에 올라가 왜국을 바라보고 통곡을 하다가 그만 망부석이 되어 치술신모가 되었다.

후에 박제상의 부인을 기리는 "치산서원"이 만들어졌고 부인을 모신 사당으로 〈신모사〉가 만들어졌다. 그후 조선통신사 제술관으로 일본을 다녀온 신유한은 신라의인 박제상이 죽은 곳을 박다진이라고 하고, 서기1719년 8월 1일 그의 저서 해유록에 기록하였다.

2) 조선의 기상, 한일 의병장 최익현 순국비
(굶어 죽을 지언정 왜놈의 음식은 먹지 않겠다)

(1) 의병궐기문

구국항일투쟁의 상징인 최익현 선생이 순국한 곳이 바로 대마도이며, 또 일본에서 장례를 치른 곳이 바로 수선사(修善寺)였기 때문에 이곳에 순국비를 세웠다. 그가 쓴 의병궐기문을 보면

"우리의 궁금(宮禁)을 짓밟고 우리의 도망자를 품에 안아 기르고, 우리의 인륜도덕을 파괴하고, 우리의 의관을 짖어버리고, 우리의 국모를 사해하고, 우리 임금의 머리를 강제로 깎고, 우리의 대관을 노예로 삼고, 우리의 민중을 어육으로 만들어, 우리의 무덤을 파고, 집을 헐고, 우리의 전 국토를 점령하여 빼앗고, 우리의 국민들의 목숨이 달려있는 자원은 무엇이거나 그들이 장악한 물건이 아닌가? 그것도 오히려 부족하여 갈수록 욕심을 낸다. 변을 당한지 이미 여러 달이 되었으나 적을 토벌하는 자가 어찌 한 명도 없는가? 임금이 망하고 신하가 어찌 홀로

살 수 있으며, 나라가 패망하고 백성이 어찌 홀로 보전되겠는가? 불타
는 대청 위에 참새와 가마솥에 든 생선은 함께 망할 뿐이니 어찌 한 바
탕 싸우지 않겠는가?……모든 우리의 종실, 대신, 공경, 문무, 사농공상,
서리, 하인들까지도 무기를 가다듬고 마음과 힘을 한 군데로 모아서 역
당을 죽이고 그 고기를 먹고 그 가죽을 깔고 자며, 원수들을 모조리 죽
이고 그 씨를 없애고 그 소굴을 두들겨 부수자!"

이 문구는 당시 최익현의 의병 궐기의 요지이다. 이 내용을 볼 때,
당시 최익현의 군대는 일본군의 지원을 받은 전주관찰사 한진창이 이끄
는 관군에 의해 진압되었다.

구한말의 마지막 양심의 보류였던 최익현은 일본군에 의해 대마도로
끌려갔다. 74세의 고령의 면암 최익현은 일본군의 명령을 받아들이지
않고, 적의 더러운 음식을 먹지 않고 버티다 단식으로 절명하였다.

이즈하라 시내 슈젠지(修善寺)로 절문을 들어서면서 뜰 오른쪽에 구
한말 유학자 면암 최익현 선생(1833~1906)의 비가 있다. 2m 정도의 높
이의 순국기념비에「대한인 최익현 순국비」라는 글자가 새겨져 있다.

(2) 대원군에 올린 상소문

구한말 위정척사의 거두였던 최익현은 1905년 체결된 '한일신협약
(을사보호조약)'과 이를 허락한 '을사5적'에 대해 상소문을 대원군에게
내어 항의하는 한편, 의병을 일으켰다가 일본 관헌에 붙들려 대마도로
유배되어 박해 끝에 단식 순국한 것으로 알려져 있다. 최익현의 인격과
우국충정은 유배생활을 하던 대마도 사람들에게도 존경을 받았으며, 그
의 죽음을 애도한 대마도 사람들이 슈젠지에 유해를 모시고 제사를

지냈다. 이 때문에 지금까지의 오해를 풀고, 한일 우로의 한 단편을 기리기 위해 대마도와 한국의 성금으로 최익현 선생 비를 세워 추모했는데 이 당시 여러 대상 가운데 최익현과 인연을 맺은 슈젠지가 뽑힌 것이다.

슈젠지 법당에는 통일신라시대의 작품으로 추정되는 금동제품의 여래입상이 모셔져 있다. 최옹의 생각대로 강화도조약은 일본의 음모에 찬 침략의 합법화가 되어 그 뒤 제물포조약에 의해 일본군이 들어오고, 뒤이어 민비시해 사건과 1905년의 을사조약을 거쳐 드디어 1910년에는 조선이 멸망을 맞게 되었다.

선생을 비롯해 불귀의 혼이 된 당시의 혼객을 기려 대마도민들은 해마다 제(祭)를 올리고 나라를 위해 가신 분들의 혼에 고개 숙이고 있는데 불객이 된 최익현 선생은 1962년 건국훈장 대한민국장이 추서된 데서 알 수 있듯이 근현대까지도 대마도는 우리와 함께 해 온 터전이었음을 알 수 있다.

3) 조선망국의 한을 안고 끌려간 덕혜옹주

식민지시대 고종의 딸 덕혜옹주가 일제에 의해 대마도주와 정략결혼을 했고, 그 결혼생활이 아주 불행했다는 것을 알고 있는 사람은 그다지 많지 않다. 하지만 덕혜옹주에 대한 정보의 부족은 일종의 터부 같은 것에서 비롯된 것이다.

덕혜옹주가 불행한 삶을 살 수밖에 없었던 이유로는 지금까지 그녀의 개인적인 성격이나 경제적인 문제에 초점이 모아져 있다.

덕혜옹주는 고종과 복령당(福寧當) 양귀인(梁貴人)과의 사이에서 태어난 고명딸로, 10대의 어린나이에 일제에 의해 일본으로 유학을 가서 교육을 받았다. 그러나 어린 소녀는 모국과 어머니에 대한 그리움, 외로움을 감당하기가 어려웠다. 침울하고 어두운 처녀로 성장한 덕혜옹주가 당시 경제적으로 곤란을 겪고 있던 대마도의 소로 타케유키 백작과 결혼했으나, 옹주의 지참금을 노린 대마도주와의 애정없는 결혼생활은 남편의 냉대, 몰락한 나라의 왕녀에 대한 섬사람들의 무시, 둘 사이에서 태어난 딸아이의 죽음으로 불행이 이어졌다. 딸이 죽은 후에는 덕혜옹주의 우울증이 더욱 심해져 병원에 거의 감금되다시피 했다가 결국은 이혼 후 귀국하여 창덕궁 낙선재에서 혼자 생활하다 쓸쓸히 죽었다.

비운의 덕혜옹주는 1912년 덕수궁에서 대한제국 고종황제가 61세 때 양귀인 몸에서 덕혜옹주라는 새 생명이 태어났다. 고종은 이토우 히로부미가 아들 영친왕을 일본여성 "방자"와 강제로 결혼 시키는 것을 보고 덕혜옹주를 일본에 빼앗기지 않으려고, 시종 김황진의 조카 "김장한"과 약혼시켰다. 당시 일본은 조선민중의 정신적 지주인 고종을 제거해야 독립운동의 뿌리를 뽑을 수 있다고 판단하고, 방해물 제거공작의 하나로 고종과 고명 딸 덕혜옹주를 떼어 놓으려고 했다. 그래서 내선일체인 일본과 조선족은 일본에서 교육시켜야 한다는 억지 핑계를 붙여 덕혜옹주가 13세 때인 1925년 3월 28일 부산, 시모노세키를 거쳐 동경으로 보내어졌다. 1925년 4월25일 아오야마에 있는 여자 학습원에 들어갔으며, 1919년 3.1운동 이후 조선민중 박해에 박차를 가한 일본은 일본과 조선이 완전한 하나의 국가가 되었다는 〈내선일체〉의 상징물로 선전하기 위하여 덕혜옹주를 이용하기로 음모를 꾸몄다. 그 결과 대마도 도주의 세손 이었던 종무지 백작과 정략결혼을 시킨다.[254)

1931년 5월 8일에 동경서 결혼한 덕혜옹주는 10월30일에 시댁인 대

254) 종무지(宗武志)는 34대 도주의 세손 36대 도주가 될 수 있는 세손(世孫)이었다. 도촌초길(嶋村初吉)(2005). 대마신고(對馬新考). 재서원. p.17.

마도에 딱 한번 인사차 방문 한다. 1932년 8월 14일에 두 사람 사이에 정혜란 딸이 출생했다. 정혜는 종무지의 집안에서 정자 와 덕혜옹주의 혜자를 따서 정혜라고 했다. 그러나 옹주의 애정없는 결혼 생활은 남편의 냉대와 몰락한 나라의 왕녀에 대한 일본인들의 멸시로 순탄치 못했다. 둘 사이에 태어난 딸 정혜는 야마카타현의 고마가타케에서 자살할 것이란 유서를 남긴 후 종적을 감추었는데 나가노껭 중앙알프스에서 실종설과 현해탄에 투신했다는 2가지 설이 있다. 하지만, 시신을 찾지 못했기 때문에 아마 숨어서 살고 있을 가능성도 배재할 수 없다. 종무지는 결혼 후 얼마 되지 않아 몽유병이 재발한 덕혜옹주의 병세가 악화되자 무단가출을 막기 위해서 족쇄를 채워 집에 감금시키기까지 했다. 1945년 8월15일, 패전한 일본은 서기1947년에 귀족제도를 폐지했다. 따라서 종무지도 백작 지위가 상실 되었다. 1955년 6월 종무지는 더 이상 덕혜옹주와의 결혼생활이 불가능하자 이혼했다.[255)]

1955년 이혼한 옹주는 정신병의 악화로 마츠자와(松澤) 정신병원에 수감 당했다. 쓸쓸히 그리고 외롭게 정신병원에 감금당한 옹주를 고종이 약혼시킨 김장한의 동생 조선일보 김을한 기자가 폭로하여 옹주의 존재가 다시금 우리국민들 사이에 회자되기 시작했다.

황실측근의 귀국이 정치역정에 라이벌 의식을 느낀 이승만 대통령의 비협조로 귀국하지 못하다가 1962년 1월 26일 박정희 대통령이 귀국시켜 서울대 병원에 입원하여 7년간 치료한 후 창덕궁 낙선재서 생활하다가 1989년 4월 21일 11시40분에 한 많은 일생을 마감했다. 종무지는 재혼하였고 자손들은 치바현 후네바시 근교에서 살고 있다.

1931년 10월 30일 덕혜옹주 내외가 대마도 방문시, 대마도에 살고 있

---

255) 서기1951년에 이혼했다는 설과 1955년에 이혼했단 설이 있으나 〈이방자여사〉의 자서전 『흘러가는 대로』에 의하면 1955년이 유력하다.

던 우리 동포들이 상애회를 만들고 곽기섭·정사봉·안신중·최관옥 등 4명이 발기인이 되어 비를 건립했다. 그리고 옹주내외가 탄 배는 밤중에 이즈하라 항구에 도착했다. 동포들은 횃불을 들고 환영했다.[256] 당시 약 20,000명이 대마도로 끌려 가서 숯 굽는 일, 군사시설 건설 등의 강제노역을 당한 우리 동포들이 망국의 옹주의 대마도 방문을 환영하기 위하여 십시일반으로 돈을 모아 덕혜옹주 결혼봉축 기념비를 1931년 10월 하치만궁 경내에 건립 했다.[257]

1955년 6월 종무지와 덕혜옹주가 이혼을 한 후 대마도인들은 야박하게 비를 뽑아, 금석성 풀밭에 내동댕이쳤다. 1997년부터 대마도를 방문하기 시작한 황백현이 풀밭에 쓰려져있는 덕혜옹주 결혼 봉축비를 일으켜 세워보려고 해봤지만 불가능 했다. 나라 잃고 힘없던 조국을 원망하고 있을 옹주의 원혼을 생각할 때 가슴 아팠으며, 대마도인들이 원망스럽다 못해 한심스러웠다.

지금 서 있는 이 비는 1999년 7월 14일 부터 「부산→대마도」직항 선박의 취항으로 한국관광객이 모여들자 쓰러뜨려 방치해 둔다는 것이 창피하기도 하고, 볼거리가 부족한 관광객에게 볼거리 하나 더 제공하여 돈벌이를 해야겠다는 목적으로 2001년 11월 10일 되세운 것이다.

4) 대마도에 녹아있는 한국혼

(1) 백악산

상현정의 어악, 이즈하라마치의 다테라야마와 아우르는 대마도의 영봉인 시라다케는 험준한 암벽이 신비한 형태로 우뚝 솟아있다. 사라다

---

256) 도촌초길(嶋村初吉)(2005). 대마신고. 재서원. p.17.
257) 도촌초길(嶋村初吉)(2005). 대마신고. 재서원. p.17.

케(白嶽山)라는 명칭은 표면이 흰 석영반암으로 되어있어 생겼다고 보는 것이 자연스럽겠지만 이 외에도 백산신앙(白山信仰)이라고 생각하는 설과 산의 모양이 위엄이 있어 이러한 명칭이 생겼다는 설 등이 있다.

어악과 다테라는 남악과 여악이 없으나 사라다케에는 남악과 여악이 있다. 사라다케는 정상의 봉우리가 두개로 나누어져 있다. 북쪽의 것을 여악, 남쪽의 것을 남악이라 한다. 대마도의 텐진야마는 「북쪽을 모신, 남쪽을 자신」으로 전해진다. 시라타케는 북쪽면에서 보면 남악의 정상이 확실히 남근의 모양이다. 여악의 북쪽면 하부에 균열이 있어서, 안쪽에 동굴이 만들어져 있는데, 그곳에서 神을 섬겼다는 설화는 확실히 산악종교의 신화를 의미 한다.

일본의 건국 여신인 아마테라스 오오미카미(天照大神)는 아마노이와야(天岩窟)의 총애를 받았다. 또 고구려 시조인 동명왕의 어머니는 이와야(岩窟)에 제사를 지냈다고 한다. 시라다케에 시조 신화가 전해지고 있지는 않지만 그 제사를 지냈다는 사실은 확실하게 이야기 하고 있다.

(2) 서라벌과 적미

적미신전는 서라벌이라는 논에서만 생산되는 찹쌀이다. 지금부터 1,000년 전 대마도의 도작이 시작된 것으로 추정하기도 한다. 적미신사의 적미모 심기는 일본 국가무형 민속 문화재로 보존 계승 되고 있다.

서라벌은 대마도에서는 소라바루라고 발음한다. 신라인들이 이곳으로 이주해 살면서 고향을 그리워하는 향수에서 두고 온 고향이름인 서라벌을 그대로 붙였다.[258]

---

258) 장기신문(長埼新聞), 2010年 6月 5日 字, 15面.

(3) 신라신사와 시라끼 마을

이즈하라 항구로 뻗어 나온 언덕이 시라키산(白木山)이고,[259] 언덕 위 숲속에 신사가 신라(시라키: 白木)신사이다. '무릇 대마도는 옛날 신라국과 똑같은 곳으로 사람의 모습도 토산물도 있는 것은 모두 신라와 다름이 없다.'[260] 라는 기록에서 증거를 찾을 수 있다. 이 신사는 신라인들이 조상에게 제사지내던 조신묘(祖神廟)가 세월이 흘러 대마도가 일본화 되면서 일본식의 신사가 된 것이다.[261] 이즈하라정(엄원정, 嚴原町) 동편 해안 〈마가리(曲)마을〉이 있는데 이곳의 고평산(高平山)에 오래된 시라키신사가 있고, 고우라(小郡)어부들이 1년에 1번씩 제사를 지낸다.

이 신사는 마가리(曲)마을의 성주를 제사 지내는 곳 이라고 생각되어

---

259) 〈엄원(嚴原): いづはら〉의 동리(東里)는 고대에 〈백목(白木): しらき: 시라기〉 村의 〈야양(耶良): やら: 야라〉의 중심이었다. 〈여양(與良): やら: 야라〉는 일본의 〈나라(那羅): なら: 나라〉와 〈나양(奈良): なら : 나라〉의 의미인데 한어(韓語)의 〈國〉자의 의미다. 이산을 시라키산(白木山)이라고 했고, 시라기산은 곧 신라산(新羅山)이다. 〈엄원(嚴原): いづはら : 이즈하라〉 항구 동안(東岸)에 커다란 돌로 된 오래된 명신조(明神鳥)가 있는데, 이것이 〈백목(白木): しらき: 시라기〉 신사 즉. 신라신사(新羅神社)다 조거(鳥居: とり-い: 토리이) 주위(周圍)에는 관목(灌木)이 무성하여 접근이 힘들다. 신사는 〈白木村〉마을이름의 〈白木〉字의 〈白木山白磯山〉의 기슭〈麓〉에 있다. 일본의 고대지명에 의하면 〈白木山〉〈기(磯): しらき〉 山의 표기는 일본어(日本語)의 차음(借音)으로서, 신라산(新羅山)을 의미하기도 하고, 신라인들의 집락(集落)을 의미하기도한다. 출우홍명(出羽弘明)(2004). 新羅の神々と古代日本. 참조.

260) 이병선(2005). 대마도는 신라의 속도였다. 이회문화사. p.254. 凡ツは對馬の島は昔新羅國と同じていの所なりけり,人の姿もその所の土山もありとあるものきてい階新羅に異らず.

261) 이 신사는 숲속에 파묻혀 보이지 않던 것을 랜드발해투어 대표이사 황백현 박사가 고증을 통해 신라 신사란 사실을 확인하고 자비로 톱과 낫을 구입하여 나무를 잘라내고 관광Point로 개척한 것이다

진다.262) 대마도에 〈신라〉라는 표기가 남아있는 곳은 가야(賀谷)와 요코우라 사이에 시라코우라(白子浦)와 시라코사키(白子崎)가 있고, 다케시키의 시라코(白子)가 있다. 카라스에도 시라코(白子)마을이 있다. 등산코스로는 시라타케산과 케치의 시라에산(白江山)이 있고, 시라에강(白江川)) 또한 유명하다. 그리고 이즈하라 쿠다(久田)지구는 구다와 시라꼬 라는 2개의 마을로 구성되어 있다. 그 중 하나인 시라코(白子)는 신라인들의 후예들이 자리 잡은 〈신라〉마을이다.263)

(4) 카라자키(한기, 韓崎)

대마도 최북단에 있는 섬이다. 명칭이 카라자키(한기, 韓崎)가 된 것은 대마도 사람들이 볼 때 이 섬이 한반도로 부터 뻗어 나온 것처럼 보일 만큼 한국에 가깝기 때문에 한국 쪽의 호미곶이란 뜻인 카라자키(韓崎)라 불렀다.264)

(5) 오오미(靑海)와 평산신씨 후예 집성촌(平山申氏 後裔 集成村)

카미아카타군 카미아카나 쵸우 키사카북쪽 고개 너머 마을이다. 전형적인 한국의 어촌 마을 형식으로 배산임수로 전착후광 형이다. 추수감사절 때 후렴이 "가야 가야 가야"라고 하는 노래를 부르는 것이 틀림없는 우리나라 가야사람들의 향취가 남아 있는 마을이기 때문에 가야인의 후손들이 살고 있었던 마을로 알려져 있다. 현재도 대마도에서 유일

---

262) 이병선(2005년). 대마도는 신라의 속도였다. 이회문화사. pp.255-256.
263) 2009년 (주)발해투어(대표이사 황백현 문학박사)가 대마도(對馬島)를 찾는 우리 국민이, 대한민국(大韓民國)과 대마도의 과거사(過去史)를 통한 우리나라의 대마도통치(對馬島統治)를 유추(類推)해 볼 수 있는 사례를 제공하는 차원에서 관광 Point로 개척한 곳이다.
264) 등정향석(藤井鄉石)(昭和63). 『對馬の地名とその由來』. 下卷. p.9.

하게 소를 이용하여 논이나 밭을 가는(갈아엎는) 전형적인 한국형 마을이다. 아낙네의 등에 짊어진 물건담는 그릇으로 제주도 여인들의 등에 짊어진 것과 같다.

나가사키현 고고학회자인 고바야시 마모루씨는 "해류의 흐름과 이곳 마을의 출토 토기, 한국식 분묘와 유적 등에 미뤄 이 지방이 고대 한국인의 첫 정착지였을 가능성이 높다"고 말한다. 깎아 내린 듯한 뒷산에 오르면 부산이 아득히 바라다 보이는 대마도 서북쪽의 포구 미네쵸우 오우미 마을 30여 호의 자그마한 농어촌 마을인 이곳 주변 계곡과 산비탈에는 선사 시대부터 경작했다는 논과 밭이 펼쳐져 있다. 대마도는 쌀을 자급자족할 수 있는 곳은 이 마을이 유일하다.

이 마을 인근에는 예전에 "가야"라는 지명과 저 멀리는 신라산으로 불렸다는 시라다케가 있다. 이 같은 사실에 비춰보면 이곳은 예로부터 우리 민족과 연고가 깊었고, 벼농사도 가야, 신라시대부터 시작됐을 것으로 추정된다. 벼농사는 경작 경험이 없으면 불가능하다. 적지 선정이나 묘판 만들기, 물대기 등 처음으로 벼농사를 보게 된 고대 일본인들은 이를 무척이나 신기해하며, 굶주림을 면하게 해준 사람들을 신으로 모셨을 법하다.

이 마을 해변에는 야쿠마탑이라는 밑자리 폭 4m, 높이 3m가량의 방추형돌탑이 쌍을 지어 있다. 지난 날 남해지방이나 제주도 해안에서 흔히 볼 수 있었던 돌탑과 똑같다.

(6) 고려문(高麗門)·고려산(高麗山)·고려꿩·고려원(高麗院)

대마도에온 조선외교관 출입문을 말한다. 최초 문은 서기1678년 제21대 도주 종의진이 사지키바라성의[265] 제3문을 고려문이라고 명명한

데서 유래한다.

현재문은 1987년(평성원년)에 건립했다. 외교사절인 조선통신사를 맞이하기 위하여 세웠다. 대마도 4고려는 고려산, 고려문, 고려펑, 고려원이다.

대마도에 현존하는 4고려는 그 뿌리를 우리나라에 두고 있다. 이를 뒷받침하는 문헌적 증거를 밝힌다. 대마도 역사의 바이블인 대주편년략에 대마도자 고려국지목야 신라주지(對馬島者, 高麗國之牧也, 新羅住之)라고 되어 있다.[266] 신라를 흡수한 고려는 대마도를 고려의 목(牧)으로 편입시키고 거리상 가깝고 그 전부터 살아오던 신라 사람들을 계속해서 살도록 했다. 고려시대부터 우리나라 사람들이 대마도에 살면서 고려문화가 씨를 뿌렸기 때문에 고려산, 고려펑, 고려문 그리고 고려원[267]이 자연발생적으로 자리 매김한 것이라고 본다.

일본 나가사키 히라도에 임진왜란 때 경남사천, 주, 동래, 울산, 순천, 남원 등지에서 끌려온 도공들의 집단 묘를 고려묘[268]라 한다. 고려교는 나가사키 시내에 임진왜란 때 조선에서 끌려와 천주교신자가 된 조선인들이 살던 마을의 다리를 고려교(코우라 바시)라 한다. 대마도 카미자카 전망대에서 날씨가 맑을 때는 일망고천리고려축자(一望高千里高麗筑紫)라 했다.

---

265) 부성(府城) 또는 이즈하라성(嚴原城: 사지키바라성)이라고도 한다. 현재 일본육상자위대 대마도 본부가 있다. 최익현 애국지사 아사순국한 감옥이 있었던 곳이다.

266) 對州編年略 對馬島人『藤定房』1723年, 漢 文書 全3卷 第1卷에 있는 내용(內容)인 목(牧)을 목마장(牧馬張)으로도 보았다.

267) 황백현(2010). 대마도 총람. p.231.

268) 平戸民俗資料館所藏資料中〈眞浦幸子: 蘭風HTL職員〉提供資料

(7) 토노구비(塔の首) 고분군

1971년 히타카츠 초등학생 김광화(金廣和)군이 한반도식 석관고분 4기를 발굴했다. 1호 석관묘는 대부분 소실되어 부장품이 없어졌고, 2호 석관고분에서는 세형동검 1개, 관옥과 수정 제조옥과 유리소옥다수, 도질토기, 적소토기 등이 출토되었고, 3호기에서는 광형동모 2개, 동환 7개, 관옥 1개, 작은 유리구슬이 약 8,000개와 석관의 밖에서는 다수의 야요이 시대 토기편이 채집되었고, 4호기 고분에서는 한경 1면이 출토되었다.

토노구비를 발굴한 김광화군의 부모는 조총련이다. 우리의 동포 김광화군이 고분을 발굴한지 6개월 뒤 부모님의 손에 끌려 본토 니이카타항에서 북송선을 탔다. 정든 친구들을 히타카츠에 남겨 둔 채 눈물을 흘리면서 그 뒤 연락이 두절되었다고 이곳 동포들은 말한다.

특히 동창생으로서 민단 대마도본부 사무국장 출신 부명철씨는 기다리고 기다려도 소식이 오지 않는다고 안타까워하고 있다. 일본의 식민지 통치가 만들어낸 38선에, 북한 공산정권의 남침이 만들어낸 휴전선으로 말미암아 민족의 아픔이 이곳 대마도에도 생생하게 살아있다는 것을 느낄 수 있는 것 또한 대마도 탐방에서 얻을 수 있는 또 하나의 의미가 아닐까. 동포여! 남북 분단의 원흉인 일본의 원죄(原罪)를 용서는 하되 잊지는 말자![269]

(8) 조일산 고분군

상대마정 하마구스 해안에 있는 조일산고분에서 석관4기에서 부장품으로 철도끼, 철창, 철검(양날), 철도(단면), 우리나라 거울(韓鏡), 낫,

---

269) 황백현(2010). 대마도 총람. p.396.

호미, 방수차, 스에끼 등이 출토되었다.

대부분 신라 도질토기로써 매장인도 신라계로 추정된다. 한경(韓鏡)을 한경(漢鏡)이라고 주장하는 이유와 한반도 것을 중국 것 이라고 하는 이유는 대학에 떨어져도 서울대학교에 떨어졌다고 해야 체면이 선다? 대마도인의 양속성 기질에서 나온 발상이다.

대마도의 석관고분이 조일산 고분을 중기고분과 후기고분의 시대를 구분하는 표준으로 삼고 있는 고분이다.[270] 대마도 일원에는 한반도매장문화인 석관이 발굴되지만 이끼부터는 일본식고분인 〈옹관식 고분〉 위주로 발굴된다. 대마도 원주민이 우리 민족이었다는 것을 고분문화가 다시 한 번 증명해 준다.[271]

(9) 대장군산 고분군

대마도의 서쪽해안은 우리나라가 바라다 보이는 해안이다. 상현정의 시타루는 6800년 전에 우리나라에서 건너간 사람들이 함께 묻혀간 패총과 상식관고분이 발굴되었다. 이곳에서 출토된 유물들은 우리나라 부산 영도 동삼동 패총 및 상식관고분과 100% 동일하다.

따라서 대마도 최고 석학인 나가도메 히사에씨가 스스로 밝힌 대마도 역사 2,000년 보다 훨씬 이전부터 대마도는 고조선 시대부터 우리 선조들이 살면서 우리나라에서 가지고 건너간 우리문화를 그대로 남겨둔 것이 착착 발굴되고 있으니, 대마도는 서기1246년 해적 종중상이 친일 정권을 세울 때 까지는 완전한 우리나라의 일부였다는 것을 다시 한 번 확신케 한다.

---

270) 永留久惠(昭和60) 『對馬の歷史探訪』. p.301.
271) 황백현(2010). 대마도 총람. p.411.

(10) 네소고분군

미진도정 중대마 병원을 지나서 1km 쯤 가면 해안의 구릉지대 위에 5기의 고분군이 있다. 이곳은 상고시대부터 우리나라 금주에 쌀을 구하러 출항하던 항구인 타루카하마와 일본 구주로가 타카하마가 지금도 어항으로서 그 기능을 행하고 있다. 특히 게치는 신라의 계림(鷄林)에서 그 이름이 유래한 곳으로 유명하다. 그리고 고주몽의 둘째 아들 비류 후손이 이곳에서 아비류(阿比留)라는 성씨(姓氏)로 1246년 해적인 종중상과 카미사카 정상에서 격전을 벌여 패하고, 나가사키에 있는 5島지방으로 이주하기 전까지 아비류관아(阿比留官衙)가 있었던 곳이다.

따라서 이곳에서 살고 있던 비류백제계 즉 阿比留계가 집단 거주 했던 점을 고려할 때 이곳의 상자식 석관고분은 고대 한국의 건너온 우리나라 인민들이 살다가 죽은 후 장사지낼 때 한반도식인 돌(석판, 石版)을 사용해서 무덤을 만든 것이라고 추정하는 고분이다.

역시 출토물도 한반도 계통의 것이 많았다. 4기의 고분을 각각 살펴보면, 제1호 고분은 전장 30m, 전방부가 낮고 길 다란 세장형 이였으며, 파괴 된 석실 속에 길이 2m의 측면 삭판이 측면에 붙어 있었고, 출토물로는 철로 만든 호미(鐵鋤), 철양날칼(鐵刀), 관옥 1개였다.

제2호 고분은 길이가 36m로 분형은 제1호 고분과 유사했다. 특징은 제1호 고분과는 달리 원형으로 된 후방에 대형 석관이 있었다. 수에기(須惠器)의 파편과 철양날칼(鐵刀)이 있었고, 또 전방부의 적석중(積石中)에는 작은 석실이 있었고, 토사기(土師器)와 철검(鐵劍) 등이 있었다.

제3호 고분은 봉토가 소멸되었지만 큰 돌판을 이리저리 조합해서 만든 고분으로서 횡혈식 석실이 노출되어 있었다. 별다른 출토물은 없었다.

제4호 고분은 전방후원분(前方後圓墳)이 붕괴된 것으로 추정된다고 발굴자 후등(後藤)은 보고서에서 밝히고 있다.

제5호 고분은 5개의 고분 중에 가장 오래된 것으로 적석이 원형분묘이고, 한반도(韓半島)식인 상식석관을 매설한 것으로 추정된다.[272]

2. 조선통신사 비와 아리랑 축제

1) 조선국 통신사지비(朝鮮國通信使之碑)

건립은 1992년 2월 12일로 글씨는 최세화(崔世和)가 작성하였다. 조선통신사는 조선 국왕이 일본으로 보낸 외교 사절의 명칭으로 파견횟수는 12회(1607년~1811년)이다.

귀국할 때 까지 일본에 머무는 동안 일본인들과는 한시나 문장, 그림의 교환 유학 의학에 관한 필담을 통한 문화교류가 있었으며, 횟수가 늘어 이에 따른 부담이 가중되어 반대 목소리가 나옴에 따라 통신사 경제 부담이 막부정권의 몰락의 한 원인이 되기도 했다.

2) 조선 통신사 숙소

① お使者屋 : 원래명칭은 "어사자옥(お使者屋)"이고, 용도는 조선통신사 또는 통신사 선발대가 숙박하던 건물 이었는데, 서기1727년 아메노모리 효슈가 3년제 한국어학교인 한어사를 개설 했던 장소였다. 지금

---

272) 永留久惠(昭和60). 『對馬の歷史探訪』. pp.130-131.

은 개인주택이다. 한어사의 교장은 아메노모리 효수였고, 수업은 하루 4시간씩, 매월 27일에 월말고사로 학습평가를 했다. 주 교재는 "교린수지"와 "전일도인"과 "인어대방"[273]이였고, 한국어 교재는 숙향전, 십팔사략 등을 사용했다. 특히 "교린수지"는 아메노모리가 부산의 왜관에 5년 동안 머물면서 저술한 책으로 지금도 그 가치를 높이 평가 받고 있는 유명한 한국어학습 고전이다. 그리고 이 학교에서 한국어를 배운 학생들은 우리나라 선비들 보다 한글을 더 잘 썼다고 한다. 즉, 조선 양반들은 한글을 천시하여 한글문자를 쓰지 않았기 때문이다. 그 당시 이 학교 학생이 쓴 한글 두루마리가 지금도 오사카 "청구문화홀"[274]에 보관되어 있다. 이 학교의 특징은 한국어 전임교사가 당년 20세 인위문길(仁位文吉)이란 청년 이었다. 인위문길은 어릴 때부터 한국어를 배워 탁월한 한국어 계고통사(稽古通詞)였다.

② 和陽館址 : 화양관(和陽館)[275]이란 서기1811년 조선통신사 객관으로 신축한 건물 명칭이다. 막부정권의 내부사정과 조선통신사 초빙경비 때문에 서기1791년에 제안한 역지빙례를 조선 측에 거부당했다. 막부와 대마도 측의 집요한 요구를 1810년에 수용, 1811년에 통신사를 파견하여 대마도에서 국서를 전달하고 조선으로 되돌아갔다. 역지빙례 결과 일본 측은 초청비용이 1764년 제11대 통신사 초청 때 보다 약 1/4 밖에 들지 않는 등 매우 성공적이었다. 한편, 조선측은 대 일본공무역의 적자감소라는 긍정적인 측면도 있었지만 통신사의 품격을 낮춘 수치

---

273) 對馬鄕土硏究會, 對馬風土記 第二十l号' 長崎: ニシキ 印刷昭和五十P九).
   p,13.
274) 진기수 선생님이 만든 사설 문화원.
275) 장기현립대마역사민속자료관(2010). Pamphlet 『朝鮮通信使MAP2』.

스런 결과를 가져 왔다. 당시나 지금이나 큰 건물이 없는 대마도에 외교사절을 맞이하기 위한 새 건물을 신축해야 했다. 당시 대마도 1년 예산 36,000냥보다 많은 金42,256냥을[276] 막부로부터 지원받아 객관 등 각종 건축물 신축 뿐 아니라 교량, 도로 등 SOC사업에 활용했다. 입구에는 "조선통신사 객관적"이란 안내가 있다. 당시 객사, 화양관은 해체되어 없어졌다. 현재 남아있는 산문건축물은 대마시 지정 유형 문화재다.

3) 배 선착장(중시래)

조선에서 배를 타고 상대마도를 거쳐 부중(府中: 이즈하라)까지 도착한 사선이 사신을 숙소로 안내하기 가장 가까운 선착장이다. 당시엔 석축 계단이었으나 지금은 시멘트로 계단을 만들어 놓았다. 대마도를 통신사의 섬이라고 부르는 대한민국 국민으로서 조선시대 통신사가 숙소로 가기 위해 타고 온 배를 도박 시킨 곳이다.

현재는 중시래 앞에 대마도 항구의 동서를 연결하는 대형다리가 건설되어 있다. 그러나 이 다리 구조물이 없었다고 가정해 볼 때 조선에서 대마도까지 사신이 타고온 대형 사선(使船)은 지금의 쿠다(久田)쪽에 있는 오후나에나 아니면 대마도 이즈하라 항구를 지켜준다는 다테마미(立龜) 암석 아래에 정박시켜두고, 대마도 현지인이 작은 배로 이곳 중시래까지 인도했다.

---

276) 객관건축비(客官建築費) 11,773냥, 막부상사 측 숙소건축비: 14325냥, 그 외 준비용 18158냥.

4) 조선통신사가 숙소로 향하던 길

중시래에 배를 정박시킨 사신일행이 숙소인 오사자야로 행하던 계단 길이다. 당시엔 토석이나 돌계단이었던 것이 지금은 시멘트계단으로 되어있다. 역사 속에 까마득하게 잊혀진 곳이지만 조선시대, 대마도에 도착한 사신이 숙소로 향하던 계단을 한번 걸어보는 것 또한 대마도 역사 탐방의 백미이다.[277]

5) 아리랑 마쯔리

매년 8월 첫 토요일과 일요일에 걸쳐 2일간 개최된다. 원명칭은 엄원 항제(嚴原港祭)다. 흥행을 위하여 한국의 지자체장을 초빙하여 조선통신사 정·부사와 종사관으로 분장시켜 시가행진을 하기도 한다. 우리나라에서 온 춤사위꾼들도 뒤 따른다.

한국인에게 클라이막스는 일요일 오후3시경 실시하는 "조선통신사 가장행렬"이다. 일요일 오후3시에 실시하기 때문에 주말을 이용하여 1박 2일 일정으로 여행 온 관광객은 볼 수 없다.

우리나라 아리랑이란 명칭을 그대로 사용하는 대마도축제는 관광 포인트를 맞추어 볼거리가 부족한 대마도 관광자원에 훌륭한 볼거리를 하나 더 추가하였다.

---

277) 황백현(2010). 대마도 총람. p.311.

〈표 1〉 대마도의 한국관련 유적 및 관광, 축제행사

구 분	내 용
조선통신사 행렬도	400~500명으로 구성된 조선통신사 일행의 화려한 행렬을 담은 길이 16.53m짜리 두루마리 그림. 이즈하라 대마역사 민속자료관 보관
아리랑 마츠리	매년 8월 첫째 토~일요일에 개최되는 대마도 최대의 축제, 조선통신사의 행렬 재현, 노젓기 대회, 불꽃놀이 등 다양한 행사
바이린지(梅林寺)	538년 백제 성왕에 의해 일본에 불상과 경전이 전파됐던 연고지에 건립됐다고 전해지는 고찰, 1436년 조선에 예속된 후 일본에서 조선으로 도항하는 선박에 대해 문인(도항증명서)을 발급해 주는 사무를 보던 곳
가나다(金田)성터	일본 최고(最古)의 성터, 높이 2~5m의 성벽이 5.4km에 걸쳐 남아있는 백제식 산성, 667년 백제유민이 나당연합군의 침공에 대비해 쌓은 것으로 알려짐
신라사신 순국비	왜에 볼모로 잡혀 있던 신라의 왕자 미사흔을 탈출시키고 자신은 잡혀 처형당한 신라 사신 박제상을 기리는 순국비, 1988년 한국과 대마도의 학자와 유지가 힘을 모아 건립
코즈나 고려불	간온지(觀音寺)에 본존불로 안치돼 있다. 불상 속에서 발견된 문서에는 1330년 주조돼 고려 부석사에 봉납한다고 쓰여 있으나, 어떤 경로로 대마도에 유입됐는지는 밝혀지지 않고 있다.

3. 대마도의 자연환경과 관광

1) 대마도의 자연환경

쯔시마(對馬島)는 남북 약 80km, 동서 약 18km의 좁고 긴 섬으로 상하의 두 개의 큰 섬과 98개의 작은 섬으로 이루어져 있으며, 인구는 약 5만명 내외이다. 대마도는 전체 섬 88%가 산지가 차지하고 있고, 논은 단지 600ha, 밭도 2000ha에 지나지 않는다. 그래서 이 곳에서 생산되는 주식의 생산량은 전체 도민의 2개월 분 식량에 불과하여 대부분의 주민들이 산과 바다에서 생활수단을 구해 왔다.[278] 현재 행정구역상으로는 일본(日本)의 나가사키현(長崎縣)에 속해 있으며, 그 속에는 6개의 町(우리의 面과 비슷)으로 구성되어 있다.[279]

한국과 대마도의 최단거리는 49.5km밖에 되지 않는다. 한 때 아시아 물개로 불리워졌던 조오련 선수가 헤엄을 쳐서 대마도를 건너가기도 했다. 날씨가 좋으면 지금도 부산에서 대마도가 보인다. 대마도에서도 한국이 보인다. 그래서 대마도에서는 와니우라(鰐浦)라는 곳에 한국전망대를 만들기도 하고, 또 부산의 야경을 사진으로 담아내기도 했다. 또한 부산사람들은 대마도사람들에게 아침 일찍 대마도에서 들려오는 나막신(게다) 소리에 잠을 설친다고 핀잔을 주면, 대마도 사람들도 이에 질세라 자신들은 부산에서 닭 우는 소리에 아침 잠을 설친다고 응수한다는 농담까지 생겨나기도 했다.

---

278) 김달수(1993). 『일본열도에 흐르는 한국혼』〈우문영 · 김일형 편역〉. 동아일본사. p.351.

279) 對馬島에는 이즈하라쵸(嚴原町), 미즈시마쵸(美津島町), 토요타마쵸(豊玉町), 미네쵸(峰町), 가미아가타쵸(上縣町), 카미쯔시마쵸(上對馬町)의 6개 행정구역으로 되어 있다.

이렇게 대마도는 우리와 가깝지만 정작 그들의 본토까지의 거리는 그렇게 가까운 것이 아니다. 대마도에서 가장 가까운 곳은 큐슈 북부의 나고야(名古屋)이다. 그곳까지의 거리는 142km나 된다. 이처럼 대마도는 일본보다 한국에 훨씬 더 가까이에 위치하고 있으므로 일제시대에도 급한 일이 생기면 일본에 가지 않고, 부산으로 가서 일을 보았다.

지질학자들의 주장에 따르면 대마도는 홍적세 중기까지는 한반도와 붙어 있다가 떨어져 나간 섬이다.[280] 오랜 옛날에는 오늘날 대한해협이 육지로 이어져 있었는데, 떨어져 나가 바다가 되었다. 약 100만년 전부터 일본열도는 4차례에 걸쳐 가라앉았다가 떠오르기를 거듭한 끝에 오늘날의 모습이 되었다. 일본이 아시아 대륙에서 떨어져 섬이 된 것은 약 1만년 전의 일이지만 대마도와 일기도 사이 쓰시마 해협이 먼저 생겼고, 그 뒤 대마도가 한반도에서 떨어져 나갔다. 대마도와 일기의 두 섬에 서식하고 있는 생물이 큰 차이가 나는 것도 그 까닭이다. 일기의 생물은 구주(九州)와 같지만, 대마의 생물은 한반도와 비슷한 경우가 많다.[281]

2) 대마도의 산업

대마도는 동경 129도, 북위 34도의 위치에 있고 대마도의 총면적은 709km2로 제주도의 0.5배, 거제도의 1.7배, 울릉도의 10배의 면적으로 남북의 길이가 82km이며, 폭이 한국 쪽으로 배를 깔고 남북으로 길게 누운 새우 모양의 섬이다.

대마도(對馬島, 쓰시마)는 부산에서 불과 49.5km 떨어진 섬으로 제

---

280) 궁포일랑(宮浦一郞)(1979). 금양전양물어(今樣殿樣物語). 장기현입사. p.9.
281) 송현섭(1988). 일본 속의 백제문화. 한겨레, p.23.

주도보다 가까운 외국이라 할 수 있다. 본토 후쿠오카와는 124km의 거리에 있다. 대마도의 전체 인구는 약 45,000~46,000명이며 대마도의 수도인 이즈하라(嚴原)의 상주인구는 약 17,000명 정도로 관광지라 하기보다는 깨끗하고 조용한 휴양지로 각광을 받고 있다.

현재 행정구역은 나가사키현에 속해 있으며, 상도, 하도로 구분되어 있고 6개정(町)으로 나누어져 있으나 2004년 3월 1일로 6개정(町)이 하나로 합쳐져 대마시로 승격되었고, 대마본 섬 외에 109개의 섬이 있으며 그 중 사람이 사는 곳은 5곳, 전도(全島)의 88%가 산지이며 주민들은 주로 임업과 어업에 종사하고 있으며 2개의 군과 6개의 정으로 구분된 지역 중 이즈하라가 제일 큰 도시이며, 히타카츠가 두 번째이다.

쓰시마시는 큐슈(九州) 나가사키현에 속하는 섬으로, 부산과의 거리는 약 49.5km인 반면, 일본 본토와의 거리는 132km나 된다. 또 섬의 폭은 18km인데 길이는 82km로, 쓰시마시의 길이보다 쓰시마와 부산 간의 거리가 훨씬 가깝다.[282] 이 거리는 1999년 7월부터 운항하기 시작한 대아고속해운의 고속선을 이용하면, 부산에서 이즈하라까지는 2시간 30분, 히타카츠(比田勝) 까지는 1시간 20분이 소요되어, 일일생활권의 범위에 들어감을 알 수 있다.[283]

쓰시마의 인구는 1960년 절정기였을 때는 7만 명 가까이 달했던 적도 있었다. 그 이유는 아연탄광 개발 산업의 영향으로 외지인구가 유입되었기 때문이었으나, 1970년대에 들어서면서부터는 달러파동에 의한 경제효율성 저하와, 1973년 카드뮴공해로 인한 공장폐쇄로 많은 인구가 유출되었다.[284] 그리고 오늘날에도 변함없이 인구는 계속 감소추세

---

282) 이훈(2005). 대마도 역사를 따라 걷다. 역사공간.
283) 신영균(2008). 민·관의 활동에서 본 쓰시마시의 지역 활성화 정책. 대한지리학회지, 43(6), 951-960.

에 있는데, 그 주요한 원인은 고도경제성장기이후의 산업화와 도시화에 의한 이촌향도현상에 기인한다. 이에 일본정부는 1970년부터 '과소지역대책긴급조치법'을 제정하여 국가차원의 재정적 지원을 하고 있는데, 동법에 의해 쓰시마시 6개의 정 모두는 정부의 지원을 받고 있다(九州大學文學部地理學研究室, 2004).[285]

쓰시마의 산업은 1차 산업의 비율이 23.9%인데, 그 중 어업은 1차 산업의 82.6%를 차지하는 섬의 기간산업이다. 그러나 최근에는 어획량 감소와 어업종사자의 감소, 그리고 어업종사자의 고령화가 사회적 문제가 되고 있다. 2차 산업의 비율은 19.6%로, 소규모 영세기업인 식료품 제조업, 요업, 목재제조업이 대부분을 차지한다. 3차 산업의 비율은 56.5%로, 식료품과 도·소매업이 성하다. 주요 상점은 이즈하라와 미쯔시마에 집적해 있는데, 특히 아리랑 축제가 개최되는 이즈하라는 년 간 상업판매액의 48.5%를 차지하는 쓰시마시의 중심지이다. 그러나 중심지인 이즈하라의 인구는 15,485명밖에 되지 않고, 게다가 매년 인구는 감소추세에 있어, 지역 활성화는 섬의 사활이 걸린 매우 중요한 사안이다. 이는 쓰시마시가 속해있는 나가사키현의 문제이기도한데, 나가사키현은 섬과 반도가 과반을 차지하고 있어, 과소(過疎)와 고령화는 현 차원의 문제이기도 하다.[286]

---

284) 김일림(2003). 대마도의 문화와 문화경관. 한국사진지리학회 사진지리, 13, 91- 103.

285) 이훈(2005). 대마도 역사를 따라 걷다. 역사공간.

286) 八木康幸(1994). ふるさとの太鼓 : 長崎縣における鄕土芸能の創出と地域文化のゆくえ. 人文地理, 46(6), 23-45.

〈표 2〉 대마도 자원, 산업현황

분류	주요 내용
대마시 기구 현황	① 주소(住所): 일본국 나가사키현 쓰시마시 (日本國 長崎縣 對馬市: 2004년 3월 1일 市昇格) ② 시장(市長): 1명, 부시장(副市長): 2명, 시의원(市議員): 25명(임기4년) ③ 해외사무소: 대마도 부산사무소(051-254-9205) ④ 경찰서: 2개 ⑤ 소방서(지소+분소): 101개소 ⑥ 검찰지청: 1개 ⑦ 법원지원: 1개
대마도 위치	이즈하라↔후쿠오카=123km : 히타카츠↔부산=49.5km 이즈하라↔부　산=103km : 이즈하라↔동경=964km
대마도 면적 및 도로 총길이	대마도 면적: 약709㎢(708.66㎢): 도로 총길이: 1,100km(1941년경전쟁준비완료) - 제주도의 40%, 거제도 1.7배[287], 울릉도+독도의 10배[288]
지형	① 남 북 ↔ 82km, 동서↔18km로 세장형(細長形) ② 국도(國道)는 382번 도로이고, 길이는 91km ③ 해안선: 915km(제주도: 약 420km)
섬	섬 : 110개(본섬 3개+부속섬 107개) 유인도 : 8개(본섬 3개+부속 섬5개) 운하 : 2곳→만관교(万關橋), 대선월(大船越)→섬을 3개로 나눔

---

287) 대마관광물산협회(2009). 국경의 섬 대마. 대마관광물산협회. p.2.
288) 일본1위 크기 니이카타현 사도가시마(新寫縣佐渡島)와 2위 크기인 가고시마현 아마미 오오시마(鹿兒島縣籠美大島)에 이어 3위에 해당된다(단, 북해도의 부속도서 중 대마도 보다 큰섬 2개와 오끼나와 본도를 포함시키면 일본내 6위 크기의 섬이 된다).

분류	주요 내용
마을	인구 및 가구수 - 인구: 34,888명(2011년 9월 30일 기준), - 가구수: 13,500여 가구(노령인구: 35% 65세 이상, 가임인구 4%) 마을 : 125개 자연 마을로 구성 학교 : ① 초등-27 ② 중학-19 ③고등-3
자원	하천 : 45개 터널 : 52개 항구 : 11개 - (국제항구-2곳, 남쪽: 이즈하라. 북쪽: 히타카츠) 어항 : 53개(어선: 6300여척) 온천 : 4곳(① 타마노유, ② 아시유, ③ 호타루노유, ④ 나기사노유)[289] 발전소 : 4개 - (① 화력-3개소, ② 풍력단지-1곳. 풍력기 2기)
사찰	사찰 : 39개(일본 전국-약10,000개) 신사 : 29개(전국: 약20만) 포대적 : 31개 한국불상 : 133체
산업	식품공장 : 1,208개 종합병원 : 3개, 일반진료소 32개, 그 중 치과 19개소 산업 : ① 관광 및 관광관련 제조업 54%, ② 어업 21%, ③ 농업 0.8%, ④ 임업, ⑤광업 및 기타 등으로 구성되어 있다. 경제수목 ① 히노키(편백나무: 檜: 일명, 노송나무) ② 스기목(杉: 삼나무) ③ くぬぎ (참나무: 대주(對州) 숯이 유명)3종의 경제적 가 치가 1억2천8백만명이나 되는 일본인구 4년치 쌀값이 된 다고 한다. 어종 : 오징어(いか), 전복(鰒: あわび)[290],아까다이, 구로다이, 히라스

---

289) 미진도(美津島)유타리랜드→ 해수온천탕(海水溫泉湯)임.
290) 鰒: 복(전복)한국관광객의 가장 선호하는 해산물은 전복(鰒)이다.

분류	주요 내용
관광	한국어학습 : 3곳 　① 대마고등학교 한국어과(2003년 설치) 　② 대마시청 관광진흥과(150여명) 　③ 상대마정(상대마지소) 민속 자료관 : 7개(현립 1개+시립 6개) 서기1922년→대마도에 처음으로 자동차 운행(이즈하라: 嚴原↔ 게치: 鷄雉)291) 노선버스회사 1, 관광버스회사 4, 택시회사 13개 자동차번호판 　① 노랑색: 660cc이하 경차 　② 흰　색: 자가용과 렌트카 　③ 초록색: 영업용 　④ 노랑 바탕 검은색: 경차영업용 연간최다 한국관광객 수 : 약, 14만여명 호텔 및 여관: 27개. 민숙: 60개: 총87곳=1일 2,000명 숙박가능
생활	시조(市鳥) : 고려 꿩(コライキジ)292) 고구마(甘藷) : 대마도 말(차용어) 間引キ(마비키) : 식량부족으로 아이(女)를 솎아내는 제도(대마 도는 최근까지 존재했다) 한국인투자 : ① 대마도 대아호텔, ② 빅마마, 우끼죠 낚시민숙 　　　　　　　 등 6곳 대마도장묘문화 　① 한국식 상식석관: 대장군고분군 조일산고분군, 네소고분 　　군, 토노구비고분 등 대부분임293) 　② 일본식 옹관식(굴장(屈葬)과 발치(拔齒)식)294) 극히일부

---

291) 우리나라 최초 자동차 등장은 1903년이고, 이용한 사람은 고종황제였다.

292) 고려(高麗)꿩은 막부초기1600년대에(幕府初期1600年代)에 조선(朝鮮)에서 유
입(流入)되었다고 대마도(對馬島) 스스로 밝히고 있다. 대마관광물산협회
(2009). 국경의 섬 대마도. 대마관광물산협회. p.5.

293) 대마도가 한반도 생활권 내 예속(隸屬)되었었던 증거

294) 박경희(1990). 연표와 사진으로 보는 일본사. 서울 도서출판 일빛. p.11.

분류	주요 내용
경제	대마도 1인당소득 : 26,000달러($): (2009년) 대마도 1년 예산 : 300억엔(円)(상동: 上同) 대마도에 한국인이 구입한 토지(땅): 48,690㎡(14,728평) 일본인이 가지고 있는 한국의 토지(땅) : 1,931만㎡(5,841,275평) 대마도 교포 : 민단+임시거주인=총계69명(민단: 50명+임시거주 19명: 2010년 말) 대마도 민단연락처: 0920-86-2040 1999년 7월 14일~2010년 7월 13일까지 대마도 탐방 총 외국인 수: 751454명 1999년 7월 14일~2010년 7월 12일까지 대마도탐방 한국인 수: 745,340명295) 한국 관련 축제 ① 아리랑 마쯔리(8월 첫째 주土, 日요일) ② 친구음악제(8월 마지막 주日요일) ③ 국경마라톤 in 쓰시마(7월 첫째 주日요일) 부산 동래온천장을 상업적으로 최초로 이용한 사람(대마도인 도요타(豊田)) 서기1912년 : 대마도에 처음으로 전등불이 들어옴(島入): 서기 1887년 2월 10일: 우리나라에 처음으로 경복궁에 전등불이 켜짐

---

295) 서기(西紀) 2010년 12월 14일 대마시청(성수진) 확인(10년간 한국인외 외국인 대마도 탐방수: 6,114명)

한국의 은혜를
원수로 갚는 일본

1. 임진왜란 7년간 조선을 파괴한 일본의 침략 행위

2. 조선을 삼키기 위한 야만적 침략행위

3. 일제강점 36년간 조선의 약탈과 식민통치 정책

제5장

한국의 은혜를 원수로 갚는 일본

1. 임진왜란 7년간 조선을 파괴한 일본의 침략 행위

임진왜란 7년간 일본은 조선여인을 강탈하고 문화재를 불태우고, 보물을 약탈해 가고, 조선인구의 절반을 죽이는 등 전국을 초토화 시켰다. 이런 극악무도한 왜놈들을 가장 많이 죽이고 쳐부순 자가 육전의 영웅 정기룡 장군인데 인조반정 때 충신이란 이유로 역사에 매몰되어 있다.

임진왜란 7년 전쟁의 기록은 저자가 쓴 정기룡 장군의 전기 『영웅은 죽지 않는다』에 진실의 역사가 실려 있으니 이 책에서는 그 요지만 간단히 적어 보겠다.

1) 임진왜란 때 해전에는 이순신 장군(23전 23승), 육전에는 정기룡(鄭起龍, 60전 60승) 두 영웅이 있었는데 인조반정 때 선조의 충신이었다는 이유로 역사에 매몰시켜 지금까지 잊혀진 영웅으로 남아 있다. 정기룡 장군은 이순신 장군보다 공적이 3배나 많고 3도 수군통제사를 2번이나 역임한 수륙전을 겸비한 명장이었다. 효종과 송시열이 추진한 북벌계획 때도 한민족 최고의 전술가로 평가되어 북벌계획 총사령관으로 임명된 바 있다.

2) 박정희 전 대통령은 월남파병 무렵 군대 사기를 북돋우기 위하여 이순신 장군을 역사에 띄우고 아산 현충사를 성역화시켰고 2차로

정기룡 장군을 육군의 표상으로 성역화할 계획이었는데 10 · 26 사태로 무산되고 말았다.

3) 정홍기(鄭洪基) 작가가 조선왕조실록 자료를 찾아 왜곡된 역사를 바로 세운 저술이다. 대만과 일본 육군사관학교에서는 '정기룡 장군 전술학'을 연구하고 있는데 한국은 제 역사를 반대파라 하여 폐기시켜버리니 안타까운 사실(史實)이 아닐 수 없다.

2. 조선을 삼키기 위한 야만적 침략행위

19세기말에 시작되어진 일본의 조선 침략사는 일본이 전쟁이라는 방법을 사용하지 않고 자국의 군사적 힘을 배경으로 조선을 위협하여 국가를 송두리째 빼앗아 버리는 영활함의 극치를 보인다. 일본의 조선병합으로 끝을 맺은 일본의 침략을 크게 정한론과 강화도조약, 을사보호조약, 한일합방으로 나누어 설명하고자 한다.

1) 정한론(征韓論)

1653년 항해 중 태풍으로 제주도에 표착하여 14년 동안 억류되었다가 일본의 나가사키(長崎)로 탈출한 네델란드인 하멜(Hamel)에 의하여 「조선표류기」와 「조선국기」가 간행되고, 뒤이어 그것이 영 · 불 · 독어로 번역, 유럽에 전파됨으로써 서구제국에 조선에 관한 지식이 처음으로 전파되었다. 그러나 이러한 시실은 조선의 대외정책에 하등의 영향을 미치지 못했다. 또한 16세기 후반부터 19세기 초에 이르기까지 조선의 연안에 외국 선박이 10여 차례에 걸쳐 표류되어 온 일이 있었다. 그러나 그 때마다 조선 정부는 그들 표류선박을 불태워 버리고, 혹은 선원을 죽이는가 하면, 연료와 양식을 주어서 보내거나 선원을 중국 관헌에게 인계함으로써 조선의 대외관계에 이렇다 할 영향을 주지 못했던 것이다.[296]

1831년과 1832년 두 해에 걸쳐 충청남도 홍성군 고대도 부근에 영국 동인도회사 소속 상선이 내방하여 교역을 요청했다. 이것이 외국선이 정식으로 교역을 요청해 온 최초의 경우로서 이 사건으로 조선의 관민은 해외정세에 관심을 가지기 시작했다. 이에 조선정부는 중국정부를 통해 영국에 조선은 이양선(異樣船)의 금단구역이라는 점을 주지시키고자 하는 등, 자주적인 외교권을 행사하기보다는 쇄국을 굳게 지키고 시끄러운 일을 중국측에 떠미는 태도를 취했다.

1864년에 고종이 즉위함으로써 정권을 장악했던 흥선대원군은 강경한 배외정책을 추진하게 되었다. 이로써 1866년에 천주교도를 학살하고 미국의 셔어먼호를 격치하였으며, 이어서 병인양요를 발발하였고, 1871년에는 신미양요를 발발하여 프랑스와 미국을 격퇴하여 대원군의 쇄국정책은 한층 더 강화되었다. 신미양요 이후 대원군은 서울의 종로를 비롯하여 전국 각 도읍의 큰 길목에 양이(洋夷)가 침범하여 싸우지 않으면 화친해야 하는데 이것은 매국을 뜻한다는 내용의 척화비를 세워 자신의 쇄국정책에 대한 의지를 한층 더 강력히 나타내었다.

임지노애란 이후 한일관계는 비교적 안정과 평온을 유지할 수 있었다. 그러던 중 1854년에 미국의 페리(M.C, Perry)제독에 의해서 위협적으로 미일화친조약(美日和親條約)이 이루어졌고, 이후에 일본에서는 일대 정치적 변혁이 일어났다. 이런 정치적 변혁은 대조선 외교관계에도

---

296) 원유한 외(1984). 한국사대계, 조선말기. 도서출판 아카데미. pp.24-29.

큰 변화를 가져오게 했다. 중세 이래로 정권을 장악했던 막부체제는 붕괴되고 정권은 메이지천왕(明治天王)에게로 돌아갔다. 즉, 메이지유신(明治維新)으로 일본은 당시의 세계 정세를 바르게 파악하고, 선진 서구문물을 도입하여 근대국가로서의 체제정비에 힘쓰게 되었다. 메이지 정권은 1866년 신 정부의 발족과 때를 같이하여 구미 제국이 구성한 제국사회의 일원으로서 새로운 만국공법에 의한 외교정책을 지향하고자 했다. 일본은 이상과 같은 외교정책에 따라 새로 임명하여 조선과의 통교사무를 관장케 하는 동시에 그를 통해 일본내의 왕정복고(王政復古)를 통고하게 했다.

그러나 조선은 일본의 새로이 바뀐 외교정책과 외교격식을 구례를 고집하여 서계(書契)의 체제가 종래의 것과 다르다는 이유로 그 접수를 거부하고 다시 써 올 것을 요구했다. 일본측은 서계 체제가 달라진데 대하여 변명을 하여 보았으나 그것으로 조선 정부를 설득할 수는 없었다. 이에 일본에서는 대마도주를 통한 간접적인 외교접촉을 지양하고 외무성 관리를 직접파견하여 외무성의 서한을 보내왔는데 조선은 무례하다고 하여 상대하여 주지도 않았다.

1872년에 다시 일본 외무성 외무권대록 모리야마 시게루(森山茂) 일행이 와서 중개관과의 면접을 20여 차례나 요청했으나 조선 측에서 그들의 요청을 거절했다. 그래서 그들은 왜관을 나와서 직접 동래부에 들어가서 부사와의 면담을 시도해 보았으나 조선정부는 그들을 더욱 못마땅하게 생각하고, 철저히 왜관을 봉쇄하는 강경책을 썼다. 이에 그 해 8월 일본 외무성은 조선과의 외교적 접촉방법을 한층 더 강화하여 외무대승을 군함 3척과 함께 조선에 파견했고, 이에 조선정부는 자극되어 화륜선이 바다에 있는 한 교섭에 응할 수 없다는 태도를 취하게 되었다. 이로써 그들은 그대로 돌아가는 수밖에 없었고 조선정부의 봉쇄조치로 인하여 왜관은 고립상태에 빠져서 일용품의 공급마자도 끊어지는 상황에 놓이게 되었다.

이상과 같이 조선정부가 새로운 형태의 국교를 요청해 오는 일본측의 시도를 거절하고, 종래까지 특수무역을 허락한 왜관의 존재까지도 궁지에 몰아 넣게 되자, 일본내에서는 조선에 대한 강경론이 대두하게 되었다. 그것이 곧 사이고오 타카모리(西鄕隆盛) 등이 주장했던 바 정한론이 그것이었다. 사이고오는 스스로 견한대사(遣韓大使)[297]가 되어 외교적 타결을 시도하고 여의치 않으면 조선에 파병하여 무력행사를 하기로 결정하였다. 그러나 9월에 구미사절단으로 나갔던 이와쿠라 토모미(岩倉具視)[298] 등이 돌아왔다. 그들은 국력의 배양, 내치의 선결을 들어 정한론의 연기를 주장하여 1개월 여를 두고 논쟁을 계속하였다. 그러다가 수상이 된 이와쿠라는 그 해 10월 24일 정한반대를 결정하고 이를 무기 연기하였다.

사이고오 등은 자신의 주장을 굽히지 않아, 정국은 완전히 둘로 나뉘어져 정면으로 대립하게 되었다. 10월에 이르러 오오쿠보(大久保利通)의 막후 공작에 의해 정한론이 연기되자, 사이고오 등은 분개하며 즉시

---

297) 이현희(1986). 정한론의 배경과 영향. 대왕사. p.146. "사이고오는 정부각료이다가기에 이르기를 '지금 홀연히 군대를 조선에 보내서 거류민을 보호한다고 하면 조선은 우리 쪽의 행동을 침략으로 오인할 것이다. 용병의 정책을 중지하고, 책임있는 전권대사를 파견하여 조선과 담판하여야 한다'고 하면서 만약에 대사를 살해하기라도 하게 된다면 그 때야말로 정정당당하게 토벌할 시기라고 호언하였다."

298) 이현희(1986). 정한론의 배경과 영향. 대왕사. p.149. "장한론에 반대하는 자는 조선정벌 그 자체에 반대하는 것이 아니고 실력을 배양한 뒤에 철저히 그리고 영원히 조선을 침식, 지배하자는 보다 근본적인 문제접근에 본래 의도가 개재되어 있었던 것이다. 그러므로 정한론에 찬성한자나 반대한자나 조선을 침략, 지배하자는 근본방향에서 전혀 별개의 이견을 가진 것이 아니었다."

관직에서 물러났다. 정한론으로 물러난 사이고오는 그의 출신지인 카고시마(鹿児島)로 돌아가서 토호들을 규합하여 전체를 장악하였다. 카고시마는 마치 사이고오의 왕국처럼 되어 중앙정부의 정책마저도 무시당하였다. 정부에서는 이런 사이고오의 움직임을 간판하여, 그의 힘을 약화시킬 목적으로 카고시마에 있던 탄약과 무기를 오오사카(大阪)로 이동시켰다.

이 같은 정부조치에 사이고오는 극도로 흥분했으며, 부하들이 화약고와 조선소를 습격하여 정부의 무기와 탄약을 탈취하는 사건이 일어났다. 그는 1만 5천의 군사를 일으켜 쿠마모토(熊本)를 향하여 진군하였다. 오오쿠보를 비롯한 정부수뇌들은 즉시 정부토벌군을 파견하여 사이고 군을 격퇴하였으며 사이고오는 전사했다. 이것이 바로 정한론의 실체이다. 그러나 정한론자들이 비록 소탕되었다고 하지만, 일본내의 여론은 대한정책에 더욱 큰 관심을 가지게 되었고, 또한 그 이후 대조선 강경책을 더욱 계획적으로 추진되었으며, 운양호사건의 유발은 곧 일본이 가지는 정한론의 실제적 발로라고 보아야 할 것이다.

2) 강화도조약(江華島條約)

일본정부는 모리야마를 이사관에 임명하여 예조판서 앞으로 가는 일본 외무경의 서계를 지참하고 직접 동래부사에게 바치겠다고 군함을 타고 위세를 부리면서 부산에 들어왔다. 이에 당황한 부산훈도 현석연은 중앙에 문의하였고, 국왕과 대신들도 새로운 정세에 대처할 방책을 마련하지 못하고, 결국 다시 강경한 태도로 환원하게 되었다. 이에 이미 조선 국내 실정을 살핀 일본사절은 매우 분노하면서 서계봉납(書契奉納)도 못하고 돌아가고 말았고, 조선 내정을 면밀히 검토한 결과 자국

정부에 무력적 위협 하에만 외교교섭이 가능하다는 점을 보고하고 무력의 성원을 요청했다.[299] 이러한 요청에 따라 일본정부는 곧 군함 3척을 부산에 파견하여 조선에 공포를 주었으며, 그 후 4~5척의 군함을 증파하여 조선 김해 유역을 멋대로 돌아다니면서 시위를 하였다.

문제의 군함 운양호는 동해안의 영흥만까지 북상했다가 일단 나가사키(長崎)로 돌아가서 한동안 쉬었다가 1873년 8월에 재 출항, 서해안을 측량한다는 구실로 강화도에 접근했다. 강화도 동남방에 위치한 난지도 부근에 정박하고, 함장 등 수십 명이 단정을 타고 음료수를 찾는다는 구실하에 연안을 탐색하면서 초지진(草芝鎭) 포대에까지 접근하기에 이르렀다. 이 지대는 1866년 병인양요와 1871년 신미양요의 뼈저린 경험도 있었기 때문에 포대에 예고 없이 침입하는 이양선에 무관심할 수 없었다. 따라서 그들의 동정을 살피고 있던 조선 수병은 경고로써 그들에게 포격을 가하게 되었다.

이에 트집 잡을 기회만을 찾고 있던 일본은 이것을 호기로 생각하고 철수한 후 함재포로 초지진 포대에 맹렬한 포격을 가했다. 신식 장비로 무장된 일본 해군의 공격을 받은 초지진 포대는 순식간에 파괴되었고, 후퇴하면서 그들은 영종진을 포격하는 동시에 육전대까지 상륙시켜 약탈·살육을 자행했다. 갑자기 기습을 받은 영종진 수병 4, 5백명은 첨사 이민덕 이하 대부분이 패주하고, 35명이 전사하는 등 많은 포로와 무기를 약탈당했다. 이 사건에서 2명의 경상자만을 냈을 뿐인 일본은 나가사키로 돌아가서 자국 정부에 보고했다.

보고를 받은 일본정부는 이 근대 제국주의의 무력행사인 운양호사건을 정치·외교의 중대한 하나의 문제로 삼게 되었다. 한편 운양호사건

---

299) 원유한 외(1984). 한국사대계, 조선말기. 도서출판 아카데미. pp.27-32.

에 대하여 조선정부는 신속하고 적절한 조치를 취하지 못하고, 이처럼 중대한 일본의 침략행위를 후환이 두려워 도리어 사건을 모호하게 만들어 버렸다.[300]

일본정부는 구로다를 전권대사로 조선에 파견하여 다음과 같은 훈령을 내리고, 그 처리의 모든 권한을 위임했다. 즉, 일본정부는 그들에게 과거 7, 8년 동안 조선이 서계를 받지 않았던 일과 운양호사건의 책임을 동시에 문책하고, 국교의 갱신을 요구할 것이며 그리고 조선이 그들의 요구를 받아들여서 무역을 재개할 경우에는 운양호사건의 배상을 요구하지 않을 것이라고 하는 내용의 훈령을 내렸다. 또한 최악의 경우에는 무력행사도 불사하기로 하고 충분한 준비조치를 취하였다.

1876년 구로다 등 전권대사 일행은 군함 3척과 수송선 3척에 8백여 명의 병력을 싣고 부산에 도착했다. 이처럼 일본은 운양호사건을 크게 문제삼고 이를 계기로 하여 정면으로 조선에 위압을 가하면서 개국을 단행코자 했던 것이다. 이에 반해 조선측의 준비태도는 너무나도 허술했다. 일관된 방침 없이 대일정책이 무모하게 완화되기만 했을뿐 아니라 갈팡질팡하는 모습만 보였다.

이처럼 일본의 적극적이고 위협적인 외교적 도전으로 구로다 일행은 부산에 정박하여 정세를 살핀 후 본국에 요청하여 2개 대대의 병력을 증파받아 1월초에는 강화의 초지진 앞바다에 닻을 내리고 회담을 요구

---

300) 이현희(1986). 정한론의 배경과 영향. 대왕사. p.191. "조선의 위정자들은 사태에 당황하였을 뿐만 아니라 거시적인 대책은 세울 수도 없었다. 좌의정 이최응은 병인양요가 지난 후 10년 동안 병비를 강화했음에도 불구하고 이런 일을 당함은 훌륭한 장수가 없어서이니 적격자를 뽑아야 한다는 정도였다. 또 운양호에 대하여 정체를 밝히지 않고 이양선이라고 할뿐 심지어는 어느나라의 어느 사람이 무슨 연유로 침공하였는지 알 수 없다고 할 정도였다. 이와 같은 조선 위정자들의 처사는 의식적으로 사건을 은폐하려는 기색이 농후할 정도로 비굴하였다고 볼 수 있겠다."

하여 결국 개국의 태도를 확정하지 못하던 조선정부가 청국의 이홍장의[301] 개국이 유리하다는 서한을 받은 후 개국방침을 정하여 2월 3일에 양국대표는 강호부 연무당에 모여 12개조로 된 수호조규의 조인식을 거행한 동시에 비준서도 교환하고 축하연도 베풀게 되었다. 이 수호조약의 골자를 간추려 보면 다음과 같다.

제1조에서는 조선이 자주국(自主國)으로서 일본과 평등한 권리를 보유한다고 규정해 놓고 있다. 즉, 일본이 조선의 왕권을 존중 확인하는 것 같으나, 이것은 일본이 조선과 청과의 전통적인 유대관계를 단절시킴으로서 조선에의 침략에 청의 간섭을 배제하려는데 그 목적이 있는 것이다. 다른 조항에는 사절의 교환과 상주제를 허용할 것, 그밖의 두 곳을 개항할 것, 개항장에 있어서의 일본상인의 무역과 기지의 임차는 물론 가옥의 영조(營造) 등 거주의 편의를 제공할 것, 일본인의 항해자는 수시로 조선의 해안을 측량하고 해도를 편제할 수 있을 것, 범죄자는 일본 영사에 의해 재판을 받을 것 등을 규정하고 있다.

이 조약을 통하여 일본은 장차 개항장을 통해 일본인을 조선에 투입시킬 수 있게 되었고, 거기에 조차지(租借地)를 확보하여 일본세력 확장의 전초를 삼게 되었다. 조선에 침투한 일본인의 사업과 무역활동은 일본 군함의 호위를 받을 수 있고 그 위에 그들이 불법적으로 행위에 조선의 사법권은 미칠 수 없게 되었고, 일본인의 무역활동에서의 조선 관리의 간섭배제는 조선정부로 하여금 무역상의 어떠한 조치로서도 국

---

301) 운양호사건으로 야기된 조선과 일본의 관계는 청국으로서도 난처한 입장에 놓인 것이다. 만일 양국 간에 전쟁이 터지면 조선은 청국에 원병을 청할 것이고, 이에 응하지 않으면 청국의 조선에 대한 종주적 입장은 상실하게 될 것이다. 또 만약 일본이 조선을 무력으로 점령하면 장차 청국 자신이 위협을 받게 될 것이다. 그러므로 이홍장은 어떤 형태이건 양국간에 조약을 체결하여 평화를 유지하려 하였다.

내산업을 보호육성할 수 없게 했다.

따라서 강화도조약은 치외법권, 조차지의 설정, 해안측량의 자유, 무역에서의 관리 간섭의 배제 등 조선으로서는 일방적으로 불리한 조항을 규정한 불평등조약이었던 것이다. 조선정부는 당초부터 새로운 규정을 마련하는 데 적극적인 태도를 취하지 않고, 무사안일한 태도로 일관했으며, 국제 정세에 무지몽매했던 까닭에 일본의 강박하에서 이상과 같은 불평등조약을 맺게 되었다. 이후 한일관계 발전에 있어서 전적으로 조선이 불리한 조건에 놓이게 되었던 것은 이 강화도조약에서부터 비롯되었던 것이다.

3) 을사보호조약(乙巳保護條約)

조선 및 만주문제에 있어서 러시아와 극단적인 대립을 보이던 일본은 이러한 문제가 타결될 가망이 없음을 짐작하고 1904년 2월 4일 극비리에 어전회의를 열어 러시아에 대하여 전쟁을 하기로 최후결정을 내렸다. 2월 6일에는 러시아와의 일체의 외교관계를 단절하고 일본의 기득권과 정당한 이익을 보호하기 위하여 자유행동을 취한다는 요지의 최후통첩을 러시아에 보냄과 동시에 선전포고(宣戰布告)도 없이 군사행동을 취했다.[302] 먼저 일본은 8일 밤에 러시아 함대가 정박 중인 요동의 남단 여순항에 해군을 출동시켜서 불의의 야습을 감행했다. 러일전쟁을 유발한 것이다.

전쟁은 일본의 승리로 끝났으며, 미국의 주선 하에 양국은 포오츠머드 조약[303]을 체결하고 종전을 선언했다. 그 중요한 내용은 다음과 같다.

---

302) 원유한 외(1984). 한국사대계, 조선말기. 도서출판 아카데미. pp.125-151.
303) Portsmouth 조약, 러일전쟁의 강화조약. 1504년 2월에 일어난 러일전쟁에서

첫째, 조선에 있어서 정치, 군사, 경제의 일본의 우월권을 승인하고, 둘째, 청국 정부의 승인을 전제로 요동반도의 조차권과 장춘, 여순간의 철도를 일본에 위양하고, 셋째, 만주에 있어서 양국은 동시에 철수하고 동등한 권리로 통상을 존중한다.

이 회담을 주선한 루즈벨트 미(美) 대통령은 동일정부와 사전연락을 취했다. 또 일본은 그들대로 이미 영국과 더불어 협약도 맺은 것이다. 따라서 러시아까지 합쳐서 당시의 5대 강국이 일본의 조선침략을 승인한 것과 다름없는 결과가 되었다. 이로써 일본은 국제적 동의를 얻어 조선에 대한 독점적 지배와 만주진출의 확고한 터전을 마련한 셈이 된 것이다. 이때 더욱 주목되는 것은 다음과 같은 일본측의 선언이 부수각서 속에 포함된 것이다.

'일본국 전권위원은 일본국이 장래 조선에 있어서 취할 필요가 있다고 인정되는 조처가 동국의 주권을 침해하게 될 경우에는 조선정부와 합의한 후에 이를 집행할 것을 차에 천명함'

이 글의 내용으로 보더라도 어떠한 수단과 방법으로든지 조선정부의 동의만 획득할 수 있다면 그 주권도 침해할 수 있다고 규정한 것이다.

일본의 승리가 확정될 무렵인 1905년 8월 미국 루즈벨트 대통령의 주선으로 일본 외상 고무라와 러시아 전 장상 윗테가 미국 포오츠머드에서 체결했다. 8월 10일에 개최하여 9월 5일에 조약을 체겨함으로써 전쟁은 종말을 고하고 한국에 있어서의 일본의 우월권이 많이 부여되었다. 이 조약의 체결로 일본의 한국 침략은 세계열강의 묵인아래 공공연히 감행하게 되었고, 당시 하와이에 체류하던 윤병규 등 교포들이 루즈벨트 대통령에게 탄원서를 내었으나 바로 이해 7월 29일에 이미 가쯔라, 태프트 밀약까지 체결한 미국은 오히려 일본의 한국침략이 극동평화를 유지하는 길이라고 생각하고 있어 아무런 성과를 거두지 못하였다. 이로써 1882년에 체결한 한미수호조약은 사실상 이때를 계기로 무효화되고 만 셈이다.

그러므로 일본은 이 문구 때문에 일거에 조선을 무력으로라도 병합해 버리지 못하고 명색만의 보호라는 기간을 두어 이완용 내각 같은 친일 정부를 만들었고, 형식적 동의라도 얻고자 갖은 수단을 썼다 할 것이다.

조약 후에 동월 27일 일본 각의에서는 다음과 같은 사항이 정리되어 공식결정을 보고 일왕의 재가를 받았다.

① 조선에 대하여 보호권을 확립함은 이미 묘의(廟議)의 일정한 바 있으나 이의 실행은 금월로써 최호(最好)의 시기로 한다. 왜냐하 면 위에 대하여 영미 양국은 이미 동의를 주었을 뿐만 아니라 이외의 제국도 역(亦) 조일 양국의 특수한 관계와 전쟁의 결과를 고려하여 조선이 일본의 보호국인 것은 피할 수 없는 결과인 것을 묵인하는 것을 관철할 것을 기함

② 이와 같은 조약을 조선과 체결하여 조선의 외교관계를 전연 아 수중(我 手中)에 넣을 것

③ 경성 주둔의 목적으로 수송중인 제국군대를 가급적 본 건 착수 이전에 모두 입경시킬 것

④ 착수한 후 도저히 조선정부의 동의를 얻을 가능성이 없을 때에는 최후의 수단으로서 일방(一方) 조선에 대해서는 보호권을 확립하였다는 뜻을 통고하고 열국에 대하여는 제국정부가 이와 같은 조치를 취한 이유를 설명해 줄 것

이 내용을 보면 일본이 이 조약의 체결을 위하여 그 어느만큼 수단방법을 가리지 않았으며 또 어느 정도 면밀한 계획을 세웠는가를 엿볼 수 있다. 그 결정사항은 조선을 완전히 병합직전의 조치인 보호국을 만들기 위한 결정이었던 것이다.

이 같은 계획을 마친 하야시(林正和) 공사는 이토오(伊藤)보다 먼저 서울에 돌아와 하세가와(長谷川)와 협력하여 이토오의 도착즉시 단행

토록 만반의 준비를 갖추었다. 일진회로 하여금 보호찬성의 선언서를
사전에 발표하게 하여 민의(民意)를 조작하는가 하면 어용대신들을 동
원하여 조선이 사전대비를 못하게 막고 이완용 등을 사전에 찬성토록
매수하였다. 뿐만 아니라 일본에서 증원군을 받아 하세가와 군사령관은
서울 특히 궁궐 내외에 물샐틈없는 경계망을 폈다.

이 같은 준비가 된 후에 이토오는 일본왕의 친서를 가지고 내한한 것
이다. 11월 9일 내한하여 다음날 고종황제를 알현하여 일왕의 '짐이 동
양평화를 유지하기 위하여 대사를 특파하노니 대사의 지휘를 일종하야
조치하소서'라는 내용의 친서를 전하고 고종을 일차적으로 위협하였다.
고종과 이토오간에 오고간 대화를 요약하면 대략 다음과 같다.

이토오 : 이는 여러 가지로 생각한 끝에 결정한 조금도 변경할 수 없
　　　　는 확정이므로 만약 이 조약을 거절하면 중대사가 일어납니다.
고　종 : 짐(朕)은 조종 이래로 입국규모가 국가의 중대사건이 유(有)
　　　　할 시는 정부대소관리와 내외 유현까지 자순한 후에 결정하
　　　　므로 자의로 결정치 못한다.
이토오 : 폐하가 정부 신료에게 자순한다는 것은 있을 수 있으나 일
　　　　반인민의 의향을 찰(察)한다는 것은 이를 선동하여 일본제
　　　　안에 반항을 시(試)하려는 말씀이오니 이는 적지 않은 책임
　　　　을 폐하 스스로 자초하는 것입니다.
고　종 : 차안을 인허(認許)하면 즉 망국과 일반이니 짐은 차라리 종
　　　　사에 순(殉)할 지언정 결코 인허치 못하리라.
이토오 : 본안은 단연코 시일을 천연할 수 없습니다. 지극히 조결(早
　　　　決)을 요하므로 신속히 타결을 보시기를 칙명(勅命)으로 내
　　　　리십시오.

다음날 하야시 일 공사가 외부대신 박제순을 일관으로 불러서 조약 체결을 강박(强拍)하였고, 이후에 학부대신 이완용을 비롯한 조선의 조정대신은 조약체결에 찬성을 적극 표시하지는 않으나 대세 상 불가피하다는 것은 시인하였다.

11월 17일 오후에 궁궐에서 군신회의를 개최토록 조치하고 하세가와가 거느리는 일본군으로 하여금 궁궐내외를 완전무장한 채 몇 겹으로 둘러싸게 하였다. 또한 일본군은 일본공사관 앞 그 밖에 서울 시내 전역을 철통같이 경계하고 특히 시내의 각 성문에는 야포, 기관총까지 갖춘 부대를 배치하게 하고 또 다른 별동부대는 착검한 채로 끊임없이 시내를 시위행진토록 하고 본 회의장인 궁내에도 착검한 헌병경찰이 다수 침입하게 하였다.

이러한 위협적인 분위기를 조성하여 조약을 비준코자 했으나 조정대신들이 찬성하지 않고 회의를 마치자 폐회하고 돌아가는 각 대신을 강제로 붙들고 억지 회의를 열면서 고종에게 알현을 강청하다가 안 되자 다음날 새벽 12시 반까지 각 대신을 강박하여 마침내 소위 「을사오적」이라고 칭하는 대신들의 찬성을 얻고는 고종의 윤허(允許)도 받지 않고 자기들이 외부에서 외부인(外部印)을 강탈해 조인하고 말았다. 이로서 일본의 의도대로 조선의 외교권을 박탈하고 보호국화 한다는 을사조약이 체결되었다. 조약의 제 12조에 통감부의 설치에 관한 조항에는

'일본국 정부는 그 대표자로 조선황제의 궐하(闕下)에 1명의 통감을 두되 통감은 오로지 외교에 관한 사항을 관리하기 위하여 경성에 주재하고 친히 조선 황제에게 내알하는 권리를 갖는다. 일본국 정부는 또 조선의 각 개항장 및 일본국 정부가 필요하다고 생각하는 곳에 이사관

을 두는 권리를 갖되 이사관은 통감의 지휘하에 종래 조선 주재 일본
영사에게 속하던 일제 직권을 집행한다.'

라고 되었다. 이렇듯 조문에는 비록 외교에 관한 사항을 관리한다고
했지만 서울에 주재하는 일본인 통감은 사실상의 총독의 지위에 있었
고, 조선은 일본의 보호국이 된 것이었다. 무력으로 일본에 대항할 수
없었던 조선이 독립을 지키는 방법은 각국에 대한 외교활동으로 국제적
간섭을 초래하여 일본침략을 견제하는 길이었는데 이제는 이마저도 빼
앗기고 만 형국이니 병합의 길은 정해진 수순이 된 셈이다.

4) 한일합방(韓日合邦)

러일전쟁을 승리로 이끈 일본은 여세를 몰아 을사보호조약을 체결하
여 재정은 물론 외교권마저 수중에 넣었다. 따라서 조선정부로서는 공
식 외교사절을 파견하여 일제에게 침식되는 조선독립을 세계 각국에 호
소 주장하는 것이 불가능하게 되었다. 그리하여 일제의 감시를 피하여
밀사를 파견하여 그것을 실현하려고 하였다.[304]

1907년 6월 고종(高宗)은 네덜란드의 수도 헤이그에서 개최되는 만
국평화회의에 밀사를 파견하여 열국의 후원을 얻고자 했다. 고종은 이
위종, 이상설, 이준 등 3명의 대표자에게 신임장을 소지(所持)시켜 의장
을 면회하고 조선정부가 초청되지 않음을 질문하는 동시에 회의에 참석
하여 발언할 수 있기를 요청케 하였다. 그러나 일제에 의하여 방해를
받아 회의장에 입장도 하지 못하게 되었다. 제국주의 열강들은 자국의
외교상 실리를 고려하여 일본 편을 들고 있었다. 그리하여 밀사들의 정

---

304) 원유한 외(1984). 한국사대계. 도서출판 아카데미. pp.152-164.

실발언은 끝끝내 거부되고 가까스로 네덜란드의 신문인 윌리엄 토머스 스테드(W. Stead)의 동정을 얻어 평화회의를 계기로 개최된 국제협회에서 일장의 호소를 할 수 있는 기회를 얻게 되어 이위종이 세계 언론인을 대상으로 조국의 비통한 실정을 호소하였다.

7월 1일 헤이그로부터 밀사사건에 대한 전보를 받은 이토오는 조선정부에 대하여 공갈협박의 태도로 임하였다. 그들은 밀사사건을 가리켜 "조일협약을 무시한 것이요, 일본의 국제위신을 상실케 한 것이라 이는 곧 일본을 적대시한 것이니 일본은 조선에 대하여 선전포고도 감행할 것이라."하면서 협박하였다.

이어 7월 6일부터 18일에 이르는 동안 이토오가 고종황제에게 직접 면담도 하면서 이완용(李完用), 송병준(宋秉畯)305) 등과 함께 고종의 퇴위를 강요하였다. 특히, 송병준 등은 황제에게 책임이 있다고 하면서 황제가 친히 일본왕을 방문하여 사과하라고 하면서 강박하였다. 이와 같은 협박에 7월 18일 밤 고종은 밤새워 항거하다 못하여 굴국 황태자로 하여금 직무를 대리케 한다고 승인하고 말았다. 고종의 퇴위소식에

---

305) 송병준(宋秉畯, 1858~1925)은 조선 고종 때의 친일파·민족반역자로 함남 장진 출신이다. 서울에서 민영환의 식객으로 있다가 무과에 급제, 수문장, 훈련원 판관, 오위도총부 도사를 거쳐 사헌부 감찰을 지냈다. 임오군란 때 겨우 살아나 1884년 갑신정변 후 밀령을 받고 김옥균을 암살하기 위하여 도일했으나 오히려 그의 감화를 받고 동지가 되었다. 1886년 귀국 후 김옥균과 내통한 혐의로 투옥되었으나 민영환의 주선으로 방면되어 흥해군수를 역임하다 정부의 체포령이 내려 일본에서 망명하여 노다라는 일본 이름으로 개명하고, 야마구찌현에 살았다. 러일전쟁이 일어나자 일본군의 통역관으로 귀국하여 윤시병, 이용구 등과 일진회를 조직하였고, 헤이그밀사사건 후에는 황제 양위운동을 벌였다. 1907년 이완용 내각의 농상공부대신·내무대신을 지내며 한일합방 상주문을 제출하는 등의 매국활동을 했고, 그 후 일본에 가서 한일합방을 위한 매국외교를 하여 전 국민의 지탄을 받았다. 합방 후 그 공으로 조선 총독부 중추원고문이 되었으며 1920년 백작에 올랐다.

서울시민은 도처에서 가두연설회를 하면서 일제를 성토하며 열변을 토로하고 도처에서 일경들과 충돌하기도 하였지만 일제에 의해 모두 진압되고 결국 총칼의 위협속에 퇴위식이 거행되었다.

헤이그밀사사건을 계기로 고종을 강제 퇴위시킨 일제는 이어 전국의 군대를 강제로 해산시켰다. 1907년 7월 31일 이토오의 요청에 의하여 새로 등극한 순종(純宗)은 군대해산에 대한 조칙을 국가경제의 자금문제를 이유로 들어 발표하였다. 이 같은 조칙에 전국 군대를 해산시키고자 통감부는 사전에 치밀한 계획을 세워 먼저 중요 무기와 화력은 일본군의 관리하에 두었고 조선정부와 극비리에 소위 7개조의 정미비밀각서(丁未秘密覺書)를 교환했다. 이 각서는 일본의 조선군 해산에 대한 법적증거를 마련한 것이다. 그리고 군대 해산에 따른 조선군의 무력항쟁을 예상하여 일본으로부터 1개 여단을 증파 받아 전국에 배치하였다.

8월 1일 대대장급 이상의 장교들을 일본군 사령관의 관저에 모이게 하여 군부대신 이병무가 군대해산의 조칙을 발표하였다. 동시에 군대해산에 따른 폭동진압 임무를 황제가 통감에게 의뢰한다고 발표하였다. 이로써 공식적으로 나라의 마지막 보루인 군대가 해산되고 말았다.

군대해산에 반대한 1연대 1대대장 박성환 참령의 자결이 계기가 되어 나라를 지키려는 군인들이 항쟁을 일으켜 전국 의병항일전을 불러일으켰다. 먼저 서울 시위대의 소식이 각 지방에 전해지자 크게 격분한 도처의 진위대 및 민간 백성들 사이에서 의병항쟁이 벌어졌고, 해산군인들이 이에 합세하여 전력을 높이고 조직을 강화해 전국적으로 항쟁을 하였다. 군대해산을 계기로 한 의병항쟁은 압록강 이북의 간도와 두만강 대안의 시베리아에서도 의병이 일어나 대대적인 두만강 도강작전을 준비하기도 하였고, 1907년 말 전국의병의 총 역량을 결집하여 13도 창의군 결성까지 보아 성루 진공계획까지 추진하기도 하였다. 그러나 이후 이 계획은 강화된 일군 저지를 뚫지 못하여 큰 성과를 올리지 못하고 말았다.

의병항쟁과 더불어 구국을 위한 항쟁은 나라를 팔아먹은 매국노와 일제 정객에 대한 테러 및 암살기도로 이어져 1909년 10월 16일 조선침략의 기반을 닦은 이토오가 안중근 의사에 의해 러시아의 블라디보스톡 하얼빈역에서 사살되었고, 을사오적 중 제1등 공신인 이완용은 이재명(李在明)[306] 의사에 의해 중상을 당하기도 하였다.

1910년 5월 일본은 조선병합의 임무달성을 위해 그들의 육군대신 데라우치(寺內正毅)를 통감으로 임명하였다. 그는 그 준비공작으로서 먼저 헌병제도의 강화와 경찰제도의 정비에 착수하였다. 조선인 무뢰배를 모집하여 일본인 헌병 한 사람 밑에 3, 4명씩 배속시켜 사기·강도·강간 등의 악행을 허용해 주는 대신 무장 항일투쟁의 일에 밀정으로 썼다. 경찰제도의 정비란 조선경찰을 일본경찰에 통합시킨 것이다. 데라우치는 1910년 6월 총리대신 박제순과의 사이에 각서를 작성하여 종래에 가지고 있던 사법·경찰권 이외에 일반 경찰권마저 탈취하여 완전히 손아귀에 넣었다.

1910년 7월 29일 부상으로 있던 이완용이 박제순 대신 다시 총리대신이 되었고, 이후 전국의 각 요지에 일본군부대와 헌병대가 재배치되어 삼엄한 경계망을 펴고 「조일병합에 관한 조약」이 체결되고, 8월 29일

---

306) 이재명(李在明, 1890~1910)은 독립운동가로 평북 선천 출신이다. 14세에 기독교인이 되어 1907년 대한노동이민회의 하와이 이민모집에 응모하여 미국에 유학하고 온 후 독립운동을 위해 블라디보스톡에 가 있다가 1909년 12월 22일 명동의 천주교회에서 벨기에 황제 레오폴드 2세의 추도식에 친일파 두목 이완용이 참석한다는 말을 듣고 군밤 장사로 가장하고 대기하다가 이완용의 배를 찌르고 체포되어 사형을 당하였다. 1962년 대한민국건국 공로훈장 복장이 수여되었다.

발표되어 드디어 일제에 의한 조선침략이 완성되고 조선은 일본의 식민지가 된 것이다.

3. 일제강점 36년간 조선의 약탈과 식민통치 정책

일제의 동화주의 지배이데올로기는 식민지 통치정책을 통해 살펴볼수 있다. 식민지 통치 정책은 다음과 같은 헌병 경찰 통치에 의한 지배체제 구축기로 초기 동화정책기(1910년 병합~1919년 3.1운동), 회유정책인 문화통치를 통한 동화정책 정착기(1919년 3.1운동~1931년 만주사변), 민족 말살통치 정책을 통한 동화정책 강화완결기(1931년 만주사변~1945년 패전)의 3시기로 구분한다.[307]

1) 헌병경찰에 의한 지배체제

(1) 정치정책

첫 번째 통치기는 1910년대의 헌병경찰 통치를 통한 초기 동화정책기이다. 1910년 한국을 강제 병합하자 일제는 극도로 준엄·가혹한 통치를 감행했다. 무단통치라고도 불리는 3.1운동까지의 일제의 통치는

---

307) 강창일(1994). 일제의 조선지배정책. 역사와 현실, 12, pp.38-43. 시기구분은 일반적으로 3.1독립운동과 경제공황·만주사변을 결정적인 기점으로 삼아서 1910년대 무단통치기, 1920년대 문화 통치기, 1930년대 이후 황민화 정책기 혹은 대륙병참기지화로 나누는 것이 보통이다. 그러나 강창일(1994)는 이러한 구분법은 만주사변이후 패망때까지를 15년 전쟁으로 묶어 한 기간으로 설정하는 일본 근현대사의 시기구분을 그대로 한국사에 적용한 듯하며, 구체적인 연구성과를 토대로 한 것이 아니기 때문에 정합되지 않는 것이 많아 전면적인 재검토가 필요하다고 주장하며, 만주사변이 아닌 중일전쟁을 기준으로 2, 3 시기를 구분하고 있다.

일종의 군정(軍政)체제였다. 군(郡)마다 상주한 헌병이 경찰관을 겸해 문관계통을 제쳐놓고 광범한 행정권에서 즉결 재판권까지 행사했다.

이 체제의 정점에 자리잡는 총독은 천황에 직속하고 육해군의 통솔권을 가지며 직권으로 총독부령을 제정하는 권한이 부여되고 있었다. 그리고 총독은 육해군의 대·중장이 친임되고 정무총감이 총독부행정을 보좌하기로 되어 있었다. 그리하여 전체 분위기는 문자 그대로 무단적이어서 공립학교의 교원이 칼을 차고 교단에 서는 정도였다.

일제는 '동화주의'를 내세웠으나 그것은 극도의 자기기만으로 한민족의 어느 부분에도 권력을 나누어 주지 않았다. 즉, 국왕, 봉건 대관료를 일제의 귀족제도에 편입하여 중추원이라는 한직(閑職)에 가두어 넣고, 군수 등 재래의 지방관을 총독부의 말단기구에 흡수하여 유교와 구양반 지주 계층을 지배의 사회적 지주로서 개편·이용하고자 했지만 그들을 실권에서 떼어 놓기 위해서는 용의주도한 방책이 강구되었다.[308]

이와 같은 무단통치 체제를 구축하고자 일제는 한민족의 일제와의 동화를 위한 사상적 강압에 나섰다. 조선의 신문을 폐간하고 민족 언론의 금압(禁壓), 민족어·민족 문화 말살 등이 그것이지만, 특히 애국계몽운동의 일환으로 설립한 다수 사립학교를 몰수하여 관·공립학교로 개편하고 그 교육내용은 한민족의 말살, 즉 한민족을 일본제국의 신민으로 만드는데 주안점을 두도록 했다.

이 민족말살의 교육방침에 따라 한국의 역사는 이민족에 의해 지배되어 온 타율적이고, 자주적 발전이 없는 정체적인 역사이며, 그리하여 사대성과 당파성이 한민족의 특성이라도 왜곡해서 가르침으로써 민족적 패배주의와 열등감을 조성하는 반면에 일본의 역사는 이를 날조·과

---

308) 차기벽(1985). 일본제국주의 식민정책의 형성배경과 그 전개과정. 남해문화사. pp.30-32.

장해서 가르침으로서 한민족은 역사적, 필연적으로 일본 민족에 예속되어 마땅하다고 가르쳤다.

한인에게 이렇듯 민족적 열등감을 주입시킨 것은 일본인에게 저렇듯 지도적 국민으로서의 우월감을 고취한 것과는 대조적이다. 일제는 그러한 기초교육을 통해서 한민족의 독립사상을 근원적으로 붕괴시켜 한민족을 말살하여 일제에 동화시키기 위한 작업을 조직적으로 전개했다.[309]

두 번째 통치기는 1920년대의 문화통치를 통한 동화정책 정착기이다. 한민족이 무력에 의해 통치되는 것으로 믿고 있던 일제는 한민족이 주도한 3.1운동에 직면하여 큰 충격을 받지 않을 수 없었다.

일면에서 3.1운동을 '공설(公設)에 촉구된' 것이며, '다소 기밀비를 사용했더라면 방지'할 수 있었다고 논하면서도 일본의 지배층은 타면에서는 '오늘은 중요한 시기이므로 보통의 결심으로는 안된다'고 강조했다.[310] 그러나 그것은 일제의 한국통치가 용이치 않은 사태에 직면했음을 인정했을 뿐, 한국의 민족적 요구에 보답하려고 했던 것은 아니다. 3.1운동에 대한 가혹한 탄압과 이른바 문화통치로의 전환이 그것을 말해준다.

한민족의 거대한 저항에 부딪쳐 노골적인 민족말살 통치와 경제적 수탈정책의 동시추구가 불가능함을 깨닫고, 일제가 민족말살을 통한 동화정책을 일시 후퇴시켜 한민족의 요청에 응하는 듯이 보이기 위해 표

---

309) 더군다나 1911년에는 '105인 사건'을 날조하여 민족 간부급 인사들을 6백여 명이나 체포·투옥하고, 1918년까지는 각 지방의 애국인사 약 9만명을 투옥·사살했다. 일제는 이런 조치에 의해서 한민족의 저항을 침묵시켜 새로운 세대를 일제의 최하층으로서 교육할 수 있다고 오산했던 것이다. 차기벽 (1985). 일본제국주의 식민정책의 형성배경과 그 전개과정. 남해문화사. p.32.

310) 차기벽(1985). 일본제국주의 식민정책의 형성배경과 그 전개과정. 남해문화사. pp.32-35.

방한 것이 문화통치였다. 그러나 일제가 표방한 문화통치는 어디까지나 기만적인 회유책에 불과했다.

한민족을 원천적으로 말살·동화하려는 일제에 대한 식민지 통치 정책의 근본의도에는 추호의 변함도 없었고, 3.1운동으로 악화된 국제여론, 특히 미·영의 비난에 대처하기 위해 고안된 문화통치는 도리어 종전보다 한층 더 심화된 한민족의 속체화(俗體化) 정책이었다고 하겠다.311)

일제는 조선인을 동화시키기 위한 가장 효과적인 방법이 교육이라고 생각했다. 따라서 교육정책에 있어 교육령을 개정하여(1922) 내지(日本)의 교육제도와 거의 같은 제도를 도입하기에 이르렀다. 일제는 공립보통학교의 확충을 위하여 서당을 폐지하여 사설 학술 강습회로 바꾸고, 사설 학술 강습회는 단계적으로 사립학교로 바꾸고, 사립학교는 사립보통학교로, 사립보통학교는 최종적으로 공립보통학교로 바꾸는 방식으로 교육을 통한 정책으로 한민족을 일제에 동화시키기 위한 동화정책을 정착시켰다.312)

내외의 저항·비난 때문에 한국 지배 그 자체가 위태롭게 될 정세를 걱정하여 일제가 무력위주의 기본통치방식은 그대로 유지하면서도 군을 식민통치의 제1선에서 일단 후퇴시킨 것도 같은 맥락에서 이해할 수 있다.

일제는 한민족이 전개한 민족문화운동에 대항하여 고차원적인 동화주의 식민정책을 실시하기 위해 1922년 총독부 안에 조사과(調査課)를 신설하고 정책조사자료를 수집, 정리하는 한편, 1925년에는 조선사편수

---

311) 차기벽(1985). 일본제국주의 식민정책의 형성배경과 그 전개과정. 남해문화사. p.34.
312) 호사카 유우지(2002). 일본제국주의의 민족동화정책 분석. 제이앤씨. pp.27-46.

회를 설치하여 한국사를 타율적, 정체적, 사대주의적 역사로 날조하기 위한 작업에 본격적으로 착수하였다.[313]

세번째 통치기는 1931년 이후로 민족말살 통치를 통한 동화정책 강화완결기이다. 만주사변은 그 성격상 '간도출병(間道出兵)'[314]의 규모를 확대시킨 것이라고 볼 수 있다. 또한 만주사변으로 한반도의 전략적 지위가 더욱 높아졌다.

만주사변의 원인과 목적은 단지 중국과의 전쟁이란 국면에서만이 아니라 일제의 한국지배의 모순과도 결부시켜 논해야 하지만, 확실히 만주사변에는 일제가 만주를 장악함으로써 한국지배의 안정화를 꾀하려는 측면이 있었다.[315] 그런데 일제의 만주장악은 단지 한국지배의 안정화에 그치지 않고 한걸음 더 나아가 앞으로는 일제가 중국본토를 침략할 발판의 구실도 하게 된다. 이에 한반도는 일제가 중국으로 더욱 진출하는 병참기지로서의 가치가 한층 더 높아지고, 그만큼 일제가 한반도를 보다 확고하게 장악할 필요가 커졌던 것이다.

이렇게 되자 일제의 문화통치는 끝나고 노골적이며 야만적인 탄압과 수탈이 강행되었다. 즉, 일제는 만주침략을 계기로 또다시 민족 말살통치를 강화하여 민족 동화에 한층 박차를 가하는 한편, 병참기지화 정책에 부합되도록 식민지수탈정책의 재전환을 강행했다.

일제는 만주침략을 강행하면서 한국인에게는 한국역사는 물론이며, 한국어와 한글의 사용까지도 금하고 모든 문화행사를 엄격하게 규제했

---

313) 차기벽(1985). 일본제국주의 식민정책의 형성배경과 그 전개과정. 남해문화사. pp.36-37.
314) 1920년 간도에 일본군을 파병하여 만주에 있어서의 한국인의 독립운동을 탄압함으로써 한국지배를 위협하는 화근을 뽑으려고 했다.
315) 차기벽(1985). 일본제국주의 식민정책의 형성배경과 그 전개과정. 남해문화사. pp.37-38.

다. 그렇게 하면서 일제는 일본역사 속에 한국역사의 일부를 집어넣어 고대 이래 한민족은 일본민족의 지배를 받도록 역사적으로 운명 지어져 있다고 가르치고, 나아가 일본어를 아는 충량(忠良)한 신민(臣民)을 기르기 위해 교육정책을 펼쳤다.

일제는 1936년 동아일보의 무기정간을 필두로 그들의 민족말살 통치에 저항하는 한국인의 언론기관과 문화단체를 탄압했다. 이어 1937년에 중일전쟁을 도발하고는 이른바 창씨개명을 강요하는 한편 그를 바탕으로 강제 동원을 하는 등 황민화(皇民化)라는 슬로건 밑에 공공연하게 민족말살 통치를 통해 조선을 일제에 편입하려는 동화정책의 강화를 강행했다.316)

이러한 맥락으로 볼 때 조선에 대한 일본의 식민지 동화정책은 동화주의 정책이 점진적으로 강화되는 가운데 진행되었음을 알 수 있다.

(2) 경제정책

일제는 민족말살 통치와 더불어 경제적 약탈을 위해 식민지 수탈정책을 자행했다. 원래 일제의 한국병합은 일본 독점자본의 팽창을 위한 것이었던 만큼, 일제의 식민지 수탈정책의 당면목표는 일본 독점자본의 진출에 대비한 환경적 조건을 정비하여 상품시장을 확대시키는데 있었다. 이는 구체적으로는 조선의 자주적 자본주의 발전의 억압과 일본의 지주 등 자본진출의 추진으로 나타났다.

회사설립 허가제를 내용으로 하는 회사령(1910)은 화폐정리의 뒤를 이어 전자를 목적으로 한 것이었다. 후자를 목적으로 한 토지조사사업

---

316) 차기벽(1985). 일본제국주의 식민정책의 형성배경과 그 전개과정. 남해문화사. pp.38-42.

은 1010년부터 시작해 수만은 비난과 저항 속에서 약 8년 반이나 지속되었다.[317] 근대적 토지소유자의 확립을 명분으로 내세우면서 소유권자의 자기 신고제와 소유권 인정기관의 운영 등을 통해 도리어 근대적 자영 소농민의 토지소유를 압박·제한하여 일본인 대토지소유를 창출하여 일본 국내의 경제적 침체를 해결하는데 이용하였고, 부분적으로는 조선의 봉건적 양반지주의 소유권을 인정한 것이었다.

이렇게 해서 확립된 반봉건적 고율소작제도는 조선에서 최대한의 식량을 수탈해가는 데 이바지했고, 일제의 식민지 통체의 재정자금을 마련하기 위해 고율의 지세도 부과했다.

일제는 무력으로 조선을 강점하고 가혹한 수탈을 자행하면서도 세계에 대해서는 각종 출판물과 외교활동을 통해 한국인들은 일본통치 밑에서 행복하게 살고 있다는 허위선전에 힘썼다.[318] 이는 국제적 각축의 초점이 되어 온 조선을 일본이 병합했던 것이니만큼, 일제는 구미제국의 감시를 의식하지 않을 수 없었던 것이다.[319]

문화통치에 일제는 노골적인 민족말살 통치를 완화하여 민족을 회유하려는 듯한 정책을 펴면서도 식민지 수탈정책은 이를 한층 더 강화하는 동시에 한국경제를 일본자본주의에 예속시키는 정책을 진행했다.

1920년대에 접어들자 일본 독점자본은 본격적인 자본수출을 요구할 단계에 도달하여 이제는 필요없게 된 회사령도 철폐되었다. 조선은 이제 일본의 공업화에 필요한 식량과 노동력을 값싸게 공급하는 일을 맡게 된 것이다. 그래서 20년대의 자본수출은 농업부문과 관련, 가공·유

---

317) 권태억(2001). 동화정책론. 역사학보, 172, p.359.
318) 차기벽(1985). 일본제국주의 식민정책의 형성배경과 그 전개과정. 남해문화
　　　사. p.40.
319) 차기벽(1985). 일본제국주의 식민정책의 형성배경과 그 전개과정. 남해문화
　　　사. pp.38-42.

통부문이 중심이 되었다. 쌀 소동의 경험에 비추어 일제는 국가자본을 한국의 농업부문에 투입, 생산력을 증대시켜 그 증대된 부분을 일본으로 반출하는 것을 내용으로 하는 산미증식계획을 입안, 이른바 조선경제의 미곡단일재배를 추진했다. 일본인의 입맛에 맞는 몇 가지 제한된 품종을 강요한 것이다. 그 결과 한국의 쌀품종 종류는 오히려 일본보다 훨씬 적은 상황이 되었다.[320]

반봉건적인 고율소작제도 밑에서 왜곡된 상품경제의 농촌에의 침투는 소농상품 경제의 발전을 제약하고 그 계층분화를 진행시켜 많은 빈농을 양산시켰다. 빈농은 소작할 기회를 얻는데도 경합하지 않을 수 없었고, 불리한 조건도 참아야 했다. 이리하여 인구압력에 밀려 무작정 이농하는 농민이 점증했다.[321] 이러한 사태는 거꾸로 일본인 지주를 주력으로 하는 반봉건적인 기생지주제를 강화시켜 그들 대지주의 고율소작료를 실현시켰다. 그리고 어떠한 저임금으로라도 일하지 않을 수 없는 이농한 과잉노동력은 식민지 한국에 있어서의 일본자본의 초과이윤의 원천이 되었다. 이는 그만큼 한국 농업구조를 약화시키고, 농민경제의 파탄을 가속화시키는 것이었다.[322]

한편 위와 같은 한국 민중의 긴박한 상황을 악용하여 일제는 일본에로의 도항정책(渡航政策)을 끊임없이 조절하면서 그때그때 자본이 필요로 하는 만큼만 그들을 일본의 노동시장의 최저변에 도입했다. 일본에서 저임금노동에 혹사당한 한국인 노동자는 일본인 노동자의 임금을 저하시키는 원인이 되는 반면, 차별임금·차별대우를 통해 일본인 노동

320) 한영우 외(2005). 한국사 특강. 서울대학교출판부. p.251.
321) 차기벽(1985). 일본제국주의 식민정책의 형성배경과 그 전개과정. 남해문화사. pp.38-42.
322) 한영우 외(2005). 한국사 특강. 서울대학교출판부. pp.251-252.

자와의 민족적 대립을 불러일으킴으로써 일본인의 대내적 통합 내지 민족적 단합을 촉구하는데 이용되었다.323)

만주사변 이후 전시체제가 강고해지며 일제는 식민지 수탈정책으로서 이제는 식량·원료의 공급지화 및 상품의 독점적 판매시장화 정책에 그치지 않고, 대륙침략을 위한 병참 기지화 정책을 적극 추진하게 되었다.

대륙침략을 위한 병참 기지화 정책에 대응하는 동시에 공황으로부터의 탈출을 도모하는 일본자본의 진출에 의해서 1930년대에 들어가 한국에서는 공업생산의 비중이 급속히 높아졌다. 30년대 초에는 화학공업·수력발전소·근대적 방적공장이 등장하고, 마침내 중일전쟁 이후로 되면 지하자원 수탈의 강화와 더불어 중공업화의 양상이 한층 더 강하게 되었다. 이는 일본 독점자본의 진출분야는 일본제국주의가 시급히 확충하려는 군수산업 부문에 집중되었고, 조선 총독부 정책 역시 그들의 이윤보장을 통한 군수산업 확충이라는 방향으로 전개되어 갔던 것이다.324) 그러나 이 광공업의 발전이 한국의 민족경제의 발전보다는 한국의 경제를 점점 더 파행적이고 기형적으로 만들어 일본자본주의에의 종속을 더욱 강화하는 한편 한국으로서는 귀중한 자원과 노동력이 약탈당한 데 불과했다.325)

---

323) 차기벽(1985). 일본제국주의 식민정책의 형성배경과 그 전개과정. 남해문화사. p.41.
324) 허수열(1985). 1930년대 군수 공업화 정책과 일본 독점자본의 진출. 남해문화사. pp.235-236.
325) 차기벽(1985). 일본제국주의 식민정책의 형성배경과 그 전개과정. 남해문화사. pp.41-42.

2) 황민화 정책

황민화 정책은 1931년 만주사변 이후 전시체제를 준비하는 과정에서 수행된 조선인을 대상으로 한 정책으로서 조선을 총동원체제로 전환하기 위한 필수적인 전제조건이다. 황민화 정책은 조선인을 황국민의 신민, 즉 국민으로 만드는 것을 목표로 한 정책이다.

즉, 황민화 정책은 조선민족을 완전히 일본천황의 백성인 황국신민으로 만드는 정책이므로 조선인의 정체성을 말살하는 것이 전제가 되었다.[326] 사상적 토대는 이전 시기부터 계속된 동화정책에 있으며, 이 황민화 정책이야 말로 동화정책이 가장 잘 드러나는 정책이라고 할 수 있다.

일제는 1937년에 중일전쟁을 도발하고는 이른바 창씨개명을 강요하는 한편, 그를 바탕으로 강제로 군사징용을 하는 등 황민화(皇民化)라는 슬로건 밑에 공공연하게 한민족말살정책을 통해 조선을 일제에 편입하려는 동화정책의 강화를 강행했다. 그 이전부터 일선동조론 등을 주장하며 한민족을 황민화하려는 정책을 펴왔으나 중일전쟁을 도발하게 되며, 황민화에 더욱 박차를 가하게 된다. 그런 정책의 대표적인 사례는 교육정책과 창씨개명 정책, 그리고 인적·물적 강제동원 정책이라고 할 수 있다.

(1) 교육정책

조선을 식민지화한 일제가 당면한 가장 시급하고 중요한 문제는 조선을 일시적인 착취대상으로만 생각하지 않고 다양한 식민지 통치 정책

---

326) 한국정신문화연구원(2003). 일본 역사교과서의 한국관련 내용 조사분석 및 시정자료 개발. 2003년도 교육인적자원부 위탁 연구과제결과보고서. pp.319-320.

을 통하여 동화시킴으로써 영구 식민지로 만드는 것이었다. 그리하여
일제가 가장 적극적으로 조선의 동화를 위해 적용시킨 것이 국가에 의
한 통제와 관리를 통한 교육정책이었다. 일본어와 일본역사 등의 교육
은 일본의 동화정책을 실현하는 가장 중요한 수단이었다고 할 수 있
다.[327]

동화를 위한 교육 정책의 특징은 내지 언어의 강요에 있다.[328] 또한
고등교육이 아닌 초등교육의 보급에 힘쓴다.[329] 교육에 있어 피지배민
을 천황에 충성하는 일본인으로 개조하기 위한 동화정책이 시행되었지
만 점진적 방법을 택했다고 할 수 있다.[330]

일제는 이러한 목적을 달성하기 위해 조선을 무단적인 통치 또는 문
화통치를 통해 조선인을 황국신민화하려는 강력한 정책을 펼쳐나갔다.
특히 수신(修身)교육은 『교육에 관한 척어』의 취지에 기초하여 천황의
은혜를 고맙게 여기며 일본과의 일체감을 갖게 하는 동화정책이 교육의
주요 내용이었다.[331] 이러한 교육정책은 조선교육령에 의해 교육에 대
한 기본방침과 제도적 기반이 규정되었으며, 일제는 시대적 상황과 목
적에 따라서 교육령과 수신서를 다음과 같이 개정하며 교육정책을 펴나
갔다.

---

327) 호사카 유우지(2002). 일본제국주의의 민족동화정책 분석. 제이앤씨. p.87.
328) 교육정책은 영국도 프랑스도 실시했지만 프랑스의 교육정책은 동화정책이었
고, 영국의 교육정책은 동화정책이 아니었다. 자국어의 말살이 동화정책의
가장 큰 특징인 것이다. 호사카 유우지(2002). 일본제국주의의 민족동화정책
분석. 제이앤씨. p.87.
329) 호사카 유우지(2002). 일본제국주의의 민족동화정책 분석. 제이앤씨.
pp.87-88.
330) 권태억(2001). 동화정책론. 역사학보, 172, pp.359-360.
331) 오세원(2005). 일제강점기 조선에 대한 식민지정책의 변화연구. 일본어문학,
27, p.123.

〈표 3〉 조선총독과 조선교육령

代	성 명	재임 기간	교육령	수신서 재정	비고
初代	데라우치마사타케 (寺内正毅)	1910.10~ 1916.10	제1차 조선교육령 (1911.08공포)	I 기 (1913~1922)	한일합방 (1910.8)
2代	하세가와요시미치 (長谷川好道)	1916.10~ 1919.8			3.1운동 (1919)
3代	사이토마코토 (齋藤實)	1919.8~ 1927.12	제2차 조선교육령 (1922.02공포)	II 기 (1922~1928)	6.10만세운동 (1926.5)
(임시)	우가키가즈시게 (宇垣一成)	1927.4~ 1927.10			
4代	야마나시한조 (山梨半造)	1927.12~ 1929.8			
5代	사이토마코토 (齋藤實)	1929.8~ 1931.6		III기 (1928~1939)	광주학생운동 (1929.11)
6代	우가키가즈시게 (宇垣一成)	1931.6~ 1936.8			만주사변 (1931.9)
7代	미나미지로 (南次郎)	1936.8~ 1942.5	제3차 조선교육령 (1938.03공포)	IV기 (1938~1941)	중일전쟁 (1937.7) 황국신민서사 (1937.10) 창씨개명 (1940.2)
8代	고이소구니야키 (小磯國昭)	1942.5~ 1944.7	제4차 조선교육령 (1943.03공포)	V 기 (1941~1945)	태평양 전쟁 (1941.12)
9代	아베노부유키 (阿部信行)	1944.7~ 1945.8	전시교육령 (1945.05공포)		

자료 : 오세원(2005). 일제강점기 조선에 대한 식민지정책의 변화연구. 일본어
문학, 27, p.124.

교육정책의 일면을 가장 잘 엿볼 수 있는 것은 수신서이다. 수신과목의 기본목적은 충실한 황국신민을 만드는데 있다. 수신서에서는 우선 좋은 국민이 되기 위한 첫 번째 조건은 천황과 황후에 대한 존경심을 들고 있다. 그리고 일본의 경축일은 1년에 세 번이 있으며, 그러한 의식 참가의 뜻을 가르치고 있다.

즉, 일제강점기에는 늘 실시된 연중행사였는데 조선인들을 이러한 행사에 참석시키는 것 자체를 동화를 위한 교육의 일환으로 생각한 것이다.[332] 이상과 같이 수신과목을 통해 황국신민으로서의 정신을 주입시키는 교육이 이루어졌다.

또한 식민지 말기로 갈수록 일본은 초등교육기관과 일어교육기관을 확충했고, 사립학교에 대한 규제를 강화하였다. 교과목은 관·공립학교에서는 내지와 거의 동일하게 만들었다. 즉, 조선을 황국신민화 교육을 통하여 동화시켜갔으며 식민지 지배 후기로 갈수록 더욱 식민지 체제가 필요로 하는 인간형을 만들기 위한 정책을 보다 적극적으로 추진해 나갔다. 일제는 이러한 목적을 달성하기 위해 무단통치로서 나라를 다스리고, 한편으로는 문화정치를 통해 조선의 문화를 말살하고 조선인을

---

332) 1923년 발행된 아동용 수신 卷三에는 다음과 같은 내용이 있다.
『제 23 좋은 국민
좋은 국민이 되기 위해서는 늘 천황폐하와 황후폐하의 덕을 우러러보고, 부모님께 효도를 다하고 친구들에게는 친절하게 대하며, 사람들과 합동하여 서로 돕고, 근처에 사는 사람들과 잘 사귀고, 그리고 세상을 위하여 공익을 도모해야 합니다.
제 12 경축일
우리나라의 경축일은 신년(신정)과 紀元節과 天長節 및 천장절 경축일이고 이것을 3대절이라고 합니다. 신년은 새해를 축하합니다. ………경축일에는 궁중에서 엄숙한 의식이 행하여집니다. 학교에서도 의식을 시행합니다. 또 국민은 집집마다 국기를 게양하고 축하드립니다.』호사카 유우지(2002). 일본 제국주의의 민족동화정책 분석. 제이앤씨. pp.105-106.

황국신민화하려는 강력한 정책을 세워 펼쳐나갔다.333)

(2) 창씨개명 정책

1940년(소화 15년) 2월 11일부터 보다 강력한 동화정책의 일환으로 실시된 창씨개명은 조선인의 이름을 일본인 식으로 바꾸게 하는 것뿐만 아니라 조선에 일본의 가제도(家制度)를 도입시켜 조선 가정에 있어서의 유교적인 전통을 근저에서부터 무너뜨려 천황제의 시행을 보다 본격화하겠다는 목적에서 실시되었다.

창씨개명이란 현재 일반적으로 알려져 있듯이 조선인의 이름을 단순히 일본인 식으로 바꾼다는 것뿐만이 아니었다. 거기에는 국가의 기반이라고 할 수 있는 가정의 모습을 변혁한다는 보다 근본적인 의도가 숨겨져 있었다.334) 즉, 창씨개명에는 이름을 일본식으로 바꾼다는 면과 조선 가정의 구조를 일본식으로 변혁한다는 면 두가지가 있었다. 창씨개명은 일본의 동화정책의 완성기적 수단으로서 실시된 것으로 동화정책 중 가장 대표적인 것이라 할 수 있다.

만주사변 이후 일본 국가총동원 사태에서 조선인들을 일본인으로서 총동원하고 그들에게 국가에 대한 충성심을 높이기 위해 일본정부는 국가총동원법을 우선적으로 조선에 일률적으로 적용하기도 했다.335) 이를 위해서는 조선인의 개인표지인 성명 구조를 일본인과 똑같이 만들어 놓아 외형상으로는 가능한 구별이 어렵도록 만들어 놓는 것이 동원과 관리에 유리했다. 그래서 일본정부는 사법행정상의 일체와 징병 등 자

---

333) 오세원(2005). 일제강점기 조선에 대한 식민지정책의 변화연구. 일본어문학, 27, p.127.
334) 호사카 유우지(2002). 일본제국주의의 민족동화정책 분석. 제이앤씨. p.181.
335) 호사카 유우지(2002). 일본제국주의의 민족동화정책 분석. 제이앤씨. p.181.

원동원의 완성을 정책목표로 설정하여 조선에서 일본식 씨를 창설하는 '폐성(廢姓)창씨' 정책을 입안했다.336)

일제와 동화된다는 것은 물리적인 강제뿐만 아니라 정신적인 것까지 받아들여야 한다는 것을 의미하며, 그 가장 대표적인 것이 창씨개명정책이라고 할 것이다. 조선의 성씨제도를 비롯한 가족제도를 일본식의 성씨제도로 대체하고자했던 이 동화정책의 목적은 내지법의 동일적용이라는 '법적동화'와 '징병제 실시' 및 '총동원체제'의 관리를 위한 기초적인 호적정리라는 현실적인 목적만이 전부는 아니었다. 이는 새로운 일본인의 형성 동화의 목적이었다.337) 눈에 보이지 않는 정신적인 영역까지 완전히 지배할 수 있는 일본인이 아닌 일본인을 만들기 위해서였던 것이다.

결국 창씨개명정책은 조선을 전쟁병참기지로 배치하여 필요한 군사적 물자동원의 기반으로서 활용할 뿐만 아니라 조선인으로서의 정체성을 버리게 하여 일본의 지배를 받아들이도록 만들고자 한 것이다. 이는 고도의 동화정책이었다.

---

336) 성(姓)과 씨(氏)가 유사한 개념으로 혼용되고 있으나 창씨개명 정책에서의 姓은 중국의 관습에 따라 만들어진 것으로서 가계의 혈통을 나타내는 표지이므로 일생동안 변할 수 없는 것이며, 氏는 문명국(서구열강)의 관습에 따라 한가족임을 나타내는 칭호이므로 혼인, 이혼, 입양, 파양 등에 의하여 변할 수 있는 것으로 생각하는 일본의 법률에 따라 생각해야 할 것이다. 구광모(2005). 동화정책 사례연구: 창씨개명정책을 중심으로. 한국정책학회 학술대회, 2005, p.41.

337) 홍일표(1999). 일본의 식민 '동화정책'에 관한 연구. 서울대학교 대학원 석사학위논문. pp.110-111.

3) 여성위안부 등의 강제동원 정책

동원정책의 시작은 특히 1937년 중일전쟁의 발발과 함께 시작되었다고 할 수 있다. 이는 일본의 정치와 경제체제를 급속히 전시체제로 전환시키는 계기가 되어 1938년 국가총동원령이라는 법령으로 모든 물자와 인적자원을 국가가 통제관리하는 총동원체제를 형성하면서 생긴 동원법령에 의해 생긴 정책들을 말한다. 이는 당시 식민지였던 조선에도 영향을 끼쳐 일본 본국과 동시에 물자와 인적자원이 일본제국r에 의해 통제 관리되는 체제가 더욱 공고해져, 조선도 일본의 침략전쟁에 이용되게 되었다.338)

중일전쟁의 발발이후 일제는 조선을 병참기지로 간주하였고, 거기에 따른 동화정책도 더욱 강화되었다. 당시 조선 총독이었던 미나미지로(南次郎)는 한일병합 이래 목적이었던 조선인의 충신한 황국신민화(皇國臣民化, 황민화)를 완성하여 조선인을 전쟁목적에 동원시키기 위한 철저한 동화정책을 꾀했고, 이는 지원병, 징병제 등 군사동원 정책으로 명시화되었다.339)

더욱이 일제가 1941년 태평양전쟁을 도발하여 2차 세계대전이 본격화하자 일제의 식민지 통치정책은 최후의 발악을 다했다. 그들은 이른바 공출제도라는 것을 만들어 쌀 등과 각종의 농산물을 공출시킨데다 절의 종이나 가정의 식기에 이르기까지 금속제품은 모조리 탈취해갔다. 또한 군사비를 염출하기 위해 강제저축을 강요하는 한편 조선은행권을

---

338) 한혜인(2005). 강제동원 정책과 동원이데올로기: 1941년 노무동원 조선총독부 운용 계획을 중심으로. 한국일본어문학회 학술발표대회 논문집, 2005 (10), p.170.
339) 호사카 유우지(2002). 일본제국주의의 민족동화정책 분석. 제이앤씨. pp. 134-137.

남발했다. 그러자 악성인플레가 전 한국을 휩쓸게 되었는데, 이에 당황한 일제는 통제경제를 실시한 결과 실제의 물가는 공정가격의 10배에 달했다.[340]

나아가 일제의 전황이 불리해지자 1938년부터 시행해 오던 지원병제도를 1943년에는 징병제도로 바꾸고 1944년의 단 1년간에 20만 6,517명을 징집하여 패망시까지 각 전장에 내몰았다. 그리고 일제는 강제노무동원제를 병행, 1944년까지 일본본토, 화태, 남양군도에 강제 징용했다.[341] 이들은 정상적인 임금을 받지 못했고, 비인격적인 처우와 열악한 노동조건에 처해 있었으며 파견 현장과 귀국과정에서 30여만명이 사망한 것으로 알려져 있다.[342]

---

340) 허수열(1985). 1930년대 군수 공업화 정책과 일본 독점자본의 진출. 남해문화사. pp.246-248.
341) 차기벽(1985). 일본제국주의 식민정책의 형성배경과 그 전개과정. 남해문화사. pp.38-42.
342) 한국정신문화연구원(2003). 일본 역사교과서의 한국관련 내용 조사분석 및 시정자료 개발. 2003년도 교육인적자원부 위탁 연구과제결과보고서. pp.319-321.

〈표 4〉 식민지 시대 국내외 강제동원의 추정

노무동원	계	병력동원(군인. 군속)	계
조선재 도내 징용	5,782,581	육군특별지원명	20,723
조선내 관알선	382,537	육군	186,980
조선내 현원 징용	260,145	해군	22,299
조선내 국민징용	43,679	군속(육군)	70,724
해외징용	724,727	군속(해군)	84,483
일본 국민징용	132,781	조선내 군요원	55,404
남방 국민징용	135	남방 군요원	36,535
		일본 군요원	132,781
		중국 군요원	4,587
합계	7,326,585	합계	614,516

주 : 군위안부를 비롯한 여성 동원자들은 제외.
자료 : 한국정신문화연구원(2003). 일제하 피강제동원 생존자 실태조사 연구보고서.
　　　한국정신문화연구원. p.124.

　뿐만 아니라 여자정신대라는 것을 조직하여 여성도 노무동원 및 일본병사의 성노예로 내몰았던 것도 강제동원정책의 일환이었다.
　서구제국주의 식민지 통체정책은 간접통치건 직접통치건간에 사회경제적 수탈을 기본 목적으로 한 것으로 피지배민족의 민족보존은 당연한 일로서 인정했으며, 민족문화운동에 대해서는 그것이 직접적인 독립운동이 아닌 한 방관적 태도를 취했다. 프랑스는 동화정책에 의거하는 직접통치방식을 취했다 하더라도 원주민의 민족문화운동에는 방관적이었으며, 그것을 교육을 통해 통제하고 프랑스식 문화체제를 이식하려는데 그쳤다. 그러나 일본의 식민지 통치정책은 사회경제적 수탈에 그치지 않고, 이민족을 말살·소멸시켜 스스로의 제국 내의 종속신분층으로 만드는데 중점을 둔 잔혹한 성격의 것이었다. 특히, 한민족에 대해서는 한국인이 민족의식을 가지는 것 그 자체를 두려워하여 그 민족정신을 없애기 위해 내선일체(內鮮一體)란 슬로건 밑에 동화정책에 의거하는 황민화 정책을 통해 철저하고도 무자비한 식민지 통치 정책을 감행하였다.

제6장

일본의 영토욕과 영토자료 조작

제**6**장 ⇢ ⇢ ⇢ ⇢

일본의 영토욕과 영토자료 조작

1. 영토에 먼저 눈뜬 일본(무인도를 선점하라)

일본은 1854년 일본을 개항시킨 미국의 페리제독 방문이후 미국, 영국 등과 오가사와라제도 영토분쟁을 하였다. 1861년 2월과 1862년 4월 일본은 미국의 해리스(Harris)대사, 영국의 알코크(Alcock)대사 등 당시 열강의 대사들에게 제시한 '삼국접양지도 프랑스어 판'을 통하여 대마도, 독도가 우리 영토임을 국제적으로 공인하였으며 이를 통하여 1876년부터 오가사와라 제도를 영유하게 되었다.

당시 국제 영토 협상지도인 클라프로토의 '삼국접양지도 프랑스어 판' 그리고 하야시 시헤이의 '조선팔도지도'에는 분명히 대마도가 우리 영토로 황색으로 표기되어 있다.

아울러, 대마도가 우리영토로 기록된 삼국접양지도를 일본의 119대 고카쿠 천황(광격천황, 光格天皇)도 직접 열람하고 칭찬한 바 있다. 또한 한일 합방의 주역인 이토오 히로부미와 당시 편차주임 일본인 다보하시 기요시도 이를 잘 알고 있었다. 다보하시 기요시는 일제 강점기 경성제대 사학과교수로 재직하면서 우리역사를 왜곡하고 규장각에 보관된 조선왕실 규장각이 비밀문서를 조사한 인물이기도 하다.

삼국접양지도의 위치와 역할에 대해 김상훈이 귀화 일본인 학자인

호사카 유지 교수다.[343]

호사카 유지 교수는 일본이 1854년 개항 당시 미국과 오가사와라 군도의 영유권을 두고 다투게 되는데, 이때 일본은 울릉도, 독도는 우리영토이고 오가사와라는 일본 영토라고 명시된 자료를 미국에 제시해 1867년 영유권을 획득했다고 주장한바 있다.

지금까지의 일본기록 중 국제공인지도로서 '삼국접양지도'의 위치를 가장 잘 나타내고 있는 것은 호사카 유지 교수가 그의 일본어 논문 '삼국통람여지노정전도(삼국접양도)와 '이능도' 속의 독도(三國通覽與地路程全圖(三國接壤圖))と '伊能島' の中の 獨島, 영남대 독도연구소에서 기술한 내용으로 볼 수 있다.[344]

호사카 교수는 그의 연구 논문에서 울릉도와 독도가 한국령으로 명시된 삼국접양도의 프랑스판을 1854년 미국에 제시하고 지도 우측 밑의 오가사와라 제도를 1876년 소유하게 되었다고 주장하면서 당시 일본 정부가 이 지도를 국제공인지도로 활용했음을 다음과 같이 기록하고 있다.

"일본에 개국을 요구한 미국의 페리는, 오가사와라 군도를 미국령으로 할 목적으로 이미 미국인을 군도에 살게 하였고, 이 사실을 들어 막부에 오가사와라 군도를 미군령으로 인정하도록 요구한 것이다. 이에

---

343) 호사카 유지(保坂祐二)교수는 일본 동경대 공학부를 졸업하고 2003년 한국으로 귀화하여 우리의 독도연구에 많은 도움을 주고 있으며, 지금도 활발하게 독도관련 연구를 하는 학자이다.

344) 호사카 유지(保坂祐二)(2008). 三國通覽與地路程全圖 と '伊能島' の中の 獨島. 영남대 독도연구소. p.502. 그는 평소 '독도를 제대로 지키려면 공부부터 하라!'고 우리 학자들을 독려하여 신선한 자극과 충격을 주기도 하는 우호적인 학자로 동북아 역사재단에서 수여하는 제1회 독도 수호상(2010.12.22)을 받은 분이기도 하다.

대해 막부측은, 하야시의 '삼국통람도설'과 그 삽입지도인 '삼국통람여지노정전도(삼국접양도)'를 제시하였는데 이를 미국이 인정하지 않자, 그 프랑스판을 제시하여 겨우 미국의 영유권 주장을 물리친 것이다.

이와 같이 하야시의 '삼국통람도설'과 그 삽입지도는 오가사와라군도의 영유권을 결정하는 사료로서 역사적으로 일본의 막부에 의해 활용되었던 것이다.

하야시 시헤이라는 한 개인에 의해 작성된 지도와 그 해설서이긴 하지만, 막부의 공인지도로서 사용된 이상, 그 시점부터 그것은 영유권을 주장한 막부의 공식지도가 된 것이다."[345]

그리고 이 지도에 울릉도와 독도가 조선 영토로 표기된 것과 관련하여 "결론적으로 오가사와라가 일본 영토인 점을 국제법적으로 인정한 하야시 시헤이의 '삼국통람도설'과 그 삽입지도(삼국접양지도)는 동시에 독도가 한국영토임을 국제법적으로 명시하고 있는 것이다. 즉, 하야시의 '삼국통람도설'과 '삼국통람여지노정전도(삼국접양도)'만으로도 독도의 영토문제는 해결된다."[346]고 하였다.

같은 논리로 같은 지도에 대마도가 조선영토로 되어 있다면 대마도의 영토문제도 자연스럽게 해결된다고 할 수 있는 것이다. 그러나 당시 호사카 유지 교수가 제시한 지도에는 대마도가 다음과 같이 일본령으로 되어 있다.

호사가 교수가 지도와 함께 제시한 주장은 당시의 상황과 비교적 일

---

345) 호사카 유지(保坂祐二)(2008). 三國通覽輿地路程全圖 と '伊能島' の中の 獨島. 영남대 독도연구소. p.503.
346) 호사카 유지(保坂祐二)(2008). 三國通覽輿地路程全圖 と '伊能島' の中の 獨島. 영남대 독도연구소. p.503.

치한다. 즉, 독도를 한국령이라고 확실하게 밝힌 이 지도로 12년 뒤인 1867년 오가사와라는 일본령이라는 양보를 미국으로부터 얻게 되었다는 점이다.[347]

2. 이승만대통령의 대마도 반환요구

이승만대통령의 영어 저서 'Japan Inside Out(일본 내막기, 1941.3)'에 의하면[348] 이 저서는 일본이 진주만 폭격을 하기 7개월 전에 발행한 것으로 일본이 미국을 상대로 전쟁을 일으킬 것임을 정확하게 예측하고, '나의 소망은 일본이 원래의 제 섬으로 돌아가고 우리나라가 조용한 아침의 나라로 회복되는 것이다.'라고 기록하고 있다.

여기서 이대통령은 우리나라 영토와 관련 다음과 같은 글귀를 남겼다.

'They seem to have forgotten that there had once been boundary lines between Japan and Korea, between Korea and Manchuria, and so on.

To allow Japan to destroy the old lines one after another, and as she advances to keep on establishing new lines always nearer to America coast would not be sound policy.'

(해석: '~미·일간 해상분규협정이 필요하다는 사람들은 예전부터 일본과 한국 사이, 한국과 만주 사이에 명확한 국경선이 있는 것을 잊어

---

347) 중앙일보 보도자료(2009). 2009.3.27. Naver http://zkvoxuc.tistory.com/26
348) 김상훈(2012). 일본이 숨겨오고 있는 대마도·독도의 비밀. 양서각. pp.23-32
   재인용.

버렸던 것 같다.

일본이 오래된 국경선을 하나씩 파괴하며 전진하여 미국해안에 가까운 새로운 국경선을 설정하려는 것을 미국이 묵인하는 것은 올바른 정책이 아니다.')[349]

여기서 이승만 대통령은 한·일 간 오래된 명확한 해상경계가 있었음을 인지하고 있었음과 결과적으로 이를 묵과했기 때문에 일본의 인접국가 침탈이 계속되고 있음을 주장하였다. 그리고 이후 1948년 8월 18일 대한민국 건국 3일 후 대통령은 첫 기자회견에서,

"우리는 일본에 대마도를 한국에 반환할 것을 요구할 것이다. 대마도는 상도와 하도(上島及下島)의 두섬(二島)로 되어 한일 양국의 중간에 위치한 우리영토인데 삼백 오십년 전 일본이 탈취한 것이다."

그리고 이듬해인 1949년 1월 8일 연두기자회견에서 이승만 대통령은

"대일 배상문제는 임진왜란 시부터 기산(起算, 시작해서 계산)하여야 한다. 대마도는 별개로 하여 취급되어야 할 것이다. 대마도가 우리 섬이라는 것은 더 말할 것도 없거니와 3백 5십년 전 일본인들이 그 섬에 침입하여 왔고 도민들을 민병을 일으켜 일본인과 싸웠던 것이다. 그 역사적 증거는 도민들이 이를 기념하기 위해 대마도의 여러 곳에 건립했던 비석을 일본인들이 뽑아다가 동경박물관에 갖다 둔 것으로도 넉넉히 알 수 있을 것이다. 이 비석도 찾아올 생각이다. 1870년대에 대마도를

---

349) 김상훈(2012). 일본이 숨겨오고 있는 대마도·독도의 비밀. 양서각. p.24.

불법적으로 삼킨 일본은 포츠담 선언에서 불법으로 소유한 영토를 반환하겠다고 했기 때문에 우리에게 돌려주어야 한다."

고 주장하여 이미 대한민국 초대 대통령이 임진왜란 당시부터 일제시대 만행까지 물질적+정신적 보상을 해방과 동시 반환요구를 즉각 이행할 것을 촉구한 것이다.

이승만대통령은 1949년 12월 31일 대통령 연말기자회견에서 거듭 "대마도는 우리의 실지(失地)를 회복하는 것이다. 대마도 문제는 대일 강화회의 석상에서 해결할 수 있으며, 일본인이 아무리 주장해도 역사는 어쩔 수 없을 것이다."고 주장하였다.[350]

당시의 신문보도 기사에서 보면 이승만 대통령은 일본의 대마도 반환을 단지 반환이라는 의미보다는 우리국토의 실지를 회복한다는 차원에서 접근하고 있음을 알 수 있다. 또 일본으로부터의 대마도 반환에 자신감을 피력하고 있었음과 중국 여론도 이를 지지하고 있었으며, 중국거주 우리 동포들이 이를 지원하는 대규모 시위를 하였음도 기록하고 있다.

기사에서 당시 중국에서는 "일본이 한반도를 재침략하려는 의사가 없다면 원래 한국의 영토이고 장차 일본의 군사적 재침략 발판이 될 대마도를 한국에 돌려주지 못할 하등의 이유가 없다."고 기술하고 있다. 아울러, 다급해진 일본 수상이 일본 천황에게 이승만 대통령의 주장과 관련 대마도 상황을 보고하는 와중 대마도에 한국인 실제 2천 명 정도 거주하고 있다는 일본 측 주장을 실은 언론기사들도 보도되었다.

기사를 통해 우리 국민들도 다가오는 1950년을 실지를 회복하는

---

350) 김상훈(2012). 일본이 숨겨오고 있는 대마도·독도의 비밀. 양서각. p.25.

희망찬 한 해가 될 것을 소망하고 있었음을 알 수 있다.

이승만 대통령의 계속된 대마도 반환요구는 연말 기자회견에 까지 이어지는데 다음과 같이 언급하였다.

"물론 우리로서는 대마도도 찾고 기타 잃어버린 것도 찾아야 하겠지만 그렇다고 해서 일본인들과 갈등을 만드는 것은 우리에게 불리하다고 본다. 소련이 공산당을 시켜 동양을 침략하려고 하는 것은 한국이나 일본 미국에 있어 두통꺼리인데 이것을 방어하는 것이 급선무다. 대마도 문제는 대일 강화회의 석상에서 해결할 수 있으며, 일본인들이 아무리 주장해도 역사는 어떻게 할 수 없을 것이다."

라고 하대마도 문제를 해결하려 한 이승만의 지혜를 엿볼 수 있는 대목이다. 아울러 대마도 문제에 대해 강한 자신감을 피력한 것을 알 수 있다.

1951년 7월 6.25전쟁 중에도 이승만은 당시 주미대사에게 전보를 통해 대일강화회의에서의 우리정부 입장을 미국측에 전달하도록 하는데 이때 우리를 2차 대전 참전국자격을 달라는 것 등 우리측의 주장 10개 항을 제시한다.

이승만은 4번째 항에서 대마도가 우리영토이며, 이를 반환해야함을 강하게 주장한다.

즉, "일본은 대마도에 대한 권리를 포기해야 한다. 역사적으로 보아 대마도는 한국 영토였으나 일본은 불법적으로 이를 점령하였다."

당시 상황을 잘 기록한 프란체스카 여사의 일기를 모은 책 '6.25와 이승만'을 보면 이승만은 이를 프란체스카 여사의 타자를 통한 비밀 전문으로 미국에 훈령을 보냈음을 잘 알 수 있다.

3. 대통령의 1948.8.15 정부수립 후 대마도 반환주 장과 속령 발표

지난 1948년 8월 15일 정부가 수립되고 사흘 뒤인 18일 이승만 대통령이 대마도 반환을 주장하고 9월 9일 대마도 속령에 관한 성명을 발표했다. 다음해인 1949년 1월 6일에는 일본측에 대해 배상을 요구하고, 1월 8일에는 신년기자 회견을 통해 다시 대마도 반환을 주장했다.

당연히 의문이 뒤따른다. 왜 대마도를 돌려달라고 했을까. 일본인이 살고 있는 대마도에 대해 대통령이 반환을 주장한 것은 어떤 이유일까.

해방의 역사를 우리 스스로 부인해야 하는 이유가 여기에 있다. 완전한 해방이라고 볼 수 없는 것이다.

1875년 8월 20일 운양호사건과 1876년 2월 2일 병자수호조약 그리고 같은해 강화도조약으로 일본은 대한진출 발판을 마련하면서 한편으로 공도정책으로 인해 버려진 땅이라고, 1877년 대마도를 나가사키 현으로 복속시켰다. 우리는 한마디도 영유권을 주장하지 못했다.

우리는 쇄국정책으로 인해 국운이 흔들리면서 침묵으로 일관한 것이다. 이후 을사늑약과 합방으로 인해 침묵의 세월이 흘렀고, 대마도는 가깝고도 먼 나라가 됐다.

정부수립 후 이승만 대통령이 반환을 주장하자 일본 요시다 내각은 당황하고 미군정을 회유하여 맥아더사령관이 우리에게 침묵을 강요하는 당시의 정치적인 상황을 우리는 알아야 한다.

대마도가 오늘날 일본의 주권이 미치고 있다 하더라도 대마도는 우리땅이었다는 사실을 알고 넘어 가야 하는 것이다. 역사의식마저 없다면 우리는 존재가치가 없다. 영토의식이 살아있어야 훗날 반환을 요구할 수 있는 것이다.

대마도를 반환하고
피해보상하라

대마도를 반환하고 피해보상하라

1. 대마도에 대한 영유권과 역사의식

국가의 3요소는 국민 주권 영토다. 1945년 해방과 함께 1948년 정부 수립에도 불구하고 영토에서는 완전한 해방이라고 볼 수 없다. 영토는 국가를 구성하는 공간적 개념이다. 독도, 대마도, 간도, 녹둔도 등 영토의 불완전한 확보라는 측면에서 우리의 해방은 불완전한 해방이라 할 수 있다. 더구나 우리 헌법 3조에는 대한민국의 영토는 한반도와 그 부속도서로 한다라고 못박아 우리 스스로 한계를 드러내고 있다.

19세기 말에 이르러 두만강이 천지에서 발원하지 않는다는 것은 한·중·일 3국이 다 아는 일이다. 일본은 발달된 측량기술로 조선영토를 파악하고 있으면서도 간도는 조선땅이 아니다라는 의식을 심어주기 위해 백두산 정계의 의미를 왜곡하는 교육을 실시했다.

1909년 청일간에 맺어진 간도협약이전에는 일제 역시 간도는 조선영토라고 주장한 것과 대조를 이룬다. 간도협약은 조선의 외교권이 박탈된 상태에서 일본이 청나라에 만주철도와 탄광 등 5가지 이권을 받는 조건으로 간도 영유권을 넘겨준 내용이다.

국제법 전문가들은 을사조약이 무효이기 때문에 간도협약은 무효라고 주장한다. 2차 대전의 종료로 일본이 중국으로부터 도취한 모든 지역의 영토를 반환한다는 내용의 카이로선언과 1941년 12월 9일 이전에 체결한 모든 조약 협약 협정을 무효로 한다는 중·일 평화조약에 따라 간도협약은 무효인 것이다.

토문강 유역의 간도지방 두만강 하구의 녹둔도(여의도의 4배 크기로 두만강의 섬이었으나 연해주로 편입됐다가 중국이 1861년 러시아에 넘겼다가 1990년 북한과 러시아의 국경협약으로 러시아 영토가 됨)와 연해주, 대마도의 재인식, 독도상황, 한반도 주변의 대륙붕, 그리고 동해 명칭(1929년부터 일본해로 사용되기 시작해 지금까지 논쟁 중이다) 등 우리의 영토와 관련된 주요 사안에 대해 새롭게 인식을 가다듬어야 할 때이다.

지금까지 한일 간의 분쟁은 역사학적 논쟁이라고 해도 과언이 아니다. 역사적으로 우리땅이었다는 정황이 드러나도 국경문제는 결국 힘의 문제이다. 영토반환을 요구한다고 해서 일본과 중국이 들어줄리 만무하고 우리 정부도 그런 요구를 하지 않고 있다.

영토문제는 계속해서 문제를 제기하지 않으면 결국 현실적으로 문제의 땅을 점유한 나라 우선권이 돌아간다는 게 국제사회의 통념이다. 이 때문에 일본은 줄기차게 독도를 자기 땅이라고 불쑥 간헐적으로 시차를 두고 던지는 것이다.

반면 우리는 대마도에 대해 침묵으로 일관해 왔다. 이제 우리는 어떻게 해야 하는가, 역사학적으로 대마도가 우리땅이라면 실효적인 지배권이 없는 대마도에 대해 우리는 어떤 행동을 해야 하는가, 답은 일본이 독도를 두고 그래왔듯이 매년 줄기차게 우리땅임을 주장하고 교육을 펼쳐야 하는 것이다. 일본이 독도문제를 매년 언급하듯이 우리도 외쳐야 하는 것이다.

대마도에 대한 영유권 의식은 1900년대를 살아온 선조들과 2013년도를 사는 우리들과 크게 다르다. 19세기 쇄국정책과 공도정책에도 불구하고 우리 민족의 가슴에는 대마도는 우리땅이었다는 의식이 팽배했으나 오늘날 우리는 대마도는 당연히 일본땅이라는 의식을 갖고 있다.

이같은 의식의 차이는 한마디로 교육의 결과요 정부의 정책에서 기인한다.

지난 60여년 간 해방이후 대마도에 대해 정부가 침묵을 지켜 온 결과 대마도는 일본땅이라는 인식을 하고 있다. 이제 와서 대마도에 대한 권리를 주장하는 게 가당찮다는 시선이 지배적이다. 하지만 대마도에 대해 국가가 포기하지 않았고 반환을 주장하지도 못하는 이상한 상태로 반세기를 흘러온 것임을 알아야 한다.

1906년 대한예수교서해간인에서 발행된 초급지리책에는 경상도편에 대마도가 기술되어 있다. 내용은 '경상도 남동쪽 105리쯤에 대마도가 있는데 본디 조선땅이었으나 일본이 빼앗아 갔다. 날씨가 맑으면 부산에서도 바라볼 수 있다'라고 돼 있다. 이는 당시의 백성들은 당연히 대마도가 우리땅이었다는 사실을 알고 있었고, 그러한 인식을 공유하고 있었다는 것을 의미한다. 하물며, 책의 저자는 밀러라는 선교사로 조선에 역사지리책이 없어 지리책을 저술하게 됐다고 저자서문에서 밝히고 있다. 선교사의 의식에서도 대마도는 조선땅이었다고 알고 있다면 이미 당시에는 이러한 인식이 팽배했다는 것으로 해석할 수 있다.

역사문화적인 접근을 통해 대마도를 바로 알아야 하고, 지금이라도 자료를 모으고 집대성하면서 활발하게 학술발표를 가져야 한다. 그리고 외면당해왔던 대마도에 대한 역사의식을 새롭게 정립해야 한다. 학생들에 대한 교육이 살아나야 한다. 우리땅이었으나 일본이 빼앗아 갔다라는 인식을 심어주어야 한다. 1백년이 지나도록 돌려받지 못 했을 망정 포기한 것은 아니지 않은가.

영토의식 조차 갖지 못한다면 포기해야 한다. 국민들 가슴에 영토의
식이 없다면 영영 돌려받지 못하는 땅이 될 것이다.

역사 문화적인 접근의 중요성도 바로 영토의식의 함양에 있다. 본시
우리땅인 대마도에 한국어가 통용되고 한국적인 문화가 살아 숨쉬고 한
국인이 생활을 영위할 수 있도록 관심을 가져야 하는 것이다. 역사의
숨결을 느끼는 정도로 끝나서는 의미가 없다. 유적을 바로 알고 역사자
료의 연구를 통해 우리의 땅이었다는 인식을 우리뿐만 아니라 일본 스
스로 느낄 수 있도록 해야 한다. 그리고 국제사회를 향해 이러한 노력
들을 홍보하고 우리의 주장을 펼쳐야 한다.

2. 대마도 반환문제 은폐를 위한 일본의 활동과 이 승만 대통령의 대응

1943년 12월 이집트의 수도 카이로에서 연합국 수뇌들은 2차 대전에
서 일본은 패망할 것이며, 일본이 패망하면 한국을 독립시키기로 결정
하였다.

이 소식을 들은 일본인은 자신들이 패망하고 한국이 독립되면 한국
에서 영토문제가 불거질 것은 자명한 일이고, 우선 시급한 것이 대마도
라고 판단했다. 왜냐하면 대마도는 '일본국방의 최일선'이고 일본이 패
전하더라도 대륙으로 진출할 수 있는 요충지로 여기고 있었기 때문이다.

1943년 12월 연합국이 카이로회담을 결정하자 그 이듬해인 1944년부
터 일본은 대마도가 우리 영토임을 잘 알고 있는 다보하시를 조선사 편
찬주임으로 임명했다. 패망을 앞둔 일본이 우리역사의 은폐와 왜곡에
초점을 어디에 두고 있었는가를 잘 보여주는 사례이다.

해방 후 대한민국 정부수립 3일 후인 1948.8.18일과 그 이듬해인 1949.1.7 이승만 대통령은 일본에 대마도 반환을 공식적으로 요구했다.

"대마도(對馬島)는 오래전부터 우리나라에 조공을 바친 우리 땅이다. 임진왜란을 일으킨 일본이 그 땅을 무력 강점했지만 결사 항전한(대마도) 의병들이 이를 격퇴했고, 의병 전적비(戰蹟碑)가 대마도 도처에 있다. 1870년대에 대마도를 불법적으로 점령한 일본은 포츠담 선언에서 불법으로 소유한 영토를 반환하겠다고 했기 때문에 우리에게 돌려줘야 한다."

이는 1949년 1월 7일 대한민국 건국 대통령 이승만(李承晚)이 첫 연두 기자회견에서 한 말이다.

또, 1948년 8월 15일 대한민국 정부 수립을 선포한지 사흘 뒤인 8월 18일 성명에서 '대마도는 우리 땅'이니 일본은 속히 반환하라고 했다. 일본이 항의하자 이승만 대통령은 외무부를 통해 그해 9월 '대마도 속령(屬領)에 관한 성명'을 발표했다.

이승만 대통령은 당시 우리 지식인 중 일제 식민지 역사교육을 거치지 않고 미국에서 구한말의 우리역사와 일본의 영토침탈과정을 알고 있는 거의 유일한 지식인이었다고 해도 과언이 아니다. 그는 연구와 문헌을 통해서 이런 정확한 역사 인식을 가지고 대마도 반환을 요구한 것이다.

이때 일본정부의 반응은 위기감과 체념(2008.7.3 일본 NHK방영)이었으며, 당시 맥아더 연합군 사령관에게 대마도 확보를 위해 필사적으로 로비를 하였다.

1949년 연초에 이승만 대통령이 재차 대마도 반환요구를 하자 그해 일본에서는 스에마쓰 야스카즈(말송보화, 末松保和)의 '임나흥망사(任那興亡史, 한반도 남부 일본 지배설)'가 발표되어 한·일간에 큰 논란을 야기하게 했다.

이는 고대에 일본이 한반도의 남부를 지배했었다는 주장으로 대마도 뿐만 아니라 대마도 위의 경상, 전라지역 일부(任那)가 일본의 지배하에 있었다는 것이다. 그러나 2010년 3월 그간 한·일 역사공동연구위원회의 한·일 학자들 연구결과 이 임나(任那)는 존재 자체가 없었던 것으로 발표되었다.

한마디로 조작되었다는 것이다. 즉, 任那는 일본의 지배하에 있었으므로 대마도는 물론 당연히 일본령이라고 인식하도록 함으로써 대마도 문제를 희석시키고 은폐하기 위해 일본이 조작한 것으로 추측할 수 있는 것이다.

이 스에마쓰(1904~1992)와 다보하시(1878~1945)는 모두 동경제대 선후배 출신으로 우리나라 경성제대에서 사학과 교수와 조선사 편찬위원을 하면서 스에마쓰는 고대, 다보하시는 근대로 나누어 역사 왜곡과 은폐에 깊숙이 관여했던 인물들이다.

이어 1950년 한국전쟁이 발발하자 일본에서는 '한국전이 일본을 살렸다'고 한다. 이는 단순히 경제적으로 일본이 재도약하는 계기가 되었을 뿐만 아니라 이승만 대통령의 대마도 반환 주장으로부터 한숨을 돌리게 되었다는 의미도 되는 것이다. 전쟁 중 처음 남북 간 휴전 이야기가 나온 것은 1951년 3월 유엔사무총장 Trigve로 부터였다.

국제적으로 휴전이야기가 나오자마자 1951년 3월 일본은 독도를 국제 문제로 제기하면서 독도주변에서 어업활동을 본격화하기 시작했다. 이는 휴전이 되면 이승만 대통령이 대마도 반환 문제를 다시 주장할 것에 대비하여 치밀하게 성동격서격으로 독도를 물고 늘어진 것이다. 이에 대하여 이승만 대통령은 1952년 1월 18일 대한민국 국무원 고시 제14호 '인접해양의 주권에 관한 대통령 선언'으로 맞선다.351)

우선 평화선을 설정해서 독도를 안정적으로 확보하여 독도문제를 선종결지으려는 것이었다.

이와 관련, 지금도 한국과 일본의 일부학자들은 '이승만 라인(평화선)'은 이승만 대통령이 대마도 반환요구를 포기한 것이라고 주장하고 있다. 즉, 위에서 보듯 독도는 포함되었지만 대마도를 우리 수역에서 제외한 것은 대마도가 일본령임을 인정했다고 생각한 것이다. 그러나 당시는 전쟁 중이었고 중공군의 참전으로 민족생존이 우선이던 시기였다. 전쟁 중 일본의 독도 침범에 따른 어쩔 수 없는 선 조치였던 것이다.

대한민국 건국 대통령인 이승만의 대마도 반환요구는 선조들의 대마도 관련인식과 우리 영토관련 국제선언의 바탕위에서 이루어진 것이다.

3. 일본이 대마도를 반환하지 않으면 안되는 이유

1865년 미 의회의 지시로 미국의 일본 개항함대인 페리함대의 정찰과 측량결과 작성된 지도에서 당시 대한 해협(Strait of Corea)이 대마도 남쪽에 표시되어 있는 것은 대마도와 그 근해를 한국령으로 인정하고 있음이다.

당시나 지금이나 해도에서 국가가 포함된 해협 이름은 국가 간의 해상경계를 나타내고 있다.

당시 국제사회에서 대한해협으로 명칭을 부여한 이유는 한·일 사이의 수로 중 2/3 이상을 한국이 장악한 한국령으로 그 당시의 관습과 국제 해양법에 따른 것이다. 아울러 대륙국가가 한국이기 때문에 일본해협이라는 용어를 쓰지 않고 쓰시마 해협이라는 용어도 일본이 최근 사

---

351) 김상훈(2012). 일본이 숨겨오고 있는 대마도·독도의 비밀. 양서각. p.122.

용한 것이 그 이유이다.

여기에는 예전부터 한·일간 해상경계는 현해탄을 인정해왔다는 역사적 사실이 있는 것이다. 즉, 대한해협의 원위치는 현해탄(玄海灘)으로 지도에서 보면 대마도 아래 이끼섬 남단의 우하단에 위치함을 알 수 있고, 과거 일본지도의 경우는 이끼섬 바로 하단에 표기하기도 한다.

그런데 자세히 보면 일본은 현해탄이라고 하지 않고, 현계탄(玄界灘)으로 적고 있다. 검을 玄, 경계 界, 여울 灘 즉, '검은 경계의 여울'이라 하여 이 명칭 자체가 해상국경을 의미함을 알 수 있다. 즉, 이 현계탄은 한국과 일본 사이에 해상경계임을 나타내는 것이며, 일본은 지금도 이 현계탄이 공식명칭이며 현해탄은 오기라고 소개하고 있다.

이 검을 현(玄)은 풍수지리에서 4개의 방향(左靑龍 右白虎 南朱雀 北玄武)에서 유래한 것이다.

현무는 동양에서 북쪽 방위에 있으면서 물(水)을 의미하는데, 좌청룡, 우백호, 남주작과 함께 4신(신)의 하나로서 거북과 뱀이 뭉친 신을 상징한다.

초사(楚辭) 원유(遠遊)의 보주(輔注)에 "현무는 거북과 뱀이 모인 것을 이른다. 북방에 위치하고 있으므로 현(玄)이라고 부르고, 몸에 두꺼운 껍질과 비늘이 있으므로 무(武)라고 한다."라고 하여 "현"이란 북방을 의미하는 것임을 명확히 하고 있다.

또 백과사전에 보면 현무는 상상의 동물로서 생명의 끝, 곧 죽음을 알리는 북쪽의 수호신으로 알려지며 북쪽이 검은 색을 나타낸다는 사실에서 '현'이라 하며, 거북의 무거운 등껍질을 등에 이고 방어에 뛰어난 점과 뱀의 날카로운 이빨을 지녀 '무'라고 한다.

평안남도 용강군에 있는 고구려 고분 쌍영총(雙楹塚)에 북쪽에 이같은 벽화가 위치하고, 고려시대의 벽화에도 이것이 등장하며, 서울 경복

궁의 북쪽문인 신무문(神武門)의 천장에도 현무의 그림이 있고, 평양 북쪽에도 현무문(玄武門)이 있는 점, 중국 집안과 일본의 다카마쓰(高松塚古墳) 고분에도 동일한 벽화가 발굴되어 현은 고대로부터 극동지방의 북쪽을 나타내는 의미였음이 분명하다.

현(玄)은 오래전부터 한·중·일 사이의 북쪽을 의미하며, 일본에서도 현계탄은 '켄카이(현계)나다(바다)'로 표기하여 '북쪽(玄) 경계(界)의 바다(灘)'로 사용된 한국과 일본 사이를 잇는 일본 북쪽의 국경바다였음이 명확한 사실이다.

이 '계(界)'라는 글자가 국경이나 경계선을 나타낼 때 썼다는 명확한 증거로 18세기 우리선조들의 지도(이찬, 우리 옛지도, 2003)에 보면 분명히 당시 우리나라 지도에 포함된 대마도 남단에 '동남지일본계(東南至日本界)'라 하여 대마도에서 동남쪽에 이르면 일본과의 경계, 즉 일본과의 국경에 이른다고 설명하고 있다.

이는 단순히 일본뿐만 아니고 동지도에서 당시 오끼나와 왕국(류구국), 북쪽의 중국 등도 동일하게 표기하여 현계탄이 분명히 일본의 '북쪽국경바다' 임을 확인시켜주고 있는 것이다.

4. 대한해협의 원위치를 숨기기 위한 일본의 간계

일본이 공식 명칭 현계탄을 감추기 위해 대마도가 우리 영토임을 알고 있던 이토오 히로부미(이등박문)가 다음과 같이 한·일 간의 해상국경선으로 현해탄이라는 용어를 쓰고 있었음을 조선말 학자인 황현(黃玹)의 매천야록(梅泉野綠)에서 찾을 수 있다.

1907년 7월 18일 통감 이토오 히로부미는 남산에 있는 일본군 대포의 포문이 덕수궁을 향하고 일본군이 고종의 친위대를 무장해제시키고 덕수궁을 포위하게 했다. 이토오 히로부미는 이완용을 시켜 "을사오조 약(乙巳五條約)에 어인(御印)을 찍을 것"과 "현해탄(玄海灘)을 건너 일본황제에게 사죄할 것"을 요구하고, "태자에게 전위(왕위를 이양)하여 책언을 면해야 합니다."라고 하였으나 고종은 윤허하지 않았다. 그러자 이완용은 칼을 빼어들고 고함을 지르며, "폐하께서는 지금이 어떤 세상 이라고 이러십니까?"라고 하였다.352)

이토오 히로부미는 하야시 시헤이의 저서를 통해서 대마도가 우리영 토인 것을 잘 알고 있던 자로, 이 자가 현해탄이 한·일간의 해상경계인 것을 고종황제를 협박하는 과정에서 스스로 인정한 셈이 되는 것이다.

이후 일제 강점기 경성제대에서 우리 근대역사를 집필하고 대마도가 우리 영토임을 잘 알고 있던 조선사 편찬주임 다보하시 기요시(전보교 결, 田保橋潔)가 이를 확산시켜 우리 국민들로 하여금 현계탄의 "계"인 경계 즉, 국경의 의밀를 숨기고 현해탄으로 부르도록 정착시켰던 것이다.

그럼에도 일제강점기 일본지명사전(1930)에 나타난 현계탄 설명에는 '고래로부터 일본과 대륙·조선을 연결하는 통로'라고 언급되어 있고, 또 다른 자료에서는 '일한지간적해협(日韓之間的海峽)'이라 하여 한국 과 일본 사이의 국경을 의미하는 해협이었음을 나타내고 있다.

서구열강이 아시아를 침범하기 전에는 한·일간에 해협이라는 용어를 쓰지 않았음을 고려할 때 고래로부터 한국과 일본 사이에는 현해탄만이 존재했던 것이다. 그리고 현 일본의 지리지에 이끼섬 하단부근에 위치 하고 있다는 것은 이끼섬이 우리 영토임을 나타내는 동시에 한·일간의 해상경계가 어디인가를 명확하게 나타내는 것이라 할 수 있다.

---

352) 매천야록 제5권 광무 11년(1907)

또한 1855년에 만들어진 미국지도에도 분명하게 '켐카이 나다 (GENKAI NADA)'로 표기한 현계탄이 이끼섬 남단에 있음과 그 영역이 어디인가를 당시로 돌아가 지금보다 분명히 나타내 주고 있다.

역사적으로 한·일 해상경계는 최초 이 현계탄에 위치하다가 지도작성시 대마도 남단 즉, 일본 측 주장에 따라 당시 대한해협 남단(현재 지도에서는 일본 쓰시마해협 동수로)으로 상향획정된 것으로 보인다.

일본이 이렇게 대한해협을 상향함으로써 얻은 이익은 실로 크다고 할 수 있는데, 일본 사전에 따르면 이 현계탄은 세계유수의 어장이며, 자연경관이 절경이라고 되어 있다.

일본은 이 해협을 확보함으로써 이 일대 섬들을 확보하는 등 영토를 확장하고 동해에서 중국해로 연결되는 해로의 안정적 확보를 이루게 된 것이다.

대마도가 일본에 완전히 귀속되고 일제시대에 접어들면서 대마도 남단의 대한해협은 그 위치가 상향되어 표기되게 된다. 일제초기에는 대마도와 병행하여 표기하다가 중반 이후에는 아예 부산과 대마도 사이로 올려 그들이 말하는 쓰시마 해협 서(西)수로로 전락시킨 것이다.

일본은 적어도 1894년 경에는 고려해협(Corea strait)이라는 용어를 사용한 적도 있다. 그러던 중 일본 자신도 현계탄이 한·일간 해상경계임을 나타내는 지도를 발간하게 되는데 이것이 '일·러 전투국면 신지도'이다.

일본 해군성은 이토오 히로부미의 주도하에 1905년 을사보호조약 전 러시아와의 전쟁을 준비하는데 이 과정에서 작성한 지도를 보면 발해, 일본해와 함께 우측하단에 현계탄(玄界灘)이라고 표기해 놓은 것을 알 수 있다.

1905.5 제작 (러.일 대마해전: 1905.5.27~28)

〈그림 36〉 일본이 현계탄을 일본해, 발해 등과 함께 주요 해상으로 표시한 지도,
일본 해군성 발행

　지도에 표기된 대로 대마도 점령 후 조선을 거의 식민지화하여 분홍
색으로 표기한 다음 한국해(동해)를 일본해로 표기하고 발해와 함께 현
계탄을 조선과 일본간 해상 경계로 부지불식간에 기록한 당시 일본 지
식인과 군부의 시각을 잘 보여주고 있다.

　그리고 일본은 러시아와의 전쟁에 대비하여 부산과 일본 본토, 부산
과 울릉도, 독도, 일본 본토를 연결하는 해저전선을 이미 가설하였는데
이는 아래의 미국과 일본지도에서도 이를 증명해 주고 있다. 즉, 일본
은 독도를 시네마현에 귀속한 1905년 1월 28일 이전부터 러일전쟁에
대비하면서 이 섬들을 통신기지로 활용하면서 이 섬의 효용성을 평가하
고 이를 통해 일방적으로 자신들의 영토화 하였음을 나타내 주는 것이

라 하겠다.

현 백과사전의 기록에는 1904년 9월, 1905년 8월에 독도에 감시 초소인 망루가 세워졌다고 기록하고 있고, 러시아와 일본간의 대마도 해전 (쓰시마 해전)은 1905년 5월 27일과 5월 28일이었으니 사실은 일본이 독도를 귀속하기 오래전부터 이 섬을 자신의 전략적 이익에 따라 활용할 계획을 세워 왔음을 나타내고 있는 것이다.

그리고 이들 지도에도 동일하게 이끼섬 하단에 현해탄을 표기하여 한·일간의 오래된 해상경계가 어느 곳이었는지를 잘 나타내 주고 있다. 그러다가 일제초기에 바로 조선해협이라는 표기와 함께 부산과 대마도 사이로 이동시킨 후 지금까지 조선해협이라는 용어를 쓰고 있다.

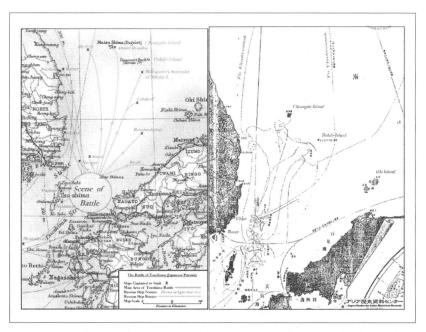

〈그림 37〉 미국과 일본의 러·일 해상전쟁 전투도
자료 : 한국의 독도, 주 전장이 대마도 인근이었음을 나타냄

5. 대한해협을 대마해협이나 조선해협화 하려는 일본의 의도

일본은 이렇게 대한해협의 위치를 상향시켜 부산해협으로 전락시켰을 뿐만 아니라 대한해협 자체를 쓰시마 해협 서(西)수로 혹은 북한에서 지금도 사용하는 조선해협으로 그들의 사전에 정의하고 있고, 국제사회에 알리고 있다.

이것은 대한해협을 '대마해협(일본 사전에 수록)'化 하여 대한해협의 원래위치 회복을 무력화하려는 시도로 보인다. 즉, 대한해협이 대마도 남쪽이라면 대마도가 한국영토라 인식이 될 수 있으므로 명칭에 대한 의구심을 차단하려는 것이다.

국제적으로 공용되고 우리가 현재 사용하는 대한해협이라는 용어를 무시하고 일제시대부터 그들이 사용해왔고, 북한이 현재 사용하는 '조선해협'이라는 용어를 사용함으로써 한국의 정통성을 부정하고 있는 것이다. 또한 영문으로 엄연히 사용하는 'Strait of Korea=대한해협'의 용어를 부정하면서 부산과 대마도 사이로 한·일간 해상경계를 영구히 고착하려는 그들의 저의가 뚜렷하다.

아울러 북한이 사용하는 용어인 조선해협을 사용함으로써 남북을 이간시키고 예전부터 사용하던 'Strait of Korea'의 위치를 헷갈리게 하려는 행태도 보이고 있는 것이다.

대마도와 대한해협은 우리 국력과 더불어 뗄 수 없는 불가분의 관계가 있다. 1865년의 미국지도를 끝으로 일제 강점기에 접어들면서 대한해협은 점점 북쪽으로 올라가게 된다.

지금 우리는 대한해협을 한국과 일본 사이의 바다를 모두 아우르는 용어로 사용하고 있다. 그러나 분명 19세기 중반 서양세력은 이 대한해협이 대마도 남단임을 현지정찰과 측량결과를 통해 기록하고 있는 것이다.

이는 당시 서양세력들이 'Genkainada, 현계탄(일본 북쪽 국경바다)'의 의미를 제대로 인식하지 못함으로써 대마도 남단에 표기한 것에 불과하며 실제로 대한해협의 위치는 이들이 대마도와 함께 우리영토로 표기한 이끼섬 남단이 되어야 마땅한 것이다. 분명한 것은 지금처럼 부산과 대마도 사이를 대한해협, 혹은 쓰시마해협 서수로 표기하는 것은 잘못된 것이다.

세계적으로 권위를 인정받는 내셔널 지오그래픽의 '세계지도책(Atlas of the World)'이 2005년판(8판)을 발간하면서 대한해협을 부산과 대마도 사이로 대마해협을 대마도와 이끼섬 사이로 표기하고 있다.

일본 스스로 19세기에 인정한 한·일간의 해상경계(대한해협)의 위치를 우리는 아직 못 찾고 있음은 물론, 과거 국제사회도 인정한 대한해협의 위치를 일본의 의도대로 표기되도록 방치하고 있는 것이다.

이승만 대통령이 저서에서 밝힌 '한·일간의 오래된 명확한 해상 국경 현계탄을 2세기인 지금에도 우리는 찾지 못하고 있는 것이다.

우리가 그간 선조들부터 북쪽의 지상국경선 확보와 유지에 관심을 기울이고 북한과 전쟁을 치는 와중에 북쪽 고토회복 위주로 관심을 집중하는 등 대륙위주의 국경을 생각해와 상대적으로 남쪽 일본과의 국경선 문제에 있어서는 다소 소홀해 왔다. 그 이면에는 일본인을 예전부터 왜놈이라 하여 무시해온 탓도 있고, 무시하던 일본으로부터 침략을 당해 남쪽에 대해서는 잊고 싶었던 우리들의 정서도 한몫했다.

한국이 해결해야 할 영토문제

한국이 해결해야 할 영토문제

1. 대마도 반환문제

1) 세계2차대전 일본패망과 해방으로 체결된 美.日평화조약(샌프란시스코조약)에 의하면 일본은 강탈한영토를 반환해야 하고 한국은 빼앗긴 영토를 찾을 근거가 마련되었다. 그러나 한국은 6.25사변과 영토의식 부족으로 찾지 못하고 있는 실정이다.

이에 저자(정홍기)는 "대마도가 한국땅인 증거127종"을 제시하며 "영토를 수호하라"는 저술과 강연등으로 영토의식고취에 헌신하고 있다.

2) 백두산과 天池의 국경선 문제

북한의 김일성과 중국총리 주은래(周恩來)가 체결한 "朝.中국경선조약"이 있으나 백두산과 천지의 약 절반씩 중국에 잠식당하고 있는 실정이다. 북한당국 소관이기 때문에 여기서는 생략한다.

한국정부는 관심을 갖고 이문제와 중국 동북공정에 대한 정책을 제시해야 할 것이다.

3) 간도문제와 우리나라의 영토권 수호의지

간도(間島)는 고조선-고구려-발해(말갈)의 땅이던 간도는 1670년대에 이르기까지 임자 없는 땅이었다.

"당시 국경 개념은 지금과 달랐다. 선(線)이 아니라 지대(地帶)와 변경(邊境)이었다. 간도는 오랜 세월동안 명(明)과 고려 및 조선 사이의 군사적 완충지대이자 명의 통제력이 미치지 않는 공지(空地)였다(박선영 포항공대 동양사학과 교수)".

1644년 만주(넓은 의미의 간도와 일치함)에 흩어져 살던 여진족이 일으킨 청(淸)이 명을 쓰러뜨린 뒤 사정이 달라졌다. 족속을 거느리고 중국 관내(官內, 산해관 안쪽)로 옮겨간 청 정부는 1670년대 들어 백두산을 조상의 발상지로 성역화하고 또다시 공백지대가 돼 버린 간도에 한족(韓族), 조선족 등 다른 족들이 들어가는 것을 금지했다. 이같은 '봉금(封禁)', 즉 간도의 무인지대화는 인삼, 녹용, 진주 등 이 지역 특산물을 독점하려는 술책이자 중원에서 쫓겨나는 만일의 경우에 대비한 포석이었다. 이어 1712년에는 목극등(穆克登)을 시켜 '동위토문 서위압록'의 글귀를 새긴 돌비석을 백두산에 세워 봉금을 뒷받침하고 간도를 자신의 영토로 편입하려 했다.

정묘호란(1627년)과 병자호란(1636년)에서 패퇴한 후 청을 '임금의 나라'로 섬겨야 하는 처지였던 조선 정부는 청의 일방적인 국경획정에 끊임없이 시비를 걸었다. 하지만 봉금에는 협조적인 자세를 취해 두만강과 압록강을 넘나드는 백성을 중죄(월강죄, 越江罪)로 다스렸다. 불필요한 외교적 마찰을 피하기 위해서였다.

〈표 5〉 간도 연표

구 분	내 용
고대~17세기	- 고조선, 고구려, 발해의 영역 한민족이 지속적으로 거주
1627년	- 강도회맹(청 조정, 조선인 월강을 엄금)
1712년	- 백두산정계비 건립
1881년	- 청, 간도에 이미 수많은 조선인이 개간 거주하고 조선의 행정력이 미친 사실을 확인
1880년대	- 청, 이민실변 정책으로 한족 등을 간도로 이주시킴
1897년	- 조선, 대한제국 건국 후 적극적인 간도 보호
1901년	- 조선, 회령에 변계경무서 설치
1909년	- 청일간 간도협약으로 간도가 중국에 귀속
1910~1945년	- 조선족, 간도를 증거지로 지속적인 항일독립투쟁
1946~1949년	- 중국조선족 국공내전에 협력
1947년	- 북한이 항일전쟁과 국공내전 협력대가로 간도 요구(설)
19552년	- 옌벤조선족자치구 설치
1955년	- 옌벤조선족자치주로 강등
1962년	- 북중비밀변계조약 체결
2002년	- 중국, 동북공정의 일환으로 간도문제 중점 연구

국경분쟁을 다룬 중재판정이나 국제사법재판소의 판결에 따르면 영토귀속을 판단하는 데에는 영토의식이 중요한 기준이 된다.

인천대 노영돈 교수(국제법)는 "국제 관습법상 해당지역 주민이나 당사국 국민의 영토의식이 판결에 큰 영향을 미친다"며, "특히, 선점이나 시효, 할양, 정복과 같은 국제법 원칙을 적용하기 곤란할 때에는 더욱 그렇다"고 설명한다.

간도에 대한 영토의식을 키워야 하는 이유가 여기에 있다.

노교수는 그러나 "현재 간도에 대한 영토의식은 우리보다 중국이 훨씬 강하다"고 지적한다. "간도협약이 무효라거나 백두산정계 내용이 우리 쪽에 유리하다고 볼 객관적인 증거는 대단히 많지만, 중국측이 영토의식을 이야기한다면 아무래도 우리는 수세"라는 것이다.

우리에게는 간도에 대한 영토의식이 19세기 말 이전에는 희박했던 것일까.

양태진 동아시아영토문제연구소장은 "간도 지역에 대한 영토의식은 조선시대 이전부터 대단히 강했다"며 이를 부정한다. "간도 지역을 삶의 터전으로 일구고 살았던 북방지역 주민들 사이에서는 자연스럽게 '우리 땅'이라는 인식이 생겼다"는 것이다.

경인교육대 강석화 교수(사회교육과)도 "만주지역까지가 우리 영토라는 의식은 조선 초부터 존재했다"며, "1712년의 백두산 정계나 19세기 말 간도 문제가 불거진 것은 갑작스러운 것이 아니라 그 시기에 그런 주장을 할 수 있을 만큼 조선의 역량이 성장했기 때문"이라고 말한다.

실제로 청(淸)이 1880년 이후 간도 지역에 대한 봉금(封禁)을 풀고, 실질적인 관리에 들어가면서 조선인들에게 치발역복(雉髮易服, 머리를 깎고 청인의 옷을 입음)과 귀화입적(歸化入籍)을 요구했을 때 이 지역 조선인들은 강력히 반발했다. 청 정부는 귀화입적한 사람은 지주가 되고, 귀화를 하지 않은 사람은 그 땅에서 경작을 하는 전민제(佃民制)까지 실시하며, 조선인들을 압박했지만 이들은 굴하지 않았다. 많은 조선인들은 압록강 이남으로 내려가거나 제도를 아예 무시했다.

중앙 조정에서도 고구려 옛 땅을 되찾자는 고토수복론(故土收復論)이나 랴오둥(遼東)수복론이 18세기 말부터 등장한다. '성호사설(星湖僿說)'을 쓴 실학자 이익(李瀷, 1681~1763)은 더 많은 영토를 차지할 기회를 잃었다며, 백두산 정계를 비판하기도 했다.

우리 헌법 3조는 '대한민국의 영토는 한반도와 그 부속도서로 한다'고 못 박고 있다. 일반인들에게 우리나라의 영토가 북으로 압록강과 두만 강까지라고 여기게 만드는 조항이다.

동국대 임영정 교수(역사교육과)는 "헌법 제정 당시 장래에 간도문제 를 논의해야 한다는 사실을 염두에 두지 않았던 결과"라며, "통일 이후 에도 헌법 조문이 지금처럼 애매하다면 간도지역에 대한 연고권을 주장 하는데 문제가 될 것"이라고 지적했다.

왜 1948년 헌법 제정 당시에는 영토를 규정한 제3조의 문제점에 대 해 논란이 없었을까.

〈그림 38〉 1970년대 만들어진 것으로 추정되는 여지도
주 : 두만강과 토문강원을 뚜렷이 구분해 백두산 정계비의 토문강이 두만강이 아님 을 강조했다(서울대 규장각 소장).

노영돈 교수는 "식민사관의 영향 때문"이라고 단언한다.

"19세기 말에 이르면 두만강이 천지에서 발원하지 않는다는 것은 이미 한·중·일 3국이 다 아는 사실이다. 특히 일본은 발달된 측량술로 조선 영토를 속속들이 파악하고 있었다. 그럼에도 불구하고 일제가 조선인들에게 '간도는 조선 땅이 아니다'라는 의식을 심기위해 백두산 정계 의미를 왜곡하는 교육을 실시했다"는 것이다.

1909년 간도협약[353] 체결 전까지는 일제 역시 '간도는 조선 영토'라고 주장했다. 그런데 간도협약 이후로는 두만강 발원지가 천지라고 입장을 바꾸었고, 무엇보다도 학교 교육에서 이런 내용을 가르쳤다.

양태진 소장은 "영토의식은 역사교육과 뗄 수 없는 관계"라며, "불행히도 우리나라 집권층은 고려시대 김부식(金富軾) 이래 스스로의 역사를 중국사의 변방사로 인식하는 경향이 강했다"고 지적했다. 이 때문에 조선조 이전부터 북방지역에 뿌리내리고 살던 토착민들의 강렬한 영토의식은 정사(正史)에 뿌리를 내리지 못한 채 이단시되거나 야사(野史)로만 전해져 제대로 계승되지 못했다는 것이다.

---

353) 간도협약은 전문 7조로 되어 있는데, 그 내용은 ① 한·청 양국의 국경은 도문강으로서 경계를 이루되, 일본정부는 간도를 청나라의 영토로 인정하는 동시에 청나라는 도문강 이북의 간지를 한국민의 잡거구역으로 인정하며, ② 잡거구역 내에 거주하는 한국민은 청나라의 법률에 복종하고, 생명·재산의 보호와 납세, 기타 일체의 행정상의 처우는 청국민과 같은 대우를 받으며, ③ 청나라는 간도 내에 외국인의 거주 또는 무역지 4개처를 개방하며, ④ 장래 갈림 장춘 철도를 연길남쪽까지 연장하여 한국의 회령철도와 연결한다는 것 등이었다.

〈표 6〉 간도 지역 국경선 확정을 둘러싼 협상 연표

구 분	내 용
1627 (인조5년)	- 조선-후금 강도회맹(江都會盟) 체결, 두만강 건너편 동간도 지역에 대해 양 국민 출입금지(봉금, 封禁)에 합의
1689 (숙종15년)	- 청-러 네르친스크 조약체결, 청이 봉금 이후 방치했던 무인지대에 관심을 갖게 됨
1712 (숙종38년)	- 조선-청 백두산정계비 설치, 압록강~토문강에 이르는 선을 국경선으로 정함
1858 (철종9년)	- 청-러 아이훈조약, 러시아가 연해주 일대의 공동관할권을 얻어냄
1860 (철종11년)	- 청-러 베이징(北京)조약, 러시아 연해주 획득
1885 (고종22년)	- 조선과 청나라 양국 경계에 대한 회담인 을유담판(乙酉談判) 결렬
1886 (고종23년)	- 청-러 훈춘조약, 조선이 공동 참가해 녹둔도 반환을 청에 요청
1887 (고종24년)	- 조선과 청나라 양국 경계에 대한 회담인 정해담판(丁亥談判) 결렬
1888 (고종25년)	- 청의 이홍장이 제3차 감계회담을 요구했지만 조선은 이중하(李重夏)의 회담 연기론에 따라 이를 받아들이지 않음, 이후 양국은 독자적인 조치를 취함
1905	- 대한제국-일 을사늑약(乙巳勒約), 한국의 외교권을 일본이 강제로 박탈
1909	- 청-일 간도협약(間島協約), 일본이 만주철도, 탄광 등 5가지 이권을 넘겨받은 대가로 청나라에 간도 영유권을 넘겨줌
1962	- 북-중 조중변계조약(朝中邊界條約) 체결설, 북-중 국경을 압록강~백두산~두만강으로 확정
1995	- 중국 리펑총리가 한국 이홍구 총리에게 한국인 관광객들이 "간도는 한국땅"이라고 말하는 등의 언행자제를 요청
2002	- 중국, '동북공정(東北工程)' 개시

〈그림 39〉 간도 영유권을 주장할 수 있는가

국제사법재판소에 간도 영유권 문제를 제기할 수 있는 기간이 지났다는 주장도 있다. 일제와 청나라가 간도협약을 맺은 것이 1909년인데, 100년이 되는 2009년에는 국제법 관습에 따라 문제를 제기할 수 있는 시효가 만료된다는 이론이다.

그때까지 간도 문제에 대해 이의를 제기하지 않으면 국제사회가 한국도 간도문제를 인정한다고 보게 된다는 것이다.

국제법 전문가들은 이 '100년 시효설'에 대해 "국제법으로 정해진 내용은 아니며, 확실한 증거가 있으면 100년이 넘어도 영토 반환 요구를 할 수 있다"고 말한다. 그러나 영토문제는 계속해서 문제를 제기하지 않으면 결국 현실적으로 문제의 땅을 점유한 나라에 우선권이 돌아간다는 것이 국제사회의 통념이다.

일본의 경우 독도 문제를 언급하는 공문서를 거의 매년 한국에 보내고 있다.

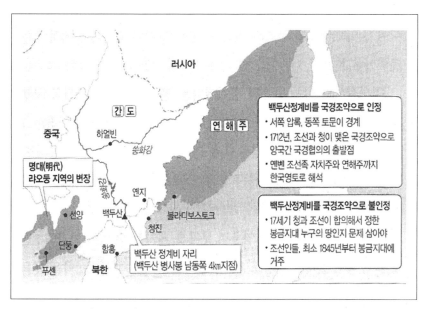

〈그림 40〉 백두산정계비 국경조약 인정·불인정

간도 영유권 문제는 독도문제보다 훨씬 복잡하다. 독도 영유권 분쟁은 국제법적 효력이 없는 일본의 일개 현(縣) 정부가 발효한 고시에 증거하고 있다.

그에 비해 간도지역은 역사적으로 중국과 한국, 중국과 북한, 중국과 일본 사이에 여러 개의 국제조약이 맺어졌다. 따라서 간도 영유권 문제를 논의하기 위해서는 이들 조약에 대한 검토가 먼저 이루어져야 한다.

가장 먼저 검토되어야 하는 최근의 조약은 1962년 북한과 중국 사이에 체결된 것으로 알려진 중조변계조약(中朝邊界條約)이다. 이 조약은

133.4km에 달하는 중국과 북한간 전 국경지역의 경계선을 확정했으며, 이에 따르면 북한~중국 국경은 압록강~백두산~두만강이다. 간도는 중국에 속한다.

중조변계조약(中朝邊界條約)은 북한과 중국 간에 체결된 밀약으로 아직 정확한 실체가 드러나지 않았다. 북·중 양국은 체결 42년이 지난 2005년 까지 중조변계조약(中朝邊界條約)을 국제연합에 등록하지 않았다.

밀약이라도 효력은 갖는다. 국제연합 사무국에 등록되지 않았다 해도 양국간 합의로 조약이 맺어졌다면 이 법을 다른 조약에 원용할 수 없을 뿐 법적인 구속력은 갖는다.

통일 한국이 1962년 중조변계조약(中朝邊界條約)을 받아들인다면 압록강~백두산~두만강 국경선을 인정하는 셈이 돼 간도문제를 재론할 증거가 없어지게 된다.

중조변계조약 다음으로 최근에 체결한 조약은 1909년 청나라와 일본이 체결한 간도협약(間島協約)이다. 그러나 조선의 외교권이 박탈된 상태에서 체결된 간도협약은 무효의 소지가 많다.

간도협약은 일본이 청나라에 만주철도와 탄광 등 5가지 이권을 받은 만주협약의 대가로 간도 영유권을 넘겨주는 내용이다. 그러나 국제법 전문가들은 "강박(强迫)에 의해 대한제국의 외교권을 박탈한 을사조약이 무효이기 때문에 을사조약을 증거로 청과 체결한 간도협약 역시 무효"라고 주장한다.

게다가 일본은 2차 세계대전 종전 후 '일본이 중국으로부터 도취(盜取)한 모든 지역을 반환한다'는 내용의 카이로선언과 '중일 양국은 1941년 12월 9일 이전 체결한 모든 조약, 협약 및 협정을 무효로 한다'고 규정한 중·일 평화조약에 서명했다.

이에 따르면 간도협약은 국제법 법리에 비춰 효력이 없으며, 따라서 간도지역은 협약 이전 상태로 원상회복되어야 한다. 그러나 강대국과 한국의 무관심 속에 간도는 중국의 영토로 남았다. 포항공대 박선영 교수에 따르면 "간도협약은 제국주의가 청산된 이후에도 원래대로 환원되지 않은 거의 유일한 법"이다.

간도협약 이전의 한·중 국경협상은 1885년과 1887년 2회에 걸친 조선과 청의 감계회담(勘界會談)이다. 1883년 청이 '두만강 북쪽의 조선인을 1년 내에 추방한다'는 고시를 내면서 불거진 국경문제를 해결하기 위한 국경 회담이었다.

감계회담은 백주산정계비의 해석을 둘러싼 이견이 좁혀지지 않아 결렬되고 말았다. 따라서 이를 인용할 수는 없지만 회담이 열렸다는 사실 자체는 19세기에도 간도가 분쟁지역이었다는 증거가 된다.

감계회담 이전에는 중국과 한국이 국경을 논의한 때는 1712년이다. 청의 오라총관(烏喇總管) 목극등(穆克登)은 '서쪽으로는 압록, 동쪽으로는 토문을 경계로 삼는다(西爲鴨綠 東爲土門)는 내용의 백두산정계비를 백두산 백두봉에서 남동쪽으로 4km 가량 떨어진 지점에 세웠다.

정계비에 따르면 북간도 지역(지금의 옌볜조선족자치주 일대에 해당)과 연해주 일부는 조선 영통 해당하며, 서간도 지역은 중국 영토가 된다.

백두산정계비는 조선과 청 두 나라가 합의한 경계라는 의미가 있다. 서울대 백충현 교수는 "백두산정계비가 현대적 의미의 양국간 협정의 증거로 유의미하다"며, "국경논의의 출발점으로 삼을 수 있다"고 말했다.

현재 중국 학계에서는 정계비의 국제법성 유효성을 인정하지 않는 입장이 주류다. 정계비를 조선이 임의로 옮겨 놓은 혐의가 있으므로 무효라는 주장이 있는가 하면 "정계비가 양국간 협정이 아니라 단지 청의 변방 답사였다"는 견해도 제기된다. 중국의 일부 학자들은 백두산정계비의 의미 축소를 위해 이 비를 목극등심시비(穆克登審視碑)라고 부르기도 한다.

백두산정계비를 유효한 국경조약으로 보지 않을 경우 그 이전의 조약은 마땅히 인용할 만한 것이 없다.

1627년 청과 조선은 양국 국경을 정하는 '강도회맹(江都會盟)'을 맺었지만 이때의 기록은 남아있지 않다.

사실 근대 이전에도 간도지역을 포함해서 한·중간 명확한 국경이 없었다고 보는 것이 옳다. 영토학자들은 나라와 나라 사이의 경계를 선(線)으로 자르는 국경 개념이 근대 국가에 들어와서 생겼다고 지적한다. 근대 국가 전까지 양국 사이에는 어느 한쪽이 일방적으로 지배하는 것이 아닌 넓은 변경지대가 있었다는 것이다. 간도지역도 이런 중간 지대였다.

다만 청은 1658년부터 현재의 간도지역에 대해 봉금령(封禁令)을 내리고, 19세기 초반까지 이 지역에 자국민이 들어가는 것을 막은 반면, 조선은 정부의 금지에도 불구하고 많은 사람들이 이 지역에서 농사를 짓고 산 것이 여러 기록을 통해 입증된다.

조선 조정에서 1902년 이범윤(李範允)을 간도시찰사로 임명했을 때가도 일대의 인구는 2만 7400여 호, 10만명에 이르렀다. 따라서 국제법상 영토취득방법의 하나인 선점(先占) 원칙을 증거로 할 때 간도에 대한 영유권은 한국에 있게 된다.

한중 수교 이후 한국 정부는 간도 문제에 대한 언급을 극히 꺼렸다. 1983년 국회의원 55명이 '백두산 영유권 확인에 관한 결의안'을 제출하고, 1995년 국회 본회의에서 독립운동가 자손인 김원웅(金元雄) 전 의원이 독도문제를 제기하면서 "간도는 우리땅"이라고 발언한 것이 전부다.

노영돈 교수는 "간도에 대해 정부가 계속해서 이의를 제기하여 집요하게 분쟁지역으로 만들어야 한다"고 주장한다. 정식적인 외교 채널을 통해 간도문제를 제기해야 통일 후 간도 영유권에 대한 주장을 할 수 있는 증거가 된다는 것이다.

신중론자와 강경론자 모두 두 가지 점에 대해서는 의견이 일치한다. 학계의 학제간 연구를 정부가 뒷받침해 증거자료를 계속 확보해 나가야 한다는 것과 국민들로 하여금 간도에 대한 영토 의식을 갖게 해야 한다는 점이다.

〈표 7〉 한국측 간도 영유권 주장 일지

연 도	내 용
1869~1870	- 함경도 지역에 대흉작이 들자 두만강과 압록강을 넘어가 농경지를 개간하는 조선인들이 급증
18882	- 청나라가 간도 주민들을 자국인으로 편입하겠다는 방침을 고시, 이에 간도의 조선인들은 조선 정부에 "청의 시도를 막아 달라"며 청원
1887	- 관찰사 조재우(趙在愚)가 조정의 지시에 따라 백두산 부근의 산과 하천을 둘러보고 을유·정해 감계에 대한 의견서인 담판오조(談判五條)를 보고 토문이 조선과 청의 경계임을 확인
1897	- 조선, 서상무(徐相懋)를 서변계(西邊界) 감리사로 임명해 압록강 대안인 서간도지역의 한인을 보호하도록 함
1898	- 내부대신 이건하(李乾夏)가 함북관찰사 이종관(李鍾觀)에게 국계 답사를 지시, 경원군수 박일헌(朴逸憲) 등은 "흑룡강 하류 동쪽이 조선땅인데 청나라가 러시아에 할양한 것은 용납할 수 없으니 3국이 회담해야 한다"고 보고
1900년경	- 평북관찰사 이도재(李道宰)가 압록강 대안지역을 각 군에 배속하고 충의사(忠義社)를 조직해 이주민을 보호
1901	- 변계경무서를 회령에 설치하고 교계관(交界官) 2명을 임명, 무산과 종성에 분서를 둬 간도 한인을 보호관찰하고 사업·행정·위생을 담당해 고시문을 내고 일지를 기록

연 도	내 용
1902	- 이범윤(李範允)을 간도시찰사로 임명, 간도 지역에서 민의 판적(版籍)에 든 자가 2만 7400여 호, 남녀 10여만 명으로 조사됨
1907	- 김현묵(金賢黙) 외 13명, 주범중(朱範中) 외 13명 등 북간도민들이 "수십만의 생명을 보호해 달라"며 대한제국 내각에 청원문 제출
1983	- 김영광(金永光) 의원 등 국회의원 55명 "백두산 영유권 확인에 관한 결의안" 국회 제출
1995	- 김원웅(金元雄) 의원, 국회에서 "간도는 우리땅"이라고 주장

2. 러, 1860년 淸과 조약 후 빼앗긴 녹둔도 문제

녹둔도를 거론한 최초의 기록물은 '세종실록지리지'다. 녹둔도를 사차마도(沙次亇島)라고 표현했다. 전문가들은 여진족의 음을 따서 이름을 붙였을 것으로 해석한다. 세조 원년인 1455년 비로소 녹둔도라는 이름을 얻었다. 이후 조선시대에 만들어진 대부분의 고지도에는 녹둔도가 분명한 섬으로 등장한다. 또 청(淸)나라와 일제가 만든 지도와 기록에도 어김없이 나타난다.

조선의 고지도는 녹둔도의 위치와 크기를 제각각 표시하고 있다. 16세기 초 편찬된 '동국여지승람'은 함경도 조산에서 20리 떨어져 있다고 기록했다. 고종 때 제작된 것으로 보이는 '경흥도호부읍지'는 조산으로부터 30리 거리라고 서술했다. 또 19세기 말에 나온 '아국여지도'는 조산까지의 거리를 15리로 기술하고 있다.

크기도 '아국여지도'는 남단 70리, 동서 30리라고 가장 크게 묘사했다. 이는 녹둔도의 면적이 300km2을 넘는다는 이야기다. 하지만 이는 현실과는 동떨어져 있다는 의견이 지배적이다.

1887~1891년 간행된 일본 외무성 문서와 1901년 일제가 펴낸 '조선 개화사'는 4km2정도라고 소개하고 있다. 해방 후 처음으로 녹둔도를 6차례 현지 답사한 서울대 이기석 교수(지리교육과)는 "녹둔도의 면적은 32km2로 서울 여의도의 4배 정도 되는 것으로 추정된다"고 말했다.

노계현 전 방송통신대 교수는 "녹둔도는 세종 때 육진개척 이후 우리 영토로 편입됐다"고 주장했다. 실제로 조선시대 각종 기록물은 녹둔도를 경작지이자 변방 거점으로 묘사하고 있다. 세조 때 이미 여진족들의 약탈을 우려해 진장(鎭將)과 만호(萬戶)들에게 엄중 방비의 영이 내려진다. 왕이 직접 관심을 보일 정도이니 소출이 많았다는 점을 짐작할 수 있다. 또 '조선왕조실록' 성종 17년(1486년)과 중종 37년(1542년) 선조 19년(1586년) 등에 녹둔도 경작민의 보호를 위한 각종 논의가 기록되어 있다. 여진족과 맞서는 팽팽한 긴장관계는 급기야 '녹둔도 사건'으로 비화한다. 1587년 여진족들이 녹둔도에 대거 침입한 것이다. 경흥부사 이경록과 조산 만호 이순신이 사력을 다해 막았지만 군사 11명이 살해되고 160여명의 군민이 납치당했다.

이순신은 이때의 잘못으로 만호직을 박탈당한다. 그러나 조선은 이듬해 반격에 나서 여진부락 200여호를 불태우고 380여명을 사살하는 전과를 올렸다. 이순신은 이 전투에서 백의종군해 승리를 이끈 공로로 사면을 받는다.

하지만 녹둔도는 이후 19세기 후반까지 역사에 자취를 감춘다. '녹둔도의 암흑기'에 속하는 이 시기는 청나라와 조선이 접경지역을 무인지대로 봉금했던 때와 일치한다. 봉금은 접경지역의 조선과 청나라의 발상지인 데다 두 나라 백성들의 충돌을 막기 우한 목적이었다. 이순신에게 엄청난 타격을 입은 여진족이 침입할 엄두를 내지 못한 평화기간이라는 설명도 있다. 노계현 전 교수는 이 시기에 녹둔도가 조선 영토였음은 분명함을 지적한다.

〈그림 41〉 두만강 어귀 녹둔도의 과거와 현재

3. 한·중·일, 대륙붕 확장 '삼국지'

정부는 2012년 12월 26일 동중국해에서 한국의 대륙붕 경계선이 일본 오키나와 해구까지 뻗어있다는 내용의 대륙붕 한계 정식 정보를 유엔 대륙붕한계위원회(CLCS)에 제출했다. 한중일 동북아 3국이 동중국해에서 주장하는 대륙붕 영역이 서로 겹치고 있다는 점에서 향후 해양영토 경계획정 과정에서 치열한 힘겨루기가 펼쳐질 가능성이 크다.

정부는 2009년 5월 CLCS에 예비 정보를 제출하면서 한국의 대륙붕 외측 한계선을 제주도 아래에 있는 한일 공동개발구역(JDZ) 남측 경계선으로 규정했다. 이번에는 이 경계선을 기준점에 따라 최소 38㎞, 최대 125㎞ 일본 쪽으로 더 들어가는 것으로 변경해 일본 영해(12해리)에서 불과 5해리 떨어진 수역까지 연장했다. 그 결과 200해리 바깥에 위치한 한국의 대륙붕 면적은 2009년과 비교해 두 배 이상 넓어졌다.

유엔 해양법협약은 각국이 200해리까지 대륙붕을 주장할 수 있고, 200해리를 넘는 수역은 해저 지형의 자연 연장에 따라 대륙사면의 끝(FOS)에서 60해리를 더해 최대 350해리까지 주장할 수 있도록 규정하고 있다.

외교통상부 관계자는 27일 "국토해양부, 지질자원연구원, 해양조사원 등 관계기관 및 민간 전문가들과 협의를 거쳐 국제법에서 권한 주장이 가능한 최대 범위를 적용해 대륙붕 한계를 설정했다"고 설명했다.

중국은 앞서 2012년 12월 14일 자국의 대륙붕이 한국과 비슷하게 오키나와 해구까지 뻗어있다는 내용의 대륙붕 한계 정보를 CLCS에 제출했다. 따라서 한국이 선언한 대륙붕과 상당 부분 겹친다.

반면 일본은 동중국해쪽 해저에 대륙붕이 형성돼 있지 않다. 이에 일본은 배타적경제수역(EEZ)과 같은 200해리까지를 자국의 대륙붕으로 주장하며 한중 양국의 대륙붕 선언에 반발하고 있다.

CLCS는 국가가 대륙붕 한계 정보를 제출하면 3개월간 공지를 거쳐 유엔에서 자국의 입장을 회원국들에게 설명하도록 규정하고 있다. 다만 CLCS는 관련국이 대륙붕 경계에 분쟁이 있다고 이의를 제기할 경우 해당 정보에 대한 심사 자체를 진행하지 않는다. 일본이 문제를 제기할 가능성이 높아 CLCS가 실제 동중국해의 대륙붕 경계를 심사할지는 불투명하다. 또한 CLCS가 심사를 하더라도 그 결과는 권고적 의미에 불과하고 법적 구속력이 없어 최종 경계획정은 관련국간 협상으로 결정해야 하는 한계가 있다.

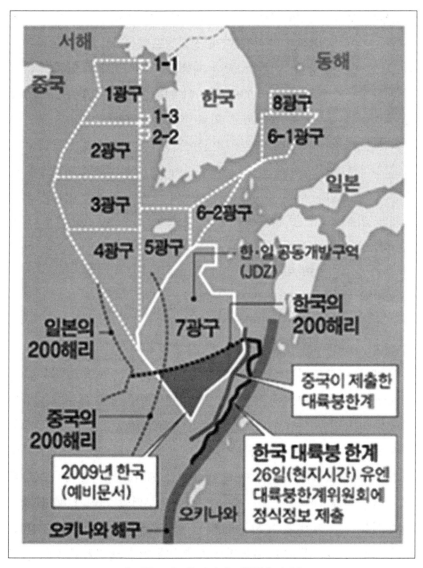

〈그림 42〉 우리나라 대륙붕 수역

자료 : 한국일보(2012). 한중일, 대륙붕 확장 '삼국지'. 한국일보. 2012.12.28. 6면.

정부는 2012년 12월 27일 우리나라의 대륙붕 경계선이 오키나와 해구까지 이어져 있다는 '대륙붕 한계 정식정보'를 유엔 대륙붕한계위원회(CLCS)에 제출했다. 이는 2009년 제출했던 예비정보에 비해 우리의 외측 한계선이 일본 쪽으로 38~125km 더 이동한 것으로 한·중·일 3국 간 동중국해 대륙붕을 둘러싸고 외교전이 치열해질 전망이다.

외교통상부는 "우리의 권리가 미치는 동중국해 대륙붕이 200해리 너머 일정부분까지 연장돼 있다는 것을 보여주는 정식정보를 CLCS에 제출했다"고 말했다. 이번에 제출한 정보에 따르면 우리나라 대륙붕 외측 한계는 위도(북위) 27.27~30.37도, 경도(동경) 127.35~129.11도 사이로, 3년 전 예비정보 제출 당시에 비해 면적이 2배 이상 넓어졌다. 특히 이 한계선이 일본의 영해(12해리)에서 불과 5해리 떨어져 있다는 점에서 일본의 강력한 반발이 예상된다. 정부는 국제법 규정에 따라 대륙붕 권리 주장이 가능한 최대범위인 '우리 영해기선으로부터 350해리 내에서 대륙 사면의 끝(FOS)+60해리' 공식을 적용해 한계선을 설정했다. 정부 관계자는 "국토해양부와 한국지질자원연구원, 국립해양조사원 등 관계기관 및 민간 전문가들과 협의를 거쳐 예비정보 제출 때보다 대륙붕 한계가 더 넓다는 사실을 확인함에 따라 새로운 경계를 설정한 것"이다.

연안국은 대륙붕에 대해 탐사 및 해저와 하층토의 광물·무생물자원·생물자원 등 천연자원 개발에 대한 주권적 권리를 행사할 수 있다. 문제는 동중국해 대륙붕이 한·중·일 3국으로부터의 거리가 400해리를 넘지 않는다는 점이다. 특히 '아시아의 걸프'라 불릴 정도로 풍부한 천연가스와 석유가 매장돼 있을 것으로 추정돼 이를 둘러싸고 3국 간 치열한 쟁탈전이 불가피하다.

앞서 중국 역시 지난 2012년 12월 14일 정식문서를 제출하면서 자국의 대륙붕 한계를 과거보다 확대했다. 특히 중국은 센카쿠열도(중국명 댜오위댜오)까지 자국 영토로 표시해 영토분쟁의 성격까지 더했다.

정부는 정식정보 제출에 대해 "우리나라가 권리를 주장할 수 있는 대륙붕에 대한 선언적 의미가 크다"며 "해당 해역의 경계획정은 해당국 간 회담을 통해 결정될 것"이라고 말했다. CLCS는 특정국의 대륙붕 경계 확정 요구가 있으면 이를 논의해 결론을 낸 뒤 관련국에 권고한다. 그러나 이 권고는 구속력을 갖지는 못하며 대륙붕 획정은 관련국 사이의 회담을 통해 최종적으로 정해진다.

한·중 양국의 대륙붕이 오키나와 해구까지 이어졌다는 주장에 대해 일본은 "해양권익을 침해하는 것"이라고 반발해 온 만큼 이번에도 반발할 가능성이 크다. 정부는 중국과는 양국의 대륙붕이 오키나와 해구까지 이어졌다는 '총론'에서는 이견이 크지 않은 만큼 일단 한·중 공조를 통해 일본을 설득하고 한·중 간 차이는 그 뒤에 해소한다는 전략이다.

〈그림 43〉 우리나라 인근 대륙붕 수역

자료 : 한국경제(2012). 정부 '日쪽으로 2배 넓어진 대륙붕' 유엔 제출…한·중·일 '대륙붕 쟁탈전'. 한국경제. 2012.12.27. 5면 3단.

한·중·일 3국이 치열하게 맞붙은 동중국해의 대륙붕은 동해 및 서해와는 달리 연안으로부터 완만하게 유지되다가 오키나와 해구(海溝·해저 골짜기)에서 수심이 크게 깊어지는 구조를 갖고 있다.

석유·천연가스 등이 풍부하게 매장된 것으로 알려진 이 수역의 대륙붕에 대한 권원(權原) 확보를 위해 외교부, 국토해양부, 국립해양조사원, 한국지질자원연구원이 오랫동안 전략을 가다듬어왔다.

정부는 이번에 지난 2009년 예비정보를 제출할 때보다 더 넓은 지역에 대해 우리의 권리를 주장했다. 2009년에는 제주도 남쪽 한·일공동개발구역(JDZ) 내 수역 1만9천㎢에 대해서만 예비 정보를 제출했다. 그러나 3년간의 과학적·법적 추가 조사 끝에 대륙붕 외측 한계가 훨씬 더 일본 쪽으로 확대돼 있다는 결론에 이르렀다고 한다. 이 같은 조사 결과를 800쪽 가량의 문서로 작성해 유엔에 제출했다. 우리나라의 권원이 미치는 대륙붕 끝이 육지 영토의 자연적 연장에 따라 오키나와 해구까지 뻗어나간다는 입장을 공식적으로 천명한 것이다.

유엔해양법협약 76조 8항은 각국이 200해리 바깥쪽으로 자국의 대륙붕이 자연 연장됐다고 판단되면 관련 자료를 CLCS에 제출, 인정받도록 하고 있다. 정부는 국제법 규정에 따라 대륙붕 권원 주장이 가능한 최대범위인 우리 영해기선으로부터 350해리 내에서 '대륙사면의 끝(FOS)+60해리' 공식을 적용, 한계선을 설정했다.

고정점 85개를 지정해서 연결한 한계선 중에서 일부 지역은 일본의 영해(12해리) 바로 앞까지 들어가 있다. 정부 관계자는 "일본의 영해를 침범하지 않도록 일본의 영해에서 약 5해리 밖에 한계선을 설정한 지점도 있다"고 말했다. 일본을 자극하지 않기 위해서 일부 수역에서는 외측한계를 일부러 축소 조정했다.

〈그림 44〉 한국·중국이 CLCS에 제출한 대륙붕 정식정보 및 해역개념도
자료 : 조선일보(2012). 동중국해 해저 영토…韓中日 본격 힘겨루기 시작. 조선일
보. 2012.12.28.

한반도 주변의 영토분쟁

제9장

→ → → →

한반도 주변의 영토분쟁

1. 러·일 북방 4개섬 분쟁

저자가 일본에서 공부할 때인 1973년 11월 북해도를 여행할 기회를
가졌다. 삿포로에서 동쪽 바닷가 러시아에 빼앗긴 북방 4개 섬이 보
이는 구시로(訓路)곶에서는 "北方4島를 일본에 返還하라"는 현수막이
빽빽이 걸려있는 수십 년 쌓인 열기가 장관이었다. 일본인의 그 뜨거운
영토 지키기 열기를 생각하며 이 글을 쓴다.

2004년 7월 16일 일본 홋카이도(北海道)를 출발해 북방 4개 섬을 순
회하는 관광여객선이 처음으로 출발했다. '북방 4개 섬 주유(周遊)크루
즈' 관광상품을 선보인 회사는 "옛 영토를 잊지 말자는 취지로 홍보하면
학생들이나 노년층에게 인기가 있을 것"이라고 말했다.

일본은 4개 섬이 자국 영토라는 점을 분명하게 하기 위해 이 관광을
허용했다. 지금까지 일본인들은 러시아 정부의 비자를 받아야 이 섬들
을 방문할 수 있었다. 일본 정부의 허락을 받고 관광에 나선 일본인들
은 북방 4개 섬 주변의 빼어난 절경에 탄성을 질렀다.

이처럼 현재 4개 섬 주변에서는 일본과 러시아 사이에 흐를 법한 긴
장은 느낄 수 없다. 하지만 두 나라 사이에는 19세기 말~20세기 초의

열전(熱戰)에 못지않은 치열한 물밑 영유권 분쟁이 이어지고 있다.

4개 섬은 쿠릴(千島)열도의 일부로 하보마이(齒舞, абмаи), 시코탄(色丹, Шикотан), 구나시리(國後, Кунашир), 에토로후(擇足, Итуруп)다. 구나시리가 홋카이도에 가장 가깝고, 에토로후가 가장 멀다. 4개 섬 총 면적은 5036km²로 오키나와(沖縄) 섬의 약 4배 크기이며, 러시아 사할린주 관할이다. 거주 인구는 약 1만 9000여명에 이른다.

이곳의 영유권 다툼은 제정 러시아가 19세기 초 사할린과 쿠릴열도까지 남하했을 때 촉발됐다. 제정 러시아와 일본은 잦은 충돌 끝에 1855년 시모다(下田)조약을 체결했다. 4개 섬은 일본영토로 나머지 쿠릴열도는 러시아령으로 하고, 사할린은 두 나라가 공유하기로 결정했다. 이어 제정 러시아는 군사력 우위를 앞세워 1875년 '사할린, 쿠릴열도 교환조약'을 체결했다. 사할린을 모두 제정 러시아가 차지하는 대신 쿠릴열도를 일본에 내주었다.

그러나 1905년 러·일 전쟁에서 승리한 일본은 같은 해 포츠머스 강화조약을 맺어 북위 50도 이남의 남부 사할린을 빼앗았다. 러시아의 뒤를 이은 소련은 1945년 사할린과 쿠릴열도를 탈환할 절호의 기회를 놓치지 않았다. 일본과 전쟁에 나서면 사할린과 쿠릴열도에 대한 소련의 영토권을 인정하겠다고 한 미국과 영국의 비밀제의를 수용한 것이다.

1985년 고르바초프 소련 공산당 서기장은 일본의 경제지원을 얻기 위해 "영토문제는 해결돼야 한다"며 유연한 입장을 보였다. 일본도 '정경일체의 원칙'을 누그러뜨리면서 대화 테이블에 나섰다. 이는 1991년 4월 소련 지도자로는 처음으로 고르바초프 서기장의 일본 방문으로 이어졌다.

가이후 도시키(海部 俊樹) 일본 수상과 고르바초프 서기장은 공동성명에서 처음으로 '귀속'과 '영토획정문제'라는 표현을 사용했다. 이어 보리스 옐친 러시아 대통령도 일본의 대규모 경제지원을 조건으로 4개 섬의 단계적 반환이라는 파격적인 안을 제시했다.

푸틴 러시아 대통령도 2001년 이르쿠츠크 러·일 정상회담에서 시코탄과 하보마이 2개 섬의 우선 인도를 시사했다. 일본도 영토협상과 경제협력을 동시 추진하는 확대 균형정책을 통해 러시아를 유인하고 있다.

하지만 러시아에 4개 섬은 태평양함대가 먼 바다로 나가는 관문이자 미·일 해군의 진입을 막는 자연적 방파제라는 전략적 특수성이 있다. 또 4개 섬 주변은 세계 3대 어장의 하나이자 막대한 해저광물과 석유가 매장된 것으로 추정된다. 4개 섬 주민들과 사할린 주는 분리 독립까지 불사하겠다며 반환 반대를 외치고 있다.

소련은 1941년 맺은 소·일 중립조약을 깨고 1945년 8월 사할린과 쿠릴열도 전체를 차례로 점령했다. 그러나 1951년 샌프란시스코 대일(對日)강화회담은 이 섬들을 소련 영토라고 추인하지 않았다. 일본의 주권 포기만 규정했을 뿐이었다. 미국이 아시아에서 소련의 공산주의를 봉쇄하기 위한 것이었다.

소련은 샌프란시스코조약 서명을 거부했고, 소련과 일본이 평화조약을 체결하지 못하는 등 두 나라의 관계는 얼어붙었다. 1956년 평화공존 외교노선을 앞세운 하토야마 이치로(鳩山一郎) 일본 외상이 전후 처음으로 모스코바를 방문해 국교를 정상화하면서 훈풍이 부는 듯 했다.

소련은 평화조약 체결을 조건으로 시코탄과 하보마이 2개 섬을 먼저 양도할 의사를 내비치며 화답했다. 그러나 냉전의 한 축인 미국이 제동을 걸고 나섰다. 미국은 일본이 소련의 의사를 수용하면 1951년부터 통치한 오키나와를 병합하겠다고 위협했다.

이어 1960년 '미·일 신안보조약'과 1978년 반(反)패권 조항이 들어간 '중·일 평화우호조약' 체결은 소련의 반발을 더욱 키웠다. 소련은 1975

년 일본인들의 성묘를 중단시키고 1976년 12월에는 200해리 경제수역을 선포했다. 1978년 3월에는 "4개 섬은 소련 영토로 자국 영토를 일본에 인도할 수 없다"고 비난하는 성명까지 발표했을 정도로 저항은 생각보다 높다. 이렇듯 국가간 영토문제는 오랜기간 난제로 복잡한 이해관계가 얽혀 실타래 풀듯 쉽게 해결될 기미가 보이지 않는다.

일본의 침략야욕이 빚은 침탈의 역사가 오늘날 주변국들의 많은 지역에서 끊임없는 분쟁의 씨앗이 되고 있는 것이다.

〈표 8〉 일본과 러시아의 국경분쟁

구분	내용
북방4개 섬 긴장요인	- 러시아, 하보마이, 시코탄 2개 섬만 양도 의사 - 러시아 국민들, 영토 재조정에 불만 잠복 - 러시아에 있어 4개 섬의 군사·전략적 가치 - 일본은 4개 섬의 완전 귀속 요구
1855년 시모다(下田)조약	- 일본은 북방 4개 섬, 제정러시아는 나머지 쿠릴열도 각기 차지
1875년 사할린-쿠릴열도 교환조약	- 제정러시아, 사할린 전체 차지하는 대신 쿠릴열도 일본에 넘김
1905년 포츠머스 강화조약	- 일본, 러-일전쟁에서 이겨 북위 50도 이남의 남부 사할린 차지
1945년	- 소련, 소-일 중립조약 개고 사할린과 쿠릴열도 모두 점령
1956년	- 일-소 국교 정상화, 공동선언에 시코탄, 하보마이 우선 양도 의사
1973년	- 다나카 총리-브레즈네프 서기장, 공동성명에 북방영토 반환 언급
1991년	- 가이후 총리-고르바초프 대통령, 4개 섬을 영토문제 대상 삼아

구분	내용
1993년 도쿄 정상회담	- 호소카와 총리-옐친 대통령, 1956년 공동선언 유효성 재확인
1997년 크라스노야르스크 정상회담	- 2000년까지 평화조약 체결 위해 노력 다하기로→실패
1998년 모스크바 정상회담	- 4개 섬 공동개발과 국경획정위원회 설치 합의
2001년 이르쿠츠크 정상회담	- 푸틴 대통령, 시코탄 하보마이 우선 반환 시사

2. 일본의 주변국과 영유권 분쟁

일본이 세계 2차 대전 전에 탈취한 영토들에 대한 문제는 대부분 해결되었다. 우선 대만은 1945년 10월 25일에 정식으로 중화민국의 영토로 환원됐으며, 이어 남(南) 가라후토(樺太, 사할린 Sakhalin) 및 쿠릴열도(千島列島, Kuril)는 1945년 9월 20일에 소련이 이미 영토로 확보한 북(北) 가라후토와 함께 소련방을 구성하는 하나의 주로서 사할린 주라는 이름으로 러시아에 편입됐다. 이어 적도(赤度) 이상의 태평양 제도(諸島)는 1947년 4월 2일에 미국에 의한 신탁통치협정이 국제연합 안전보장 이사회에서 승인됨으로써 미국이 신탁통치하는 지역으로 결정됐다.

일본이 주변국과의 영토분쟁에서 북해도(홋카이도) 동쪽 오호츠크해에 나란히 늘어서 있는 북방 4개 섬 문제는 전후 일본의 최대 관심사였다.

일본이 거리에서 '북방 영토 즉시 반환하라'는 현수막을 내건 우익단체들의 방송차량을 보는 것은 어렵지 않다. 북방 4개 섬에 관한 일본의 일반시민들도 2차 세계대전이 끝난 직후 소련이 무력으로 빼앗았다는 정서가 일반적이다.

북방 4개의 섬 문제란 홋카이도(Hokkaido)아 캄차카반도 사이에 있는 쿠릴열도 남단의 하보마이(Habomai), 시코탄(Shikotan), 에토로후(Iturup), 쿠나시리(Kunashir) 등에 대한 영유권 문제이다. 4개의 섬 총 면적은 5,036km2이다. 오키나와의 4배 정도로 인구는 약 2만명 정도이다.

일본은 이 4개의 섬이 홋카이도에 속한 일본 영토이기 때문에 모두 돌려달라고 요구하고 있다. 그러나 러시아는 이 중에서 하보마이와 시코탄은 돌려줄 수 있지만 에토로후와 쿠나시리는 원래 쿠릴열도에 속하기 때문에 돌려줄 수 없다는 입장을 취하고 있다.

'북방영토'의 역사는 17~18세기 까지 거슬러 올라간다. 쿠릴열도와 사할린은 원래 아이누족이 살고 있던 곳이다. 당시 동진정책을 추진하고 있던 러시아와 홋카이도를 넘어 북상하고 있던 일본이 이곳을 양국이 서로 넘보기 시작했다. 아이누족의 의사와는 상관없이 러시아와 일본은 1855년과 1875년 두 번에 걸쳐 조약을 체결하였다. 1855년에는 쿠릴열도 남단 4개의 섬인 에토로후, 쿠나시리, 시코탄, 하보마이를 일본이 갖고, 쿠릴(Kuril)열도 북부는 러시아가 갖는 대신 사할린은 공동관할로 했다. 그러다가 1875년에는 사할린을 러시아가 그리고 쿠릴열도는 일본이 갖기로 결정한다. 그러나 1905년 러·일 전쟁에서 승리한 일본은 북위 50도선을 경계로 사할린 남부까지 차지하게 되었다.

1945년 일본이 전쟁에서 패하자 당시 소련은 사할린뿐만 아니라 쿠릴열도(천도열도) 남단가지 모두 무력으로 점령해 버렸다. 일제강점기 사할린으로 강제 징용되었던 조선인들이 사할린에 억류된 것은 이 시기다. 이때부터 지금까지 일본과 러시아는 '북방영토' 영유권 분쟁을 벌이고 있다. 러시아는 구소련 시절 일본과 체결한 1956년의 일·소 공동선언을 기초로 시코탄과 하보마이 반환을 받아들일 수 있다는 입장인 반면, 일본은 1945년 소련이 일본의 패전을 기해 무력을 점령했기 때문에 4개 섬 모두를 돌려줘야 한다는 주장이다. 그러나 1960년 일본이 미국과 신 안보조약을 체결하자 소련은 그 섬의 반환 약속을 이행하지 않았다. 1973년 타나카 수상이 소련을 방문 하였을 때 "미해결 문제 가운데는 북방 4도문제가 포함되어 있음을 확인받고 싶다"라고 추궁하자 브레즈네프는 "다아(Yes)"라는 대답으로 영토문제는 미결임을 확인한 바 있다.

그럼에도 불구하고 소련 측은 그 후 "일·소 간에 영토문제는 존재하지 않는다."라는 자세를 견지하고 있었다. 일본이 4도 문제에 기대를 가지게 된 것은 고르바초프 정권이 탄생하고 부터였다. 고르바초프 서기장은 세바르드나제 전 외상과 함께 종래의 "니엣(No)" 외교를 버리고 관계개선을 위하여 긍정적인 태도를 취했다. 세바르드나제 전 외상은 1988년 12월에 일본을 방문하고 평화조약 작업부회(作業部會)를 발족시켜 영토문제를 토의하기 시작했다. 1991년 2월 제7회 회의에 이르기까지 일본과 소련 양측은 각자의 주장을 모두 제시했으나 합의점을 찾지 못했다. 이러한 소련 대표의 경직한 태도와는 달리 소련 내에서의 의견은 배출하고 있다. 러시아 공화국의 옐친 대통령은 시간을 가지고 단계적으로 해결하자는 의견을 제시하는가 하면 프라우다지의 오프니치니토프 논설위원은 북방 4도를 UN관리로 하고 일본, 소련이 공동으로 개발하고자 제창한다. 2점의 반환은 일본이 납득하지 않으므로 3섬을 반환하자는 3도 반환론, 4섬을 3단계로 나누어 반환하자는 의견도 나오고 있다.

최근 전 소련군 참모 총장 아트르메이프 대통령고문이 일본 언론기관과의 인터뷰에서 3도 반환 교섭에 응하라고 언명하고 있음을 고르바쵸프 대통령이나 군부의 영향력을 갖는 인물의 발언으로서 주목을 받고 있다. 북방 4도는 옛날 일본 사람도 러시아 사람도 아닌 아이누족이 살고 있던 섬이다.

이 섬들을 둘러싸고 일본과 소련이 각축을 벌이는 이유는 이들 섬의 전략적, 경제적 가치 때문이다.

첫째, 전략적인 면을 보면 제2차 세계대전 후 소련이 이들 섬을 손에 넣음으로써 군사적 요충인 오호츠크해를 완전히 소련의 영향권 안에 둘 수 있게 되었다는 점이다. 에토로후도·히토카츠부는 제2차 대전시 일본의 진주만 공격에 동원한 연합함대가 정박했던 곳이기도 하다.

둘째, 경제적인 면을 보면 4개의 섬의 주변은 츠시마해류와 일본해류가 마주치는 곳으로서 세계 3대 어장의 하나로 유수한 어장이다. 어획량이 많을 뿐만 아니라 어종도 연어, 성어, 가재 등 고급 어종이다. 또한 이들 섬에는 금과 은이 나오며 온천, 호수, 그리고 풍치가 수려한 해안 관광자원이 풍부하다. 러시아에게는 이들 4개의 섬은 태평양함대가 먼 바다로 나가는 관문이지 미·일 해군의 진입을 막는 자연적 방파제라는 전략적 특수성이 있다. 또 4개의 섬 주변은 막대한 해저광물과 석유가 매장된 것으로 추정된다. 4개 섬 주민들과 사할린 주는 분리독립까지 불사하겠다며 반환 반대를 외치고 있다.

2001년 러시아 푸틴 대통령과 일본의 모리 총리는 '2개 섬은 반환하고 남은 2개 섬은 교섭해 간다.'는 기획적인 타협에 이르기도 했었다. 그러나 이러한 타협안은 일본 내 우익과 외무부 일부 관료들, 이익 집단들의 로비에 의해 일본이 '4개 섬 일괄반환론'으로 급선회하면서 물거품이 되었다.[354]

특히 2001년 4월 취임한 고이즈미총리는 북방영토에 지대한 관심을 표명했고, 2002년 9월에는 현지 총리로서는 처음으로 북방영토를 시찰해 러시아를 자극하기도 했다. 한때 예정되었던 푸틴 대통령의 방일이 연기되었는데 '북방 4개의 섬'에 대한 일본의 강경입장 때문인 것으로 보도되고 있다.355) 흥미로운 것은 이 문제에 관한 한 독도와 달리 일본이 국제사법재판소로 이 문제를 가지고 가서 2개 섬 반환으로 결정될 경우 일·소 공동선언을 뒤집고 '4개 섬 일괄반환론'으로 급선회한 일본의 입장이 난처해 질 것을 우려하기 때문이라는 해석도 있다. 현재 이 문제는 2차 세계대전 당시 교전국이었던 일본과 러시아의 평화협정 체결의 핵심의제가 되어 있기도 하다.356)

---

354) 임채청(2005). 간도에서 대마도까지. 동아일보사.
355) 차종환·신법타·김동인(2006). 한국령 독도: 독도의 영유권 논쟁과 대책. 해 조음.
356) 차종환·신법타·김동인(2006). 한국령 독도: 독도의 영유권 논쟁과 대책. 해 조음.

〈그림 45〉 중국·아시아 주요 영토분쟁 지역

자료 : 헤럴드경제(2012). 〈커버스토리〉 때론 군사력·때론 대화 '두얼굴의 中외교'
스마트파워 시험대에. 헤럴드경제. 2012.11.02.

3. 센카쿠열도(Senkaku Is.) 분쟁

1) 조어도의 현황

일본은 중국과는 센카쿠열도(중국명 댜오위다오, 釣魚島)의 영유권을 두고 분쟁을 벌이고 있다.

센카쿠열도는 중국 대륙과 대만, 오키나와 사이에 있다. 1997년 11월 영유권을 보류하고 체결된 중·일 어업협정으로 논란이 잦아드는 듯 보였지만, 2000년대에 접어들어 일본의 우익단체들이 등대를 설치하고 이에 항의해서 중국과 대만의 강경 민족주의 단체들이 섬에 상륙해 시위를 벌이는 사건이 계속 일어나면서 갈등이 재발하고 '국제적인 화제'가 되고 있다.

2차 세계 대전 후 '일본은 강점한 영토를 돌려주어야 한다.'는 포츠담 선언을 일본이 받아들였음에도 불구하고 1951년 미국과 체결한 샌프란시스코강화조약이 센카쿠열도를 일본의 영토에 포함시킴으로써 논란의 불씨가 되었다. 그러나 중국이 전후 센카쿠열도에 대해 그다지 관심을 기울지 않았던 것도 사실이다. 그러다가 1960년대 말 국제연합(UN)의 지원 하에 실시된 해저 학술조사에서 센카쿠열도 인근에 막대한 양의 석유가 매장되어 있을 가능성이 제기되면서 중국과 일본 양국 간 영유권 분쟁이 불붙게 되었다. 바로 이러한 이유로 일본은 시모노세키조약이라는 국제조약을 통해 '정당하게' 할양받았고, 그 이후 실효지배를 해왔기 때문에 센카쿠열도에 대한 중국 측의 영유권 주장은 해양자원을 노린 터무니없는 논리라는 것이다.

2차 세계대전 후 센카쿠열도는 오키나와와 함께 미군에 관할권이 이양되었다가, 1972년 오키나와가 일본으로 반환될 때 같이 일본으로 반환되면서 중국과 일본 간의 영토 분쟁이 본격화되었다.

2005년 3월 4일자 〈아사히신문〉의 보도에 따르면, 일본정부는 주변 해역에서의 영유권 분쟁이나 자원전쟁 등에 대한 대응능력을 강화하기 위해 관계부처 연락회의를 설치하기로 했다. 또한 3월 15일자 〈도쿄신문〉은 일본 방위청이 중국에 대한 경계를 강화시키기 위해 센카쿠열도와 근접해 있는 오키나와현의 섬에 자위대를 주둔시키는 방안을 검토 중이라고 보도하기도 했다. 이 경우 일본은 분쟁 지역 최전방에 '군대'를 배치하게 된다. 이 지역의 마찰이 악화된다면 우리로서도 곤란한 상황이 발생한다. 이 지역은 중국과 대만이 동남아시아 국가들과 분쟁을 벌이고 있는 남사군도와 함께 중요한 해로(海路)에 위치하고 있기 때문이다. 일본의 조어도(釣魚島) 편입에 대한 중국의 반일 감정이 노골화되어 가고 있다. 중국 대학생들이 베이징에서 대규모 반일집회를 열기도 하고, 인터넷을 통해 조직적으로 집회계획과 행동강력을 알리며 네티즌의 참여를 독려했다. 베이징의 대학생들은 중국 최대의 메신저 'QQ 메신저' 등을 통해 관련 소식은 알리고 있는데, 이에 따르면 '중관촌 하이룽의 반일시위에 뜻있는 중국인은 플랜카드를 만들어 참가하기 바란다.'고 촉구한 바 있다.

대만은 자국 어민 보호를 이유로 정치인들까지 탑승한 군함을 댜오위다오 인근 해역으로 출동 시켰다. 돈독한 우호 관계를 유지해 온 일본과의 관계를 감안해 영유권 분쟁과 관련된 주장을 일절 자제해 온 이전의 태도와는 판이하게 달라진 모습이다. 이는 야당·어민들의 반발을 더 이상 외면할 수 없었기 때문이다. 센카쿠열도는 현재 일본이 실효지배하고 있다. 대만 입법원과 국방부장, 여야 의원 14명이 해군호에 몸을 실었다. 대만 어린이들이 일본 순시정에 나포되거나 쫓겨나곤 했던 댜오위다오 해역으로 출동하기 위해서 였다. 대만 해군은 10여 척의 군함과 순시선, F-16 전투기를 배치해 일본 측과의 무력 충돌 가능성에 대비했다. 이들 일행은 대만 동북부 쑤야오항을 떠나 수야오·댜오위다오 간 중간선을 넘어섰다.

이들은 함정 위에서 "국가주권을 지키자!", "중화민국 만세" 등을 외치며 국기인 청천백일기를 흔들었다. 대만 어민들은 "정부가 어업권을 보호해 주지 못한다면 중국의 오성홍기(五星紅旗)를 내걸고라도 조업을 계속할 것"이라고 말했다. 최근 대만 어선을 일본 해군이 나포된 이후 어민들의 반발은 더욱 거세졌다. 여기에 일부 정치인이 호응했다. 일본측은 무대응으로 일관했다. 섣부른 무력 대응이 대만은 물론 중국까지 자극할 수 있다고 판단했기 때문이다.

2) 조어도의 분쟁 역사

조어도(중국명 댜오위다오, 일본명 센카쿠제도)는 대만 동북부 190km이며, 일본 오키나와 남서부 400km 중국대륙에서 동쪽으로 약 350km 지점에 위치한 무인 군도로써, 5개의 섬과 3개의 암초로 구성되어 있다. 면적은 전부 65.3km2에 불과하다.

일본은 1895년 청일전쟁 후에 체결된 「시모노세키조약」에서 중국으로부터 대만과 이 섬들을 할양받아 오키나와현에 편입시켰다. 즉 전리품(손해배상)으로 할양받았다. 그 후 2차 세계대전 후(1945년) 맥아더 사령부의 Scapin(맥아더 사령부의 고시)에서는 이 섬이 일본의 영토에서 제외되었으나, 1951년의 「샌프란시스코 강화협정」(미·일간의 전쟁 종말 조약)에서는 조어도를 다시 일본 영토에 포함시켰다.

일본이 '국제법으로 또한 역사적으로 일본 영토'라고 주장하는 증거가 여기에 있다. 반면, 중국과 대만은 '무력에 의한 영토 약탈은 국제법상 무효'라고 반박하고 있다. 중국측은 일본이 1884년 이 섬(조어도)을 발견했다는 주장에 대해 1534년 중국이 더 먼저 발견했다고 주장한다. 특히, 중국의 영유권 주장은 1968년, 이 지역에서 다량의 석유자원이 확인되면서 본격화 되었다. 반면 일본은 이들 섬을 실효적으로 점유하면서 주변해역에서 석유 시추 작업을 하는 등 영토권을 행사해 왔다.

중국과 대만은 2백 해리 경제 수역 설정과 관련, 일본 정부가 우익단체를 앞세워 해저자원을 선점하려 하고 있다고 비난하고 있다. 그러나 중국 정부는 경제관계, 특히 중국의 섹무역기구(WTO) 가입에 일본의 지지가 필요하다는 점 때문에 적극 대응을 피하였다. 센카쿠(尖閣, 중국명 댜오위다오)열도에는 일본인 18명, 배타적 경제수역(EEZ) 설정을 놓고 중국과 갈등을 빚고 있는 최남단 바위섬 오키노도리(沖ノ島)에는 122명이 각각 본적을 두고 있는 것으로 나타났다.

3) 조어도의 자원문제

1960년대 말 이후 불거진 영유권 분쟁은 단순히 양국 민족의 감정싸움만은 아니다. 1969년 유엔 아시아·극동경제위원회가 이 부근해저에 석유 등 자원이 대량 매장됐을 가능성을 제기했다. 센카쿠열도를 비롯한 동중국해의 석유와 가스 매장량은 흑해(黑海)유전과 비슷한 72억t으로 추정된다.

1992년까지만 해도 석유 수출국이던 중국은 현재 세계 제2의 석유수입국이다. 2020년경에는 매년 약 2억~3억t의 석유를 수입해야 할 것으로 보인다. 에너지 소비 대국이면서 부존자원이 부족한 일본도 자원확보에 사활을 걸 수밖에 없다.

일본과 중국은 각자 센카쿠를 자신의 땅으로 간주한 배타적 경제수역(EEZ)을 주장하면서 자원 탐사활동을 벌여왔다.

2003년 5월 중국 조사선이 센카쿠 부근 바다에 해양 조사용 와이어(선)을 늘어뜨리는 장면이 목격됐다. 일본은 "중국이 일본의 EEZ내에서 해양조사 활동을 하려면 사전에 통보키로 한 2002년 합의를 어겼다."고 비난했다. 이에 대해 중국은 "중국의 영토, 영해에 가는 데 일본에 통보할 필요가 없다."고 반박했다. 일본 외무성은 2004년 들어 5월까지 중국 조사선이 일본 EEZ내에서 무려 17차례나 탐사활동을 했다고 주장하고 있다.

일본도 2004년 8월 중국의 경고를 무시하고 동중국해 가스전을 탐사하기 위해 독자적인 자원조사선을 출항시켰다. 탐사지역은 일본이 주장하는 EEZ 경제지역을 따라 일본 쪽으로 30km, 길이 200km 남짓한 범위로 일본도 언론에 따르면 중국해군 소속 함정들이 이 일본탐사선의 진로를 방해해 충돌 일보 직전까지 간 것으로 알려졌다.

일본정부는 중국측의 접근을 막기 위해 조만간 1000t급의 신형 순시선을 투입할 태세다.

중국은 이 섬들을 일본보다 먼저 발견했다는 사실을 우선 증거로 든다. 1372년 이 지역을 항해해 조사했다는 기록이 있다. 또 1785년 일본에서 발간된 지도에 이곳이 중국과 같은 색으로 표시돼 있다는 점을 들어 중국의 영유권을 일본도 인정해 왔다고 주장한다. 청일전쟁에서 승리한 일본은 1895년 시모노세키조약으로 대만과 그 부속 도서를 할양받았다. 중국은 센카쿠가 '대만의 부속도서'에 해당한다고 보고 있다. 2차 대전 후 맺어진 카이로 포츠담회담은 일본이 '대만과 부속 도서'를 중국에 돌려주도록 했으므로 센카쿠도 당연히 졸려줘야 한다는 입장이다.

일본은 1887년과 1892년 정부차원의 공식조사 결과, 중국의 소유권이 미친다는 증거가 전혀 없는 무인도였다고 주장한다. 일본정부는 1895년 1월에 이곳이 일본 땅이라는 표석을 세우기로 결정했다. 즉, 시모노세키조약(1895년 4월) 체결 이전에 이미 일본 영토였으며 돌려줘야 할 대만의 부속 도서가 아니라는 입장이다. 또 1895년 이후 지속적으로 일본이 영유권을 행사해왔다고 주장한다. 센카쿠에 기상사무소를 세우고 1972년 미국이 일본에 센카쿠를 돌려준 이래 자위대 정찰 등 주권 활동을 벌여 왔다.

<표 9> 센카쿠열도(댜오위다오) 분쟁일지

년 도	내 용
1895년	- 일본, 센카쿠열도가 일본 영토라는 표석 세움
1951년	- 미일 강화조약 체결로 센카쿠열도가 미국으로 이양
1972년	- 미국, 센카쿠열도를 일본에 돌려줌, 이후 현재가지 일본이 실효 지배 중 - 중일 외교 관계 수립, 그러나 이 지역 문제는 보류
1995년	- 중국 해양조사선, 부근 해역 자원탐사 실시 - 중국 공군기 2대 인근 해역 접근, 일본 자위대 F-15 2대 발진
1996년	- 일본 우익단체 일본청년사 회원 7명 등대 설치 - 중국, 북서쪽 해역에서 군사훈련 실시
1997년	- 일본 우익 중의원의원 5명 센카쿠열도 상륙 - 홍콩 선박 '댜오위다오'와 일본 순시선 충돌 - 중일 신어업협정 체결, 그리고 이 지역 영유권 문제는 또 보류
2000년	- 일본청년사가 신사(神祠)로 보이는 조형물을 세움
2004년	- '중국 민간 댜오위다오 방위연합회' 소속회원 7명 센카쿠열도 상륙 - 조업 중이던 중국 어선과 일본 순시선 충돌 - 중국 조사선 해역 탐사활동 독일 일본, 노르웨이 탐사선 이용해 탐사활동

4. 남중국해 난사군도 분쟁

작은 섬들과 암초, 산호초들이 바다 가운데 오밀조밀 머리를 내밀고 있다. 너무 작아 이름이 없는 섬도 있고, 파도가 칠 때마다 물속에 잠겼다 떠올랐다 하기 때문에 엄밀히 말해 섬이라 하기 어려운 것도 있다. 땅을 경작할 수도 없고 사람이 살 수도 없는 곳이다.

남국중해의 이 섬들은 19세기가 다 지나도록 별 관심을 끌지 못했다. 그러나 20세기 들어 막대한 양의 석유가 묻혀 있다는 것이 알려지면서 각국은 앞 다퉈 깃발을 꽂았다. 난사군도(南沙·스프래틀리 군도)는 중국, 베트남, 필리핀 등 6개국이 저마다 영유권을 주장하는 곳이다.

동중국해 센카쿠(중국명은 댜오위다오)도 사정이 비슷하다. 중국과 일본은 서로 자기 영토라고 주장하는 이곳에서 각자 해저자원을 탐사한다. 양국 시민단체들은 경쟁적으로 '상륙작전'을 펴고 상대방에 대한 규탄 시위를 벌이곤 한다.

과거 제국주의 열강의 식민지 쟁탈전이 세계 대전의 배경이 됐듯이 자원 확보 경쟁이 동중국해와 남중국해 영토분쟁의 주요 배경으로 떠오르면서 신 영토분쟁을 격화시키고 있다.

센카쿠열도는 5개 섬과 3개 암초로 이뤄져 있다. 일본 오키나와에서 서남쪽으로 약 400km, 중국대륙에서 동족으로 약 350km, 대만에서 북동쪽으로 약 190km 떨어진 곳, 물 위로 솟은 면적은 다 합해야 6.3km2에 불과하다. 1895년 일본 영토로 귀속됐다가 1951년 미일 강화조약이 체결될 때 미국으로 이양됐으며, 1972년부터 일본이 실효지배 중이다.

2004년 4월 19일 100명의 관광객을 실은 베트남 군함 1척이 호치민시 인근의 항구를 출발했다. 7박 8일 일정의 난사군도 크루즈였다.

베트남은 "투어의 목적은 난사군도에 대한 주권을 베트남이 보유하고 있음을 내외에 선포하려는 데 있다"며, "이번에는 내국인만을 대상으로 했지만 곧 외국 여행객들에게도 개방할 것"이라고 밝혔다. 이어 5월에는 난사군도에 비행장을 짓겠다는 계획도 발표했다.

중국, 대만, 필리핀은 즉각 항의했다. 중국 외교부는 "관광단 파견에 대해 수차례 불만을 전달했으나 베트남이 묵살했다"고 비난했다. 대만과 필리핀도 "이번 행위는 긴장을 고조시킬 것"이라고 경고했다.

2002년 11월 남중국해 긴장완화를 위한 '남중국해 당사국 행동선언문'이 합의된 이후 잠잠하던 이 지역의 영유권 분쟁이 또다시 떠오른 것이다. 2002년 아세안(동남아국가연합) 10개 회원국과 중국은 남중국행서 긴장을 고조시키거나 상황을 복잡하게 하는 일을 스스로 자제하기로 한 바 있다.

난사군도에 긴장이 심각하게 고조된 적은 여러 차례 있었다. 1988년 중국과 베트남의 해상무력 충돌로 베트남 선박 3척이 침몰하고 70여명의 사상자가 났다.

1995년 필리핀이 자국 영토로 주장한 미스치프 암초를 중국이 점령하자 필리핀군은 중국군을 몰아내고 중국 영토 표지를 파괴했다.

1998년에는 필리핀군이 이 일대에서 중국 어부 22명을 체포했다. 또 말레이시아 어민들이 난사군도의 모래톱에 설치한 어민 대피시설이 필리핀군에 의해 철거됐다. 1999년에는 중국 어선이 필리핀 전함에 의해 격침됐다.

2000년에는 대만이 남중국해 기징 단거리 대공미사일을 배치했으며, 중국 해군은 약 500km 떨어진 해역에서 미사일 함정을 동원한 해상 훈련을 실시했다.

난사군도는 남중국해상 약 41만km2에 퍼져 있는 100~200개의 작은 섬과 산호초로 이뤄져 있다. 베트남, 중국, 대만, 필리핀, 말레이시아,

브루나이가 난사군도의 전부 혹은 일부에 대해 영유권을 주장하고 있다. 약 50개의 섬이 분쟁국들에 점유된 상태다. 중국군 450여명, 말레이시아군 70~90명, 필리핀군 100여명, 베트남군 1500여명이 주둔 중이다.

난사군도에 해수면 위로 올라오는 섬이나 바위, 산호초가 몇 개인지 정확히 셀 수는 없지만 다 합쳐도 면적은 5km2 정도에 불과하다.

이 해역의 영유권 분쟁은 1960년대 석유 매장 사실이 확인되면서 불거졌다. 1989년의 조사에서 총 177억t의 석유가 매장된 것으로 보고됐다. 쿠웨이트(130억t)의 매장량보다 많은 규모다. 자원 탐사가 많이 이뤄지지 않은 상태이기 때문에 잠재적 가치는 훨씬 더 클 것으로 추정된다.

걸프만~말라카해협~동중국해로 이어지는 해로의 중간 지점이어서 전략적 중요성도 높다. 각국은 무력시위 외에도 자원 탐사와 유전 개발을 경쟁적으로 진행하고, 자국이 점유하고 있는 섬에 군사시설 관측소 대피소 등을 설치해가며 영유권 굳히기를 하고 있다.

분쟁국 중에서도 주된 당사국은 중국, 베트남, 필리핀 등 3개국이다.

난사군도는 베트남에서 약 500km 동쪽, 필리핀에서 약 500km 서쪽, 중국에서 약 1300km 남쪽에 위치해 있다. 베트남과 필리핀의 중간지점쯤이나 중국 본토에서는 훨씬 멀리 떨어져 있다. 중국은 역사적인 증거를, 필리핀은 지리적 근접성을, 베트남은 역사와 지리적 요인 모두를 들어 영유권을 주장한다.

중국은 난사군도 전체가 중국 영토라는 입장이다. 명대인 1403~1433년 이 지역을 항해했다는 기록이 자세한 지도와 함께 기록돼 있다는 것이다. 중국은 1976년 일방적으로 이 지역을 하이난섬의 일부로 귀속하고 1992년에는 난사군도를 포함하는 영해법을 선포했다.

베트남은 프랑스가 1930년대에 이 지역을 식민지인 베트남령으로 귀속한 일을 증거로 난사군도 전체에 대한 영유권을 주장하고 있다.

필리핀은 1956년과 1971년 이 일대를 탐사했는데 "어느 나라에도 속한 바가 없었다"며 일부 섬에 대해 영유권을 주장한다. 필리핀은 1972년 해당 섬들을 자국 영토로 편입했다.

말레이시아는 현재 3개 섬의 소유권을 주장하고 있으며, 브루나이는 섬에 대한 소유권을 주장하지는 않지만 1984년 루이스 암초 주변해역을 EEZ으로 선포했다. 대만도 중국과 비슷한 역사적 증거를 들어 영유권을 주장하고 있다.

5. 중·러 국경선 분쟁

현재 지구촌에는 한국과 주변국의 영토분쟁 뿐만 아니라 제3국 사이에도 영토다툼이 때로는 격렬하게, 때로는 물밑에서 벌어지고 있다. 외국간 영토분쟁의 대표적 사례는 중국·러시아 국경분쟁과 일본·러시아 북방 4개 섬 갈등, 일본·중국 센카쿠(댜오위다오) 분쟁, 남중국해의 난사군도 다툼이다.

1860년 제정 러시아는 베이징(北京)조약을 맺어 청나라로부터 해이룽(黑龍)강 북쪽과 우수리강 동쪽을 빼앗았다. 이 때 제정 러시아가 차지한 극동지역 땅은 조선 영토였던 연해주를 포함해 104만km2에 이른다. 한반도(22만2000km2)의 5배에 가까운 드넓은 땅이다. 제정 러시아는 1881년 상트페테르부르크조약으로 청나라 서쪽지역 47만km2를 가로챘다.

1924년 중화민국과 옛 소련은 '중소현안해결 대강에 관한 협정'을 체결했다. 두 나라는 중국과 제정 러시아가 체결한 모든 조약을 폐기하기로 약속해 분쟁해결의 전기를 마련했다. 6개월 이내에 국경을 다시 점검하되 당분간 현재 경계선을 유지하기로 합의한 것이다.

그러나 영토협상은 지지부진했다. 1년이 넘도록 새로운 국경조약은 체결되지 못했다. 일본 제국주의 패망에 이어 1949년 중화인민공화국이 수립되면서 중·소 관계는 새로운 국면을 맞는다. 두 나라는 1950년 '우호동맹 상호원조조약'을 체결해 선린관계를 돈독히 하기로 했다.

그러나 두 나라는 이 조약에서 국경문제를 언급하지 않아 불씨를 남겼다. 게다가 소련은 1924년과는 완전히 다른 입장을 내세웠다. 두 나라의 국경선이 제정 러시아와 청나라 사이의 조약으로 확정됐다는 것이다.

중국은 기존의 국경선 틀을 받아들이되 두 나라의 국경선을 확정하자는 새로운 타협안을 제시한다. 제정 러시아 시절 빼앗긴 영토는 재론하지 않더라도 동부국경 4280km와 서부국경 2978km를 분명하게 설정하자는 제안이었다.

소련은 이때까지 강으로 나뉜 국경선의 경우 중국쪽 강안(江岸)을 경계로 삼았다. 따라서 강 복판에 있는 1845개의 섬들은 모두 소련의 차지였다. 중국은 국제법대로 국경선을 강 중앙으로 설정, 787km2에 이르는 890여개의 섬을 되찾으려 했다.

국경선 협상이 별다른 진전이 없는 가운데 두 나라의 잦은 무력충돌은 급기야 전바오(珍寶, 다만스키)섬 사태로 비화했다. 1969년 중국군들이 우수리강의 전바오섬에 있는 소련군 막사를 기습, 군인 31명을 살해한 것이다.

소련군이 13일 뒤 보복공격을 감행한 사실이 서방 정보기관에 포착됐다. 정확한 사상자는 알려지지 않았지만 이후 두 나라는 전 국경선을 따라 수백 건의 충돌을 일으켰고, 그해 8월 충돌 강도는 절정에 이르렀다.

같은 해 9월 11일 저우언라이(周恩來) 중국 총리와 알렉세이 코시긴 소련 수상이 베이징에서 만나 긴장완화를 위한 국경회담에 착수했다. 이후 9차례 회담이 열렸지만 합의안이 도출되지 못한 채 1978년 협상은 막을 내린다. 그러나 두 나라는 1982년 국경무역을 재개하고 이듬해 주요 국경지점을 개방하는 부수적 성과를 얻었다.

1985년 페레스트로이카와 글라스노스트를 주창하며 소련 공산당 서기장이 된 미하일 고르바초프는 이듬해 블라디보스토크 연설에서 "중소 국경은 주요 수로를 증거로 할 수 있다"고 밝혔다. 소련이 중국 요구대로 강의 중앙을 국경선으로 삼겠다는 의사 표시였다.

1990년에는 무력충돌이 벌어졌던 전바오섬 등을 중국 영토로 하는 국경 협정안이 마련됐다. 1991년 55월 장쩌민(江澤民) 공산당 총서기가 모스크바를 방문해 이 협정에 서명했다. 이후 두 나라는 5년여에 걸친 측량과 협상을 통해 1170개의 국경표지판을 세웠다.

마침내 1997년 보리스 옐친 러시아 대통령은 장쩌민(江澤民) 중국 국가주석과 동부국경을 확정지었다. 앞서 1996년에는 중국과 러시아 카자흐 키르기즈 타지크 등 5개국이 서부국경을 매듭지었다.

그러나 동부국경 중에서 아무르강의 볼쇼이-우수리스크섬과 타라바로프섬, 아르군강의 볼쇼이섬을 포함한 총 연장 19km는 미해결로 남았다. 3개 섬의 총 면적은 370km2에 이른다. 현지 주민들이 "러시아 땅을 중국에 빼앗긴다"며 가로막았기 때문이다.

블라디미르 푸틴 러시아 대통령과 후진타오(胡錦濤) 중국 국가주석은 2004년 10월 베이징에서 열린 정상회담을 통해 이 19km를 완전히 해결했다고 함께 선언했다. 이후 항공관측 등 정밀조사를 거쳐 2005년 6월 1일 블라디보스토크에서 열린 양국 외무장관 회담에서 추가협정에 비준했다. 볼쇼이-우스리스크섬과 볼쇼이섬은 각각 섬 중앙에 국경선을 그어 양국이 분할 지배하고 타라바로프섬은 중국의 영토로 인정했다. 그러나 러시아 해당 지방정부와 현지 주민들은 러시아 정부가 독단적으로 국경선을 확정했다고 거세게 반발해 이 문제가 매듭지어질지는 불투명하다.

<표 10> 중국과 러시아의 국경분쟁

구 분	내 용
중-러 극동지역 긴장요인	- 아무르강과 아르군강 3개섬 영유권 일방확정 - 러시아 지방정부와 현지주민들의 강력 반발 - 연해주를 오고가는 중국인 200만명 육박 - 중국인들, 연해주 주요 상권 완전 장악
1860년 베이징(北京) 조약	- 제정러시아, 청나라로부터 연해주 등 104만km2 할양
1881년 상트페테르 부르크조약	- 제정러시아, 청나라의 서부 영토 47만km2 또 차지
1919년 카라한 선언	- 소련, 제정러시아가 강요한 불평등 조약 자발적 철폐다짐
1924년	- 중화민국과 소련, 6개월 내에 국경 재점검하기로 합의→무산
1950년	- 소련, 중-소 우호동맹상호원조조약 때 국경재론 없다는 입장
1963년	- 중국, 중-소 국경선 새로 확정하자는 협장 제기→1년 만에 결렬
1969년 3월	- 전바오섬 충돌 발생, 중국군이 러시아군 급습해 35명 살해
1969년 9월	- 저우언라이 총리-알렉세이 코시긴 총리 국경회담 재개→결렬
1986년	- 미하일 고르바초프 서기장, 중국 요구대로 국경 설정 가능 천명
1991년	- 첸치천-알렉산드로 베스메르트니호 양국 외무장관 국경협정 조인
1997년	- 장쩌민 주석-보리스 옐친 대통령 국경선 사실상 확정 공동성명

제10장

한국이 영토를 수복하기 위하여 무엇을 해야하는가?

한국이 영토를 수복하기 위하여
무엇을 해야하는가?

대한민국은 비좁은 한반도안에서 아옹다옹할 민족이 아니다.

5000년전 단군조선이 삼한(三韓)으로 대륙을 경영했듯이 三韓을 하나로 묶는 大韓이란이름에 민족의 힘이 응축되어 있기 때문이다.

위대한사상, 천부경사상으로 남북을 통일하고 고토수복(古土守復)을 위한 千年之計를 세운다면 그간에 기필코 달성된다고 확신한다.

이책 "영토를 수복하라"는 그간의 아픈역사를 반추(反芻)하면서 "옛땅찾을 大韓"을 그리면서 이책을 쓴다.

우리민족은 철학적,종교적,문화적 풍토는 이미 마련되어있다.

산업을 일으켜 힘만 기르면 된다.

그러기 위하여 5000년 역사를 오르내리며 다음각항을 정독하기 바란다.

한민족이 요동, 만주옛땅을 찾을기회를 6번이나 놓쳤다. 과학과 경제력,문화의힘으로 잃었던 옛땅을 찾아 세계중심국가로 총진군하자!

1. 통일과 영토문제는 북국강병의 국내정치는 물론 외교문제, 국제정세에 정통해야 한다.

1) 준비하지 않는 자에게는 기회는 오지 않는다. 국가지도자는 강한 집념과 추진력으로 국력을 키우고 모아나가면 기회는 오는 것이다.

   똑똑한 지도자는 기회를 만들어 성취해 낸다

2) 외교, 안보, 통일정책은 사람을 자주 바꾸지말고 장기간 맡겨 자료를 축적하여 전문가가 되도록 사명을 주어야 한다.

   사명을 가지고 意志를 불태워 준비하는자 에게는 방법과 길이보이고, 국제정치 역학관계에서 틈새를 찾을줄 알아야하고 길이보이면 독수리가 먹이채듯 순식간에 성취시켜야 한다.

3) 서독의 *콜수상은 평생 외교,통일부서에서 일했으며 혜안으로 소련 붕괴조짐이 보이자, 비밀리에 소련 *고르바초프 대통령을 거금을 들고 찾아가 동.서독통일 대업을 이루어낸 대표적인 케이스이다.

1. 국가관,역사관 확립교육 철저

국가지도자,정치인,공무원등 사회지도층인사는 물론. 자라나는 학생들에게 애국심, 국통역사교육,공공교육등을 끊임없이 시켜야 한다.

左右이념갈등을 뛰어넘는 역사교육이 필요하다. 개척자

2. 좌,우 정권에 따라 역사교과서가 변경되어서는 안된다.

어른들이 이념갈등을 후손들에게 물려줌은 부끄러운 일이며 성숙되지 못한 모습이다.

3. 역사문제와 영토문제는 직결되어 있다.

5000년전 단국조선부터 현재의 대한민국에 이르기까지 "한민족흥망사"(韓民族興亡史)는 제가 마지막 저서로 남기고 싶은 책이다.

4. 국가지도자는 正義,眞實,道德의 토대위에 "국가천년대계(千年大計)를 가진 국운개척자(國運開拓者)라야한다" 나라를 이끄는 기간 동안 지도자의 정신과 능력에따라 국가발전의 성쇠(盛衰)가 달렸기 때문이다.

5. 영토,역사연구자에게 국가예산지원하고 격려하라.

1) 국가는 국방안보(國防安保),외교문제, 영토문제, 사상, 문화 大系를 잡아가야 하며 단체연구팀을 격려하고 예산지원해야 한다.

2) 일본, 중국은 개인이 영토,역사연구 한다면 예산지원하고 격려

하며 자료를 축적해간다. 한국정부는 역사,영토 연구하고 저술
하는데 예산지원 요청해도 주지 않는다.

어느나라가 더 발전하고 영토를 넓혀가겠는가?

3) 국방안보와 외교정책은 소홀히 하면서 표(票)를 의식한 과도한
복지예산은 국민정신을 病들게하고 나태하게 만들 뿐이다.

6. 한반도기를 흔드는 것은 부끄러운 일이요 무식한 소치이다.

1) 한민족은 반도국가도 아니고 농업국가도 아니었다. 만주벌판을
호령하던 호연지기에 충만했던 기마민족(騎馬民族)이었다.

2) 한반도기는 "우리는 통일되도 영토는 한반도밖에 안된다"를 스
스로 인정하는 꼴이니 일본이나 중국이 볼때는 얼마나 못난 짓
인가?

부끄러운 짓은 하지 말고 대륙회복의 꿈을 가져야 한다.

7. 한민족의 조상은 위대했고 단국조선은 가장 넓은 영토에서 대륙을 경영하던 당시 최선진국(最先進國)이었다.

1) 만주벌판을 중심해서 요하지역과 러시아 연해주까지 광활한 영
토에서 천부경(天符經)과 홍익인간(弘益人間)사상으로 세상을
다스린 세계중심국가 최고 선진국이었다(단국조선代 2019년 존속)

2) 지금 한반도에 갇혀서 그것도 남북으로 갈려 서로 싸우니 나라
가 발전할 수 있겠는가? 속히 이념투쟁을 극복하고 민족을 통일
하여 민족중흥의 大道를 걸어야 할 것이다.

3) 천부경은 우주질서를 밝힌 한민족 경전으로 철학, 종교, 사상,

문화, 언어, 풍습 등 인류 시원문화(始原文化)의 모델이 되었다. 세계중요문화가 단군조선 시원문화와 연결되어있고 대한민국에 세계종교가 다들어와도 충돌없이 공존하는것이 이를 증명하고 있다.

4) 고로 대한민국은 천부경사상으로 통일을 달성하여 세계중심국으로 일어설 수 있는 가능성이 충분히 있는 민족이다.

8. 역사전쟁은 영토전쟁과 문화전쟁이다. 중국의 동북공정 (東北工程)과 한국상고사 강탈을 기필코 막아내야 한다.

1) 중국에는 55개 소수민족이 있는데. 이들의 독립운동을 매우 신경쓰고 있다. 중국정부는 서북공정(西北工程)으로, 위구르, 신장, 티벹을 침공하여 중국화한 다음

2) 동북공정이란 이름으로 막대한 예산을 투입하여 단군조선,발해사, 부여사, 고구려까지 한국상고사 3000년을 강탈해가는 역사전쟁을 벌이고 있는데 한국정부는 손도 못쓰고 눈뜨고 당하고 있다.

3) 중국동북공정의 목적은 한국통일후 만주땅 영토주장을 못하게 그 근거를 없애기위해 역사강탈,도적질을 하고있는데 나라는 무얼하고 있는가? 이념갈등이나 당쟁을 멈추고 역사강탈을 기필코 막아내야 할 것이다.

9. 환인천제·환웅천왕·단군·왕검을 비롯한 한국상고사는 환단고기(桓檀古記)에

10. 홍산문화(弘山文化)와 황하문화보다 1000여년 앞선 것으로 입증되었다.

1) 중국은 황하문명이 세계 최고(最古)로 중화사상을 다져왔고 원래 중국땅인 만리장성외는 모두 오랑캐 취급을 해왔다.

2) 그러나 단군조선 영토였던 요하(遼河)지역에서 황하문명 유적보다 새로운 유물이 대량 출토되었다.
   탄소동위원소로 연대측정결과 1000-1200년 먼저인 단군조선유물이었다. 이를 요하문명유물, 또는 "홍산문화"라 한다.

3) 이로써 단군조선문화가 중국문명보다 1000여년앞선 인류시원문화였음을 재확인하게 되었다.
   그러자 중국정부는 동이족이었던 치우천황을 중국조상으로 조작했고 탁록대전까지 중국역사를 변조하고 있다.

4) 짝퉁과 위조의 명수인 중국인들이

11. 신라의 3국통일로 한반도에 갇히게 되었다.

1) 삼국통일은 신라보다 고구려가 했어야 요동,만주땅 확보에 유리했을 것이다. 한반도 남쪽끝 경주에 있는 신라가 3국통일 하므로써 만주땅까지는 힘이 미치지 못했다.

2) 고구려는 수나라, 당나라 대군을 물리친 강국이었으나 연개소문 집권 때 두아들의 집안싸움이 결국 나라까지 망하게 만들었으니 국방안보에는 작은틈이와도 생겨서는 안되는 것이다.

12. 국력과 영토는 정비례관계에 있고 당쟁은 반비례관계에 있다.

13. "한사군·위만조선·기자조선"설은 중국이 한민족지배를 위한 역사왜곡사건이다.

14. 고구려의 고토수복정신(古土守復精神)은 고구려 건국정신에 새겨 놓았으며 이를 다물사상(多勿思想)이라 한다.

15. 고구려 제19대 *광개토대왕(廣開土大王)은 영토를 가장 잘 개척수호한 한민족영웅이다(재위391-412).

   광개토대왕비(碑)를 보호하여 영토수복의 표본으로 삼아야 한다.

 1) 옛단군조선 북쪽땅에서 부터 남쪽의 대마도까지 말타고 영토를 직접 챙기고 다스렸다.

   특히 대마도에는 고구려영토를 지킬 군용말목장을 조성해 大王 허락없이는 말1필도 반출못하게 엄격히 다스렸다.

 2) 중국 집안(集安)에 있는 광개토대왕비를 중국에 방치할 것이 아니라 보호대책을 강구해야 할 것이다.

   동북3성 조선족 시민단체나 사학자 중심단체가 바람직하다.

   한국정부는 이 비(碑)를 박물관에 둘것이 아니라 청와대에 모형을 세워놓고 영토수복의지를 국민에게 전파시켜야 할 것이다.

 3) 광개토대왕 비문조작, 안 보이는 글자연구에 철저해야 한다.

   왜냐하면 일본은 광개토대왕 비문중 안보이는 글자를 일본에 유리한 글자로 대체왜곡한 사례가 있고, 짝퉁의 가짜모방의 명수 중국정부가 중국에 유리한 글자조작 가능성이 농후하기 때문이다.

16. 고구려 연개소문(淵蓋蘇文)의 영토상실 책임이 막중하다.

(출생?-사망665?) 고구려 멸망으로 우리민족은 한반도로 밀려나 오늘날까지 이 고생을 하고 있는 것이다.

1) 연개소문은 고구려를 다스린 무장(武將)으로 정치를 잘했으면 옛땅을 수복할 가능성이 많았으나 내치(內治)에 약했고 唐나라와의 외교에 실패했기 때문이다.

2) 특히 세아들(南生,南建,南産) 중 장남, 차남의 싸움으로 국가기밀을 唐나라에 밀고하고 나당(羅唐)연합군에 의해 고구려가 무너지니

17. 신라 장보고(張保皐)(출생?-사망846)의 해양세력이 영토개척정신으로 남해, 서해, 남중국해, 인도양의 無人島를 先占하여 영토확장, 기회가 있었는데 이를 살리지 못하고 꺼꾸로 신라정부가 장보고 세력을 꺽어버린 것은 매우 안타까운 역사적 과오였다.

1) 장보고(張保皐)는 완도에 청해진(靑海鎭)을 설치하고 일본, 중국,동남아시아, 인도까지의 해상권을 장악하고 각국무역선을 검열하고 통과시키는 막강한 권력을 행사하였다.

중국동해안선을 따라 "신라방"등 장보고 유적이 많으며 고려, 왕건(王建)의 후원세력이 되었으니 그의 각국에 미치는 힘이 얼마나 컸는지 알 수 있다.

2) 신라왕궁은 장보고를 더욱 격려하고 "무인도를 개척하여 해양영토확장하는 기회"를 삼아야하는데 거꾸로 왕궁의 위협세력을

염려하여 제거작전에 나섰으니 천재일우의 "해양강국의 기회"를 놓치고 말았다.

3) 일본은 명치유신때 "무인도를 선점(先占)하라"는 칙령을 내려 일본 주위 물론 인도양, 태평양, 무인도를 찾아내고 "日本國 領土"라는 비석에 발견날짜를 새겨놓아 영토주장은 근거를 마련해 왔던 것이다.

4) 실례로 일본이 태평양의 무인도 오가사와라(小笠原諸島)에 발견년대를 명시한 日本領土 비석을 세워두었는데 뒷날 美.日영토분쟁때 이 자료를 내어놓아 小笠原諸島를 美國이 일본에 할당한 것은 너무나 유명한 사실이다.

만약 신라왕이 장보고에게 특명을 내려 "무인도 개척사명"을 주었다면 우리나라는 해양강국이 되었을 것이다.

5) 남은 없는 기회도 만들어 자기것으로 만드는데 우리는 찾아온 기회도 잡지못하니 안타까운 사실이 아닐 수 없다.

18. 신라는 3국통일의 大業을 이룩하였으나 부패와 정신혜이로 패망 최치원은 국사(國師)로 존경받아야하고 화랑제도는 통일세력으로 육성필요

19. 일제는 한국上古史 3000년을 잘라내어 신화(神話)로 만들어버리는 등 영구식민지배를 위한 역사왜곡, 축소, 강탈하는 대역죄를 저질렀다.

1) 한사군, 위만조선, 기자조선을 끌어들여 古代에는 중국의 속국이었고 삼국시대에는 임나본부로 조선남부를 일본이 지배했다

고 역사조작하여 영구식민지배를 획책했었다.

2) "임나"란 신라시대 대마도를 다스리 치소(治所)인데 일본의 임나 본부가 꺼꾸로 다스렸다고 역사조작. 일본역사보다 짧고 독립성이 부족하다고 격화조작

20. 일제 조선총독부, 조선역사책 250,000여권 강제수거 불태워버림으로 남의 역사를 없애버린 악행을 저지르고도 조금도 반성하지 않았다.

1) 당시 조선전국에 포고령을 내려 옛날 중국의 분서갱유(焚書坑儒)처럼 역사책이 발견되면 중죄를 내린다고 엄포를놓아 산더미같이 쌓아놓고 (희귀본은 몰래 일본으로 빼낸후) 삼국사기와 삼국유사 2종의 책은 제외한 나머지 25만여 권을 태워버리니. 천인공노할 만행이었다.

2) 이때 항아리에 책을넣고 땅속에 묻고 생명바쳐 지켜온책이 있으니 바로 환단고기(桓檀古記) 등 국통맥을 지켜내는 史書들이었다.

3) 조선총독부 조선사편수회 금서룡(今西龍)등은 일본식민 통치입맛에 맞게 역사교과서를 조작하여 그책으로 일제시대 강제주입 교육을 시켰고 해방후에도 이병도등 강단사학자에 의해 그대로 계속되었던 것이다.

4) 이병도등 친일사학자들은 일본에 유학하여 세뇌교육으로 머리가 굳어졌고 해방 후

21. 한국은 일본에 半해방상태이고 완전독립을 못했으니 국혼(國魂)과 민족 正氣를 되찾는 교육개혁이 시급하다.

1) 국가독립 3요소로 영토. 국민. 주권 3가지 이나 저자는 역사. 국혼(사상) 2가지를 더해 5대 요소로 본다.

2) 그렇다면 일제에 의해 난도질당한 상고사 3000년을 바로 세워야하고. 대마도를 찾아와야 영토적독립이 되는것이며 좌우갈등을 뛰어 넘어 국혼이 살아있는 희망차고 생동감 넘치는 조직이 되어야 할 것이다.

3) 저자는 미력하나마 국사광복회를 조직하여 역사바로 세우기에 힘쓰며 대마도를 되찾기위한 강연과 저술을하며 한국학연구회를 조직하여 여러학자들과 같이 잃어버린 역사찾기와 민족지혜 캐기에 힘쓰고 있는 것이다.

22. 고려말 이성계(조선1대 재위1392-1398) *위화도회군 (威化島回軍)하지 말고 요동정벌을 감행하는것이 正道 였다.

1) 중국세력이 소강상태이고 만주세력사이 틈이 생기는 시기에 초지일관하여 전투에 임했으면 요동땅을 확보가능성이 많았는데 도강(渡江)다리까지 만들어놓고 회군이라니 군인의 길이 아니었다.

2) 전쟁에 이길려면 왕권이나 국권이 강해 정보력, 조직력, 보급력이 강해야하는데 당시 고려말 왕권이 허약했고 통솔력이 흔들리면 안되는 것이다. 장수가 정권욕에 휩싸여 회군함으로써 요동땅 확보기회가 사라지는 안타까운 역사적 순간이다.

23. 외국은 전쟁문학으로 세상을 풍미하는데 한국은 그 많은 전쟁을 치르고도 전쟁문학, 역사문학이 부족하다. 문학으로 역사를 읽게 하고 지혜를 가르쳐야 한다.

1) 중국의 *三國志는 난세의 전투를 노장철학(老莊哲學)으로 생사의 전술을 호탕하게 풀어내고 일본의 *전쟁문학은 갈등과 전투를 겪다가 새질서를 만들어 나라발전으로 연결되는 지혜와 단결을 가르친다(예, 大望등) 역사가 스승임을 입증시켜 나간

2) 우리는 5천년간 만주벌판에서 한반도로 쪼그라들때까지 990여회 침략과 수난을 당하고도 몇몇 인물소개만 있을뿐 원인을 분석해내는 전쟁기록이 없다거나 부족하다.
   그래서 시대가 지나도 똑같은 실수를 되풀이 한다.

3) 치우천황의 탁록대첩에서부터 6.25전쟁까지의 전쟁사를 원인, 과정, 결과 등을 상세히 기록해 국민교육교재로 삼아야 할 것이다.

24. 만주땅은 어떤곳인가?

25. 단기(檀紀)와 서기(西紀)를 같이 써야 하는 이유

1) 단기폐지는 1961년 5.16직후 국가재건 최고회의에서 빠른 행정처리를 위하여 1961년 결정한 임시행정조치였다.

2) 중국과 일본의 한국상고사를 강탈하고 조작질을 하는 역사전쟁 중인데 단기를 폐지하면 동북공정을 인정하고 자기역사를 스스로 포기하는 꼴이 되는 것이다.

3) 요즘 한국학생들에게 "금년이 단기 몇년이냐고 물어보면 아는 자가 없다. 역사를 모르면 얼빠진 인간이 된다"
역사의 망각은 이렇게 무서운 결과를 가져온다.

4) 중국과 일본은 조선에 대하여 연호(年號)도 없는게 나라냐며 무시하고 自主性이 없고 식민지배의 구실이 되기도 했다.

5) 독자적 연호사용은 독립국가의 기본사항이다. 단기사용은 상해임시정부에서 3.1운동, 대한민국정부로 내려오는 국통맥이다.

6) "세계화", "글로벌화"가 "자기것을 포기하고 남의것 흉내내는 것이 아니다" 우리전통문화를 바꾸어 세계에 알리는 것이 진정한 세계화 라고 본다.

7) 문서기록 예: 단기4351(2018),8.15일로 적으면 불편할 게 없고 오히려 자주국으로 존경받게 될 것이다.

26. 조선14대 선조(宣祖)는 역사상 가장 무책임했고 임진왜란 직후 폐위시키고 근대국가로 출발할 시기였다.

1) 조선왕조 27代 518년 中. 중간에 해당하는 제14대왕 선조(1567-1608)때에 4色당파가 가장심해 나라안보는 뒷전이고 당쟁에 국력이 약해졌다.

2) 일본정탐사절단 귀국보고가 다를때 전쟁가능성이 있다는 정사의 보고는 무시하고 당적이 달라 전쟁가능성이 없다는 부사 김일성의 말을 따라 전쟁준비를 않고 있다가 1592.4.13일 임진왜란을 맞는다.

3) 정기룡장군의 적섬멸5방책에 의한 한양방어책을 제시하여 한양방어 가능했으나, 선조는 한양도성과 궁궐이 비워두고 몽진하니

일국의 군주가 이럴 수가 있는가?

4) 대동강방어선과 평양성 항전도 하지않고 요동땅으로 도망갈 궁리만 하였으니 백성절반은 죽임을 당하고 전국은 황폐화 되었는데 그 책임을 물어 퇴위시키고 개혁세력이 등장하여 산업을 일으키고 근대국가 출발준비를 했어야 했다.

5) 무능한 군주를 폐위시키고 나라를 개조해야 하는데 그렇치 않고 선조탄핵 없이 계속 즉위하니 국방무능력이 알려져 정유왜란과 병자호란이 일어나니 도덕성만 강조하던 조선은 그야말로 쑥대밭이 되고 백성은 도탄에 빠지게 되었다.

27. 국제정세변화에 어두웠던 "조선쇄국정책" 병인양요(丙寅洋擾) 신미양요(辛未洋擾)때 주변 국제정세를 판단하고 개방했어야 했다.

1) 일본의 개방압박시 갈등을 많이 겪었으나 싸워서 이길수없는 적에게는 일단 수용하여 상대방의 장점을 배우기로 정책을 바꾸었다.

2) 서양의 폭약이 전해졌을때 중국인은 불꽃놀이 하였으나. 일본은 무기개발을 하였고, 서양 조총(鳥銃)이 전해졌을때 조선은 장난감 정도로 대수롭지않게 생각했으나 일본은 무기로 개발하여 대량생산체제로 전쟁준비를하며 산업화로 발전하는 변화를 읽지 못했다.

28. 고종의 아관파천(俄館播遷)은 국제정세를 읽지 못한 망국의 길이었다.

부　　록

1. 한민족의 대마도 관련사 요약표

2. 국제 영토반환 사례 7건

3. 일본과 대마도 관계사

1. 한민족의 대마도 관련사 요약표

연대	한국 왕조	주요 내용	관련 문헌
약 8000년전		대마도 북부 카미아가타쵸 코시타가(越高)에 한반도의 융기문 토기 전래	
3~4 세기경		미츠시마쵸 게치(鷄知)에 한반도 계통의 무늬없는 토시 전래	
전 20	신라 혁거세 38	중신으로서 사신으로 활약한 왜인 호공(瓠公)의 출자에 대한 기사	삼국사기
3C 경		중국사서에 최초로 대마국에 관한 기사 소개 됨	중국 삼국지 위지 왜인전
284	백제 고이왕 51	백제, 아작기를 왜에 파견함	일본서기 (日本書紀)
285	고이왕 52	백제, 박사 왕인을 왜에 파견하여 논어, 천자문 등 경학을 전수함	일본서기
400	고구려 광개토대왕 10	이때부터 임나(任那)는 대마도를 가르키게 됨	환단고기 태백일사
408	백제 실성왕 7	왜인이 대마도에 영문을 설치하고 병기와 순량을 저축하여 습격한다는 말을 듣고 대마도를 정벌하려다 중지함	삼국사기
513	무녕왕 13	백제, 오경박사 단양이를 왜에 파견함	일본서기
516	무녕왕 16	백제, 오경박사 고안무를 왜에 파견함	일본서기
544	위덕왕 1	백제, 역(曆)박사·의박사·채약사(採藥師)·악인(樂人)을 왜에 파견함	일본서기
552	성왕 30	백제, 불상과 불경을 왜에 전함	일본서기
602	무왕 3	백제 관륵이 역본(曆本), 천문지리서, 둔갑술 등을 전파	일본서기

연대	한국 왕조	주요 내용	관련 문헌
631	무왕 32	의지왕의 아들 풍장(豊璋)을 왜에 파견함	삼국사기, 일본서기
664	문무왕 4	대마도·일기도·축전(筑前)에 봉화대를 설치함	일본서기
667	문무왕 7	대마도, 백제식 산성인 금전성(金田城)을 축성함	일본서기
697	신라 효소왕 6	신라가 일본에 사신(김필덕, 金弼德)을 처음으로 파견함	속 일본기 (續 日本記)
703	성덕왕 2	일본이 신라에 처음으로 사신을 파견함	
720	성덕왕 19	일본서기 30권 완성, 일본에서 '대마(對馬)'란 명칭을 처음으로 사용함	
727	발해, 무왕 9	발해에서 일본에 처음으로 사신을 파견함	
769	해공왕 5	신라사 급찬 김초정 등이 대마도에 표착함	속 일본기
779	해공왕 15	신라의 견일본사 단절됨	속 일본기
813	헌덕왕 5	태재부(太宰府)의 청으로 대마도에 신라역어(新羅譯語) 1인을 둠	일본, 유취삼대격 (類聚三代格)
815	헌덕왕 7	대마도에 신라어 통역관 설치	
817	헌덕왕 9	아비류씨(阿比留氏)가 적을 토벌하고 대마도에 정착함	
836	희강왕 1	일본의 견신라사 중단됨	
849	문성왕 11	일본이 대마도에 사생(史生) 1명, 궁사(弓師) 1명을 배치함	일본, 육국사 (六國史)
873	경문왕 13	신라인 3명이 대마도에 표착함	
894	진성왕 8	신라군선 45척이 대마도에 도착하여 공격함	일본, 일본기략 (日本記略)

연대	한국 왕조	주요 내용	관련 문헌
922	견훤 31	견훤이 사신을 일본에 파견하여 교빙하기를 청함	
929	고려, 태조 12	발해의 견일본사 단절됨	
1019		여진족의 군선 50척이 침공, 대마도민 36명 살해, 346명 포로연행	
1026	희종 2	금주(金州) 방어사가 대마도에 첩장(牒狀)을 보냄	일본, 평호기 (平戶記)
1049	문종 3	대마도관(對馬島官)이 표류인 20명 송환함	고려사절요 3/11
1051	문종 5	일본 대마도에서 죄를 피해 도망간 양한 등 3명을 압송함	고려사절요 5/7
1060	문종 14	대마도에 표류인을 송환함	고려사절요 14/7
1082	문종 36	대마도에서 사신을 보내 토산물을 바침	고려사 36/11 고려사절요 2/2
1085	선종 2	대마도 구당관(勾當官)이 사신을 보내 감귤을 바침	고려사 3/3
1086	선종 3	대마도 구당관이 사신을 보내 방물을 바침	고려사절요 3/3
1087	선종 4	대마도인 원평(元平) 등 40인이 와서 진주·수은·보도·우마를 바침	고려사 4/7 고려사절요 4/7
1127	고종 14	박인(朴寅)을 일본에 보내 강화를 요청함	고려사절요 14/12
1205	희종 원년	대마도인 항평(恒平) 등 11인이 첩장과 진봉물을 바치려 하였지만 거절당함	평호기
1223	고종 10	왜구가 처음으로 금주에 침입함	고려사 10/5
1226	고종 13	전라주도안찰사가 태재부에 첩장을 보낸 대마도인이 고려연안을 침입한 것을 알림	일본, 오처경 (五妻鏡)

연대	한국 왕조	주요 내용	관련 문헌
1246	고종 33	유종중상(惟宗重尙)이 아비류시를 토벌하고 대마의 지두대관(地頭代官)이 됨으로써 대마도 종씨의 시조가 되었다 함	일본, 대주년편략(對州年編略)
1263	원종 4	홍저와 곽왕부를 일본에 파견하여 해적의 금제를 요청함. 첩장에 매년 진봉선 2척을 정약한 사실이 확인됨	고려사 4/4 갑인
1274	충렬왕 즉위년	여원연합군이 1차 일본원정 습격. 대마도주 종조국(宗助國) 전사함	고려사 즉위/10 을사
1281	충렬왕 7	여원연합군의 2차 일본원정습격	고려사 7/5
1336	충숙왕 5	종뢰무(宗賴茂), 소이(小貳)씨와 함게 족리존씨(足利尊氏)의 군에 속함	
1350	충정왕 2	왜구의 침입이 본격화 된	고려사 2/2
1366	공민왕 15	만호 김룡과 검교중랑 김일을 족리의만(足利義滿)에게 파견하여 왜구의 단속을 요청함. 교류시작	고려사 우왕 3/6 공민완 15/11 임진
1368	공민왕 17	제주도 해녀들이 대마도에 잠수기술을 전파함. 대마도만호가 사신을 보내 토산물을 바치자 상구사 이하생을 파견함. 대마도만호 숭종경(崇宗慶)이 사자를 보내 조공하므로 쌀 1천석을 하사함	고려사 공미완 17/윤17 17/11 병오
1376	우왕 2	최영이 홍산에서 왜구 대파함	
1377	우왕 3	판적객사사 안길상, 전대사성 정몽주를 파견하여 왜구의 금지를 요청함	고려사 열전 3/6, 3/9
1380	우왕 6	나세, 최무선이 진호에서 왜구 대파함	
1381	우왕 7	이성계가 황산에서 왜구 대파함	
1387	우왕 13	정지가 대마·일기도의 토벌을 주장함	고려사절요 13/8
1389	공양왕 1	경상도 원수 박위가 병선 1백척으로	고려사절요 원/2

연대	한국 왕조	주요 내용	관련 문헌
		대마도를 정벌하여 적선 3백척과 가옥을 불태움	고려사 박위열전
1392	조선, 태조 1	조선을 건국한 이성계가 승 각추를 정이대장군(征夷大將軍)에게 파견하여 왜구의 금제를 요청함	일본, 선린국보기 (善隣國寶記)
1396	태조 5	항왜(降倭) 등륙(藤陸)에게 처음으로 선략장군을 제수함	태조실록 5/12 병오
1397	태조 6	통사 박인귀가 대마도에 붙잡혀 간 지울주사 이은을 데리고 옴. 다시 박인귀를 대마도에 파견하여 항왜의 배신을 책망하고 화호를 요청함	태조실록 6/3 무술, 6/5 정사
1398	태조 7	대마도의 사자가 단독으로 내조하기 시작함	태조실록 7/4 계사
1399	정종 1	대마도도총관(都摠管) 종정무(宗貞茂)가 토산물과 말 5필 헌상함. 기록상 조선시대에 대마도주가 처음으로 통교함	정종실록 원/7 기사
1400	정종 2	회례사 윤명을 대마도와 일기도에 파견하여 왜구의 금지와 피로인 쇄환을 요청함	세종실록 27/2 정묘
1401	태종 원년	이예가 대마도·일기도에서 피로인 50명을 쇄환해 옴	세종실록 27/2 정묘
1402	태종 2	종정무가 도주가 되고 축전수호대(筑前守護代) 겸함	일본, 관정중수제가보 (寬政重修諸家譜)
1403	태종 3	막부장군 족리의만이 명으로부터 책봉 받음	
1406	태종 6	대마도 수호 종정무의 아버지가 죽음에 미두 200석을 부의함	태종실록 6/3 기사
1407	태종 7	홍리왜인의 도박장소를 부산포와 내이포로 제한함. 대마도수호에게 미두 각 150석 하사함	태종실록 7/7 무인, 7/10 기해

연대	한국 왕조	주요 내용	관련 문헌
1408	태종 8	수직왜인 평도전(平道全)이 대마도에서 피로인을 쇄한해옴. 종정무(宗貞茂)가 출전으로부터 대마도에 와서 부(府)를 설치하고 상주함	태종실록 8/11 경신 일본, 십구공실록 (十九公實錄) 장송공(長松公)
1410	태종 10	이 예를 대마도에 파견하여 미두 300석을 사급함	태종실록 10/5 기묘
1411	태종 11	호군 평도전을 대마도에 파견하여 미두 300석을 사급함	태종실록 11/9 기사
1413	태종 13	통신관 박초를 대마도주에게 보내 피로쇄환을 요청함	태종실록 13/6 계해
1414	태종 14	항왜(港倭) 지온(地溫)을 대마도주에게 파견하여 일본국왕, 대내전, 소이전, 구주절도사 등 10개 이외의 사송선의 출선을 금지하도록 함	태종실록 14/8 정미
1416	태종 16	사신을 파견하여 대마도주에게 미두 각 100석을 하사함	태종실록 16/7 임진
1418	태종 18	4포(부산포, 염포, 내이포, 가배량) 개항함. 대마도경차관 이예를 파견하여 도주 종정무의 죽음에 부의함. 귀환시 중국산 화통과 완구를 가지고 옴	태종실록 18/3 임자, 18/4 갑진, 즉/8 신묘
1419	세종 원년	삼구도체찰사 이종무가 대마도를 정벌함. 대마도주 도도웅와(都都熊瓦)가 항복함과 동시에 인신(印信)의 하사를 요청함	세종실록 원/6 경인, 원/9 임술
1420	세종 2	대마도를 경상도의 속주에 편입하고 '종씨도도웅와(宗氏都都熊瓦)'란 도서를 사급함. 이로써 대마도주는 수도서인이 되고 도주서계제가 시작됨 회례사 송희경을 막부장군에게 파견함. 귀국후 〈노송당일본행록〉 저술함	세종실록 2/윤1 임진
			2/윤1 갑신

연대	한국 왕조	주요 내용	관련 문헌
1423	세종 5	부산포, 내이포 개항함	
1426	세종 8	3포(부산포, 내이포, 염포) 개항함	세종실록 8/1 계축
1428	세종 10	조선이 통신사를 일본에 파견	
1438	세종 20	이예를 대마도에 파견하여 왜사의 제를 요청하고 문인(文引)제도를 정약함	세종실록 20/4 갑자, 20/기해
1439	세종 21	대마도에 경차관을 파견하여 왜인접대사목을 규정함	세종실록 21/4 갑진
1441	세종 23	대마도주와 고초도조어금약(孤草島釣魚禁約)을 정약함. 소이씨가 대내(大內)씨에게 패하여 대마도에 와 거함	해동제국기 금어조약
1443	세종 25	통신사 반효문 일행을 막부장군에게 파견함. 대마 경차관 이예를 파견해 대마도주와 계해약조를 정약함	세종실록 25/2 정미, 25/6 정유, 25/7 경오, 25/22 병오
1447	세종 29	경차관 조휘를 대마도에 보내 약정수외 세견선의 파견 금지와 약조의 위반자에 대한 치죄를 요청함	세종실록 29/3 무인
1452	단종 즉위	치전관(致奠官) 이견의와 치부관(致賻官) 피상의를 대마도에 파견하여 도주 종정성의 조의를 표함 도주 종성직(宗成職)에게 도서를 사급함	단종실록 즉/8 갑자, 즉/11 병술
1461	세조 7	경차관 김치원을 파견하여 대마도주에게 관직을 제수하여 함	세조실록 7/7 기유
1468	세조 14	대마도주가 관소를 좌하(佐賀)에게 국부(國府)로 옮기고 중촌(中村)에 거관(居館)을 둠. 경차관 김호인을 대마도에 파견하여 도주 종성직이 죽음에 조위함	대주편년략 (對州編年略) 세조실록 14/7 정해

연대	한국 왕조	주요 내용	관련 문헌
1469	예종 원년	종정국(宗貞國)이 소이씨와 함께 축전주를 공격하여 영지를 회복함	
1470	성종 원년	선위관 전양민을 대마도에 파견하여 수외세견선의 출선 금지와 항거왜인의 쇄환을 요청함	성종실록 원/9 병자
1471	성종 2	신숙주가 《해동제국기》를 편찬함	
1476	성종 7	선위자 김자정을 대마도에 파견하여 삼포왜인의 쇄환을 요청함	성종실록 7/2 병술
1487	성종 18	소이씨가 축전에서 패함에 따라 대마도의 축전지망 영지를 잃어버림	대주편년략
1494	성종 25	경차관 권주를 대마도에 파견하여 남해연안에서 난동부린 왜인에 대한 치죄를 요청함	성종실록 25/3 을묘
1496	연산군 2	치전관과 치위관을 파견하여 도주 종정국의 죽음을 조위함	연산군일기 2/윤3 정묘
1497	연산군 3	소이씨 멸망함	
1510	중종 5	경차관 강중진과 이식을 파견하여 도주 종재성(宗材成)의 죽음을 조위하고 가덕도, 보길도에 침입한 적왜(賊倭)의 치죄를 요청함. 삼포항거왜인의 난동사건 발생(삼포왜란) 이로 인해 대마도와 통교를 단절함	중종실록 5/2 기축
1512	중종 7	임신약조(壬申約條)로 통교를 재개하면서 세견선, 세사미두 반감시킴	중종실록 7/8 신유
1520	중종 15	도주 종성장(宗盛長)의 아들 언만(彦滿)에게 세견선 3척을 정약함	
1544	중종 39	사량진왜변으로 통교 단절됨	
1546	명종 원년	국중(國中)의 종씨에게 개성(改姓)을 명함	

연대	한국 왕조	주요 내용	관련 문헌
1547	명종 2	정미약조로 통교 재개함	명종실록 2/2 을미
1555	명종 10	달량포에서 왜변	
1557	명종 12	정사약조로 도주의 세견선을 30척으로 늘림	명종실록 12/1 갑술
1573	선조 6	실정막부 멸망	
1589	선조 22	도주 종의지(宗義智)가 풍신수길의 사자로 내조하여 통신사의 파견을 요청함	선조실록 22/6 을사
1591	선조 24	토요토미 히데요시가 대마도주에게 조선침략을 명함	
1592	선조 25	임진왜란 발발, 5000명 대마도 병사 참전	
1597	선조 30	정유재란 발발, 요시토시 1000명의 병사로 조선침략	
1598	선조 31	풍신수길의 죽음으로 일본군 퇴각	
1599	선조 32	도주 종유지가 유천조신(柳川調信) 명의의 서계에 강화사(講和使)를 요청함	선조실록 32/7 신유
1601	선조 34	왜란 직후 부사 절영도에 임시로 왜관이 설치됨	
1602	선조 35	탐적사 전계신·손문옥을 파견하여 일본의 정세를 파악함	선조실록 35/2 병인
1603	선조 36	도쿠가와 이에야스 정이대장군이 됨. 부산에 절영도왜관 설치함	
1604	선조 37	탐적사 유정·손문옥을 파견함. 대마도에 개시(開市)허용	선조실록 37/6 신축
1606	선조 39	적계신을 대마도에 파견하여 일본의 정세를파악함	선조실록 39/8 기미

연대	한국 왕조	주요 내용	관련 문헌
1607	선조 40	1차 회답겸쇄환사를 대마도에 파견함. 부산에 두모포왜관을 선치함	선조실록 40/1 기사
1609	광해군 원년	기유약조 체결	광해군일기 원/3 정미
1610	광해군 2	왜관개시 약정	광해군일기 2/9 경술
1611	광해군 3	대마도에서 세견선을 파견함	일본, 조선통교대기
1617	광해군 9	2차 회답겸쇄환사 파견	
1624	인조 2	3차 회답겸쇄환사 파견	
1635	인조 13	대마도의 국서개작이 폭로되고 이정 암윤번제(以酊菴輪番制)가 실시됨	
1636	인조 14	병자통신사 파견. 대마도에 문위행(問慰行)을 처음으로 파견함	변례집요
1637	인조 15	겸대제(兼帶制) 실시	증정교린지
1643	인조 21	계미통신사 파견	
1655	효종 6	을미통신사 파견	
1657	효종 8	소요 요시자네(종의진, 宗儀眞)가 대마번주가 됨	
1678	숙종 4	부산 초량왜관이 완성됨	
1682	숙종 8	임술통신사 파견	
1683	숙종 9	조선과 계해약조를 맺어 왜관에 거주하는 대마도 사람들의 활동 구제 등에 관한 약정을 정함	
1689	숙종 15	아메노모리 호슈, 대마번의 유신(儒臣)으로 대조선통교에서 활약	

연대	한국 왕조	주요 내용	관련 문헌
1700	숙종 26	대마국 회도(繪圖) 완성	
1703	숙종 29	조선국 도해역관, 대마도 북단 와니우라(鰐浦)에서 암초에 부딪혀 조난 당함. 전원 사망	
1711	숙종 37	신묘통신사 파견	
1719	숙종 45	기해통신사 파견	
1723	경종 3	대마도인 등정방(藤定房)이 《대주편년략》을 편찬함	
1725	영조 원년	대마도인 송포윤임(松浦允任)이 《조선통 교대기(朝鮮通交大紀)》를 편찬함	
1748	영조 24	무진통신사 파견	
1763	영조 39	감신통신사 파견	
1802	순조 2	김건서가 《증정교린지(增正交隣志)》 편찬함	
1811	순조 11	신미통신사 파견, 대마도에서 국서 교환함	
1817	순조 17	신미통신사 접대에 대한 포상으로 박부로부터 2만석에 해당하는 염지를 받음	
1853	철종 4	일본, 《통항일람(通航一覽)》 편찬함	
1860	철종 11	문위행의 파견 단절함	변례집요
1861	철종 12	러시아함대 대마도 우사키에 정박함	
1862	철종 13	대마도, 조슈 번과 동맹 양이정권이 성립됨	
1866	고종 3	이정암윤번제 폐지함	
1868	고종 5	일본, 메이지 유신(明治維新) 단행	

연대	한국 왕조	주요 내용	관련 문헌
1869	고종 6	일본, 판적(版籍)봉환으로 대마번(對馬藩)이 이즈하라번으로 바뀜	
1871	고종 8	일본, 폐번치현(廢藩置縣)으로 이즈하라번이 이즈하라 현으로 개칭됨. 이어 이마리(伊萬里)현에 합병됨	
1872	고종 9	메이지 정부가 대마도외교권을 접수함. 이에 따라 수도서제와 세견선 등 전통적인 조일간의 교린체제는 붕괴되었으며 부사노애관도 외무성이 인수함	
1876	고종 13	강화도 조약 체결	
1877	고종 14	대마번이 다시 나가사키현으로 편성됨	
1886	고종	이즈하라 지칭을 대마도청으로 개칭	
1894		청일전쟁	
1900	고종	일본 해군이 만제키에 운하를 뚫음	
1905	고종	러일전쟁으로 인한 대마도 앞바다 해전 대승	
1906	고종 42	의병장 최익현이 대마도에 끌려가 11월 17일 순절함. 제자 임병찬이 대마도에서의 체험을 《대마도일기》로 편찬하였고, 홍주 의병장 유준근도 대마도에서의 억류사실을 《마도일기》에 기술함	
1910		한일합병	
1912		대마도에 처음으로 전등이 밝혀짐	
1922		이즈하라와 게치(미츠시마쵸)를 처음으로 자동차가 달림	

연대	한국 왕조	주요 내용	관련 문헌
1926		대마도청을 대마지청으로 부름	
1931		구 대마번주 소오 타케유키와 구한국 왕실의 왕녀 덕혜(德惠) 옹주의 결혼	
1941~5		제2차세계대전, 대마도의 요새화	
1945		대마도~큐슈의 하카타(傳多)간을 오가는 정기선 '타마마루珠丸'가 이키 카츠모토 근처 바다에서 어뢰에 부딪혀 침몰, 540명 이상 사망	
1948		1월 과도정부입법위원회에서 입법의원 60명이 "대마도는 본시 우리 영토이니 대일 강화회의에 반환요구를 해야 한다"고 제안함 건국 직후인 8월 18일 이승만대통령이 대마도 반환을 일본 측에 요구함. 9월 9일 외무부에서 일본 측의 이의제시를 반박하면서 대마도속령을 강조하는 성명 발표함	
1949		1월 8일 이대통령이 신년 기자회견에서 대마도 영유권을 주장하고 일본에 반환할 것을 요구함. 3월 국회에서 대마도 반환을 촉구하는 건의안 제출함	
1955		쵸손(町村) 합병으로 인해 13개의 쵸손이 9쵸손이 됨	
1958		만제키바시 완성, 쵸손합병으로 인해 6쵸손이 됨	
1968		대마도를 관통하는 종관고로 개통	
1975		대마도 공항 개항	

연대	한국 왕조	주요 내용	관련 문헌
1986		대마도와 부산 영도구가 자매섬이 됨	
1989		카미쯔시마(上對馬) 히다카츠(比田勝)항과 부산항을 잇는 부정기 항로 '아오시오'가 취항	
1999		이즈하라와 부산간 '씨플라워'호 취항	
2004		대마도 6쵸손이 합병으로 3월 1일 '쯔시마시(대마시)'가 됨	
2005		경상남도 마산시의회 「대마도의 날」 조례 제정	

자료 : 차종환·신법타(2006). 대마도는 한국땅. 동양서적. pp.193-206.

2. 국제 영토반환 사례 7건

1) 미국과 네덜란드간의 1928년 Island of Palmas 사례

팔마스 섬은 1500년대 중반에 스페인 탐험가들에 의하여 발견되었는데 1898년 미국과 스페인간의 전쟁 결과 스페인은 파리조약[357])에 의해 필리핀을 미국에 양도하였다. 그리고 1906년 미국 Wood 사령관이 팔마스 섬[358])을 방문했을 때 네덜란드 국기가 게양되어 있는 것을 발견하고 미국정부에 보고함으로써 양국간의 분쟁이 개시되었다.

약 20년간의 외교논쟁 끝에 양국은 1952년 특별협정을 체결하여 동 문제를 상설중재재판소(Permanent Court of Arbitration: 이하 PCA)에 회부하였다.[359])

미국이 주장하는 권원의 직접적 기초는 두 가지로 요약할 수 있는데 첫째, 파리조약에 증거한 할양으로 팔마스 섬에 대해 스페인이 가지고 있던 모든 권리가 미국으로 양도되었다는 것이고,[360]) 둘째, 팔마스 섬이 지리적으로 필리핀 군도에 근접하다는 점을 들어 동 섬에 대한 권원을 주장했다.

네덜란드는 스페인의 발견 이후인 1677년 동인도회사를 통해 원주민

357) 1898년 12월 파리조약은 미국·스페인 전쟁을 종결한 것으로 이에 의해 스페인은 전쟁의 원인이었던 쿠바의 독립을 승인하고 푸에르토리코, 서인도의 도서, 괌 및 필리핀군도 등을 2천만 불의 대상으로 미국에 양도하였다.
358) 팔마스 섬은 민다나오 섬의 산 어거스틴 해안으로부터 동남방으로 약 50해리 떨어진 곳에 위치해 있으며, 길이 2해리 폭 1해리의 작은 섬이다. 1928년 중재재판 당시 인구는 1천명 이하이고 기타 경제적 중요성은 없는 섬이었다.
359) U.S. v. The Netherland, 2 RIAA 829, 1982.
360) 팔마스 섬은 평화조약에서 표시한 필리핀군도의 경계선 내에 위치하고 있었기 때문에 미국은 이 섬도 당연히 할양받은 것으로 생각하고 있었다.

수장간의 주종계약에 따라 동 도서에 대한 영유권을 행사한 이래 200년 이란 장기간(노르웨이 어업사건)에 걸쳐 계속적·평화적으로(타국과의 분쟁 없이) 점유해 왔다고 주장했다.

동 사건의 판결을 맡은 Max Huber중재재판관은 미국이 스페인의 승계국으로서 그 권원을 스페인의 발견에 기초하고 있으므로, 스페인이 미국에 양도할 수 있는 것은 자국이 본래 보유한 권리에 한정되므로 파리조약 체결과 발효시 팔마스 섬이 스페인의 영토의 일부였는지를 중요시 하였고, 동 사건에 있어 파리조약이 체결된 1898년 12월 10일을 '결정적 순간(the critical moment)'이라고 하고, 미국의 Wood 사령관이 동 섬을 시찰 후 미국 본국에 통보한 1906년을 당사국 사이의 분쟁이 현실적으로 발생한 시점으로361) '결정적 기일(critical date)'라고 하였다.

Huber판사는 시제법의 이론에 따라 "19세기 이후 지배적인 견해에 따르면 발견에 기초한 미성숙한 권원(an inchoate title of discovery)은 합리적인 기간내에 실효적 점유(effective occupation)에 의하여 완성되어야 하는데, 스페인은 팔마스를 실제로 점유하거나 그곳에서 주권을 행사한 적이 없었고, 설사 동 섬에 대한 스페인의 권원이 1898년에 미성숙한 것으로 존재했었고, 따라서 평화조약에 의하여 할양대상에 포함된 것으로 간주되어야 함을 인정한다고 하더라도, 미성숙한 권원은 타국의 계속적이고 평온한 권능행사에 우선할 수 없다(an inchoate title could not prevail over the continuous and peaceful display of authority by other State)."라고 언급함으로써 19세기의 국제법은 16~17세기의 선점의 요건을 발견만으로 주권을 행사할 수는 없으며 또

---

361) 네덜란드가 지배한 1700년에서 1906년까지 긴 기간 동안 아무런 분쟁이 발생하지 않았다.

한 발견이라는 미성숙한 권원은 타국의 실효적 점유에 의한 계속적·평화적 주권의 발현에 우선할 수 없음을 분명히 하였다. 따라서 스페인이 파리조약에 의해 할양하는 대상에 팔마스 섬이 포함되어 있다고 하더라도, 결정적 기일 이전까지 네덜란드의 계속적이고 평화적인 점유는 미국의 미성숙한 권원에 우선해서 인정되는 확정적 권원이므로 동 섬에 대한 네덜란드의 영유권을 인정하였다.

즉, Huber 판사는 스페인의 권원을 실효적 지배에 따른 확정적 권원으로 승화되지 못한 미완성 권원으로 취급하여 네덜란드가 Palmas섬을 선점에 의해 취득할 수 있었다고 판단한 것이다.362)

또한 동 도서에 대해 스페인의 지속적 활동이 있어 왔다는 미국 측의 주장도 그 증거가 매우 희박하고 지도라는 것은 그것이 법적인 문서에 부속된 때에 한해서만 증거능력, 즉, 권리의 승인이나 포기를 의미한다고 판시하였다.

지리적 근접성에 대해서는 그런 주장을 뒷받침할 내용이나 충분한 선례가 있는 것도 아니고 또 그러한 국제법 규칙이 확립된 바도 없다고 하였다. 따라서 영해밖에 있는 문제된 도서가 어느 국가의 영역과 근접거리에 있다는 사실만으로 곧 영역주권문제의 해결기준이 되는 것은 아니며 국권의 발현형태가 법적으로 보다 중요한 것이라고 하여 미국 측의 청구를 받아들이지 않았다.

또한 주권의 발현시기가 멀리 소급되거나 또는 특히 어느 시기에 두드러질수록 좋은 것이 아니라 국권의 실효적 행사가 평화적이고 계속적이면 된다. 그리고 선점에 있어 통고가 의무적인 것이 아니라고 판시하였다.

---

362) 2 R.I.A.A. 829, 1928.; 22 AJIL. 735, 1928.

2) 멕시코와 프랑스간의 1931년 Clipperton 사례

클리퍼튼 섬은 멕시코 남서부로부터 약 670마일 떨어져 있으며, 크기는 반경 약 3마일로 사람이 살지 않는 무인도이며, 실제로 살 수도 없는 곳이다. 클리퍼튼 섬은 일찍이 1704년 폭동을 일으킨 영국 해적 존 클리퍼튼이란 사람에 의해 발견되어 피난처로 사용되었으나 이는 단지 개인으로서의 발견이었으며, 이에 대한 영국정부의 공식적인 주장과 선포 행위는 없었다.[363]

1858년 11월 17일 프랑스 해군장교 켈뵈강이 항해 중에 클리퍼튼 섬을 발견하고 프랑스 해군 대신의 명령에 따라 선점을 선언하고 문서를 작성한 후, 아무런 프랑스주권의 효시도 남기지 않은 채 그 섬을 떠났다. 그는 임무수행결과를 호놀룰루 소재 프랑스 영사에게 통지하였으며, 프랑스 영사는 하와이 정부에 정식 통고 하였다. 이에 하와이 영사는 하와이에서 발행되는 잡지인 1858년 12월 8일자 「폴리네시안(The Polynesian)」에 프랑스 정부가 클리퍼튼 섬의 영유권을 획득한 사실을 발표했다. 그러나 프랑스는 1858년 11월 17일 항해 도중 클리퍼튼 섬은 발견하고 이에 대한 선점의 선포를 한 후 이와 관련한 어떠한 주권의 표식이나 실효적 점유도 하지 않은 상태로 수십 년간 방치해 두었다. 그러던 중 이 섬에 과노(guano: 새똥)를 수집하고 있는 미국인에 의해 미국기가 게양된 사실을 발견하고 프랑스 정부가 미국정부에 항의를 했다. 이에 대해 미국은 그들에게 과노를 수집하도록 허가해준 사실이 없으며, 또 클리퍼튼 섬에 대해 주권을 주장하거나 프랑스와 영유권을 다투려는 의사가 전혀 없음을 명확히 하였다.

이러한 논의가 프랑스와 미국 사이에 진행되고 있는 동안 클리퍼튼

363) Emmanuel Victor(1931). Clippert on Island Case. AJIL, 26, pp.390-397.

섬에 대한 프랑스의 선점 선포를 전혀 모르고 있던 멕시코는 이러한 사실을 알고 1897년 12월 13일 동 도서는 이미 오래전부터 자국의 영토라고 주장하며 군함을 파견해 과노를 수집하고 있던 미국인에게 미국기를 내리게 하고, 그 대신 멕시코기를 게양했다. 그리하여 프랑스와 멕시코 간의 동 도서에 대한 분쟁이 발생하였고, 오랜 기간 외교적인 교섭이 진행되었으나 실패하자 이를 중재재판에 회부하였다.

Cliipperton 섬에 대한 멕시코의 영유권 주장 증거를 살펴보면 먼저 역사적 권원에 관해 멕시코는 18세기 초 영국에 의해 동 섬이 발견된 이후 프랑스가 동 섬에 대한 선점 선포를 한 1858년 스페인 해군에 의해 발견 되었으며 일찍이 클리퍼튼이란 이름도 파션 섬(Passion Island), 메다노 섬(Medano Island)으로 달리 불리다가 그 즈음에 이르러 계속 클리퍼튼 섬이라고 불리고 있다고 주장하였다. 따라서 스페인의 계승국으로서 멕시코가 당연히 동 섬을 차지할 권리를 가지며 멕시코 지형통계협의회의 기록에 보더라도 동 섬에 대한 기록이 있고, 또 관련지도가 있다는 증거를 내세워 프랑스에 의한 주권선포가 이루어진 1858년 11월 17일 당시 클리퍼튼의 섬은 무주지역이 아니라 이미 멕시코의 영토였다고 주장하였다.

다음으로 선점과 관련해 설령 동 섬이 1858년 11월 17일 당시 무주지역이라 하더라도 프랑스는 동 섬에 대한 선점의 선포만 하였을 뿐 멕시코에 이와 같은 사실을 통보한 적도 없고, 1897년 12월 13일까지 19세기 이후의 국제법상 선점의 요건인 실효적 지배에 의한 주권의 행사를 하지 않았으므로 그 권원이 상실되었다고 주장하였다. 따라서 1897년 12월 13일 멕시코가 동 섬에 국기를 게양함으로써 동 섬이 멕시코의 실효적 지배에 의해 자국의 영토가 되었다고 주장한다.

동 섬에 대한 프랑스의 영유권 주장 증거를 멕시코의 증거와 마찬가지로 역사적 권원과 선점에 관한 권원으로 나누어 살펴보면 먼저 역사적 권원에 대해 프랑스는 1711년에 이미 클리퍼튼 섬에 대한 기록이 라 프린세스(La Princesse)호와 르 데쿠버(Le Decouvert)호라는 선박의 항해일지에 적혀 있었으며, 여기서 동 섬이 존재한다는 것을 확인한 기록이 있다고 주장했다.

다음으로 선점에 관해서는 1858년 11월 17일 프랑스 정부의 고등판무관인 해군장교 빅토르가 항해 도중 동 섬을 발견하고, 해군의 명령에 따라 라미랄(L'Amiral)호 선상에서 선점에 대한 내용을 작성, 선포하였고, 그 후 동년 11월 20일 동 섬에 상륙하여 이에 대한 지형도를 작성하고 편입을 위한 조치를 취하였고, 이를 즉시 호놀룰루 주재 프랑스 영사에게 통고하는 한편, 동 영사는 다시 하와이 정부에 통고하여 동년 11월 8일 폴리네시안지에 동 섬에 대한 프랑스의 주권선포가 영문으로 이루어졌다고 주장하였다.

먼저 소송기술상의 고려요소로 결정적 기일에 관해서는 1897년 12월 31일 멕시코가 동 섬을 점유한 때로 정해야 한다는 주장과 프랑스가 동 섬을 발견한 때로 정해야 한다는 주장이 대립했는데 프랑스가 동 섬을 발견한 때를 결정적 기일로 정하였다.[364]

동 섬에 대한 영유권 분쟁에서 중재재판의 내용을 분쟁당사국의 주장에 비추어 역사적 권원과 선점에 의한 권원으로 나누어 살펴보면 먼저 역사적 권원에 있어 중재재판관인 빅토르 엠마뉴엘 3세는 동 섬이 어떻게 명칭 되었다 하더라도 스페인 해군에 의해 처음 동 섬이 발견되었다고 하는 사실을 뒷받침할 명백한 입증증거가 없다는 점을 들어 이를 인정하지 않았고, 또한 멕시코의 영토에 속한다는 사실을 입증하기

---

364) Arbitral Award on the Subject of the Difference Relative to the Sovereignty over Clipperton Island. AJIL, Vol.26, 1932, p.394.

위해 제출된 멕시코 지형통계협회의 기록상의 지도에 대해서도 이는 국
가의 영토편입을 위한 의사표시로 이루어진 것이 아니라고 판시하였다.
즉, 이 지도가 공식적인 국가의 명령과 감독 하에 작성된 것인지 확실
하지 않기 때문에 이 지도의 내용을 동 섬에 대한 국가영유의사의 표시
로 인정하지 않았다.

다음으로 무주지 선점에 관한 권원의 측면에서 살펴보면 중재재판관
은 프랑스가 무주지를 선점한 후 이를 이해관계국인 멕시코에 통고한
사실이 없다는 주장에 대해 1885년 베를린의정서 제34조의 점유지역에
대한 영토취득 요건으로서 당사국이나 이해관계국에 선점선포를 통고
할 필요가 있지만 본 사건은 동 의정서 체결 이전에 발생한 사실이고
또한 동 의정서의 가입국이 아니라는 점을 들어 이 요건을 동 사건에
적용시키는 것은 부당하다고 판단했다.[365] 또한 프랑스가 동 섬을 발견
하고 선점의 선포만 했을 뿐 동 섬에 대한 실효적 지배에 의한 주권행
사를 하지 않았으므로 그 권원이 유효하지 않다는 멕시코의 주장에 대
해서는 그 장소가 고도인 무인도에 대해서는 발견만으로 점유취득은 완
성되며 또 동 섬이 1887년까지 프랑스나 또는 다른 국가에서 논쟁의 발
단이 되지 않았다는 점을 들어 발견의 순간부터 그 점유는 완전한 것이
라고 하였다.

3) 노르웨이와 덴마크간의 1933년 The East Greenland 사례

1380년 이래로 덴마크와 노르웨이는 동군연합을 구성하여 동부 그린
란드를 유효하게 지배해왔다. 1814년 나폴레옹 전쟁의 결과로 노르웨

---

365) 이해관계국의 통고에 대해 재판관은 프랑스가 하와이 정부에 통고한 것으로
    완전하다고 보았다.

이를 스웨덴에 할양했으나 이때 그린란드, 파루(Faroe), 그리고 아이슬란드는 제외되었다. 그후 1905년 스웨덴에서 독립한 노르웨이는 그 후 동부 그린란드를 몇 차례 탐험하고 이곳이 무주지라고 판단하여, 1931년 7월 10일 동부 그린란드에 대해 선점을 선언하는 칙령을 공포하고 덴마크에 이를 구두로 통보하였다.[366]

이에 대해 덴마크는 그린란드가 본래 자국의 영토이므로 선점의 대상이 될 수 없는 지역이라고 선언하고 이러한 노르웨이의 조치를 위법·무효라고 주장하여 상설국제사법재판소(Permanent Court of International Justice, 이하 PCIJ)에 제소하였다. 당시 문제의 양국은 PCIJ 규약의 선택조항(optional clause)에 구속되었다.

동 사건은 동 섬에 대한 평화적·계속적 주권행사를 통한 권원의 취득을 주장하는 덴마크와 무주지 선점을 통한 권원을 주장하는 노르웨이 간의 영토분쟁으로 파악할 수 있다.

노르웨이는 동 섬에 대한 덴마크의 주권은 거의 식민지 부분에만 한정되는 것이고 노르웨이의 선점대상인 문제의 동부 및 동남지역은 덴마크령이기 보다는 그 식민지 밖의 무주지라고 주장하여 자국의 선점을 통한 권원의 유효성을 주장하였다.

덴마크는 동 섬 전역에 대하여 장기간 계속·평화적으로 주권을 행사해 왔으며, 노르웨이는 조약 등에 의해 동 섬 전체에 대한 덴마크의 주장을 승인해 왔으며, 노르웨이 이렌(Ihlen)외무장관이 그린란드 전체에 대한 덴마크의 영유권문제에 대해 이의를 제기하지 않겠다는 구두약속을 한 바 있다는 증거를 바탕으로 동 섬에 대한 영유권을 주장하였다.

PCIJ는 먼저 동 사건에 있어 결정적 기일에 대해서 1380년 이후 1721

---

366) Permanent Court of Arbitration(1933). World Court Reports. U.N.R.I.A.A. Vol.2, pp.829-836.

년 식민지가 확립된 후 1814년까지 덴마크·노르웨이의 권리는 명백히 주권의 실질적 표시의 행사이면서 타국에 의한 정복 및 분쟁이 없었고 덴마크와 노르웨이 연합 스스로도 그린란드의 포기를 밝힌 적이 없으므로 결정적 기일은 노르웨이가 선점을 선언한 1931년 7월 10일이라고 하였다. 따라서 그 시점에 덴마크가 노르웨이의 선점을 무효로 할 만한 주권을 동 섬에 대해 가지고 있었느냐를 판단하는 것이 동 분쟁의 쟁점이라 하겠다.

PCIJ는 동 쟁점을 판단함에 있어 덴마크의 실효적 지배에 의하여 권원을 취득하는데 필요한 두 가지 요소로 "주권자로 행동하려는 의사와 의지 그리고 그러한 권능의 실제적인 행사 또는 표시(the intention and will to act as sovereign, and some actual exercise or display of such authority)"가 필수적이라 하고, 또한 다른 국가가 더 우월한 주장을 입증할 수 없는 한 인구가 별로 없거나 살지 않는 지역의 경우에는 주권적 권리의 실제적 행사가 거의 요구되지 않는다고 언급하였다.

덴마크가 제시한 증거에 따르면 1814년 키일(Kiel)조약에 의하여 노르웨이가 스웨덴에 할양될 때도 그린란드에 대한 덴마크의 주권이 명시되었고, 또한 노르웨이 스스로도 그린란드에 대한 덴마크의 주권을 공인한 바 있고, 노르웨이와 덴마크간 양자조약과 다수의 다자조약에서 이를 명시했음을 확인하였다.

따라서 결정적 기일인 1931년까지 노르웨이를 포함한 다른 어떤 국가도 그린란드에 대한 주권을 주장한 일이 없으므로 그린란드에 대한 덴마크의 주권은 충분히 입증되었다.

4) 영국과 프랑스간의 1953 The Minquiers and Ecrehos 사례

동 사건은 영국해협의 Jersey 섬과 프랑스령 Chausey 섬 사이에 망끼에르와 에끄레오 제도 및 주변 암초367)에 대한 영국과 프랑스간의 영유권 분쟁으로 60년간 이곳에 대한 영유권주장으로 맞서오다가 프랑스 측의 조류이용수력 발전계획으로 분쟁의 절정을 이루었고, 결국 양국은 1950년 12월 29일 체결된 특별협정으로 ICJ에 제소된 사건이다.368)

동 분쟁에 있어 양국의 특별협정에 따르면, 각 당사국은 자국이 망끼에르 및 에끄레오 제도와 주변 암초에 대하여 본원적 권원을 가지고 있고, 이를 항상 유지하여 왔으며 상실한 적도 없다고 주장하면서, 영유권이 어느 국가에 속하는지를 ICJ가 결정해 줄 것을 요청하였다. 또 양 당사국은 당해 섬들에 대해 무주지 또는 양국간의 공유지라는 주장은 하지 않았다.

영국의 영유권 주장의 증거는 본원적 권원과 실효적 지배에 의한 권원으로 나눌 수가 있는데 먼저 본원적 권원과 관련해 영국은 1066년 노르망디공에 의한 정복에 의해 문제된 도서들 및 암초들이 채널제도와 더불어 노르망디 공국에 통합되었고, 이 통합은 프랑스의 필립(Phillip August)왕이 대륙 노르망디를 점령한 1204년까지 계속되었다는 사실을 인정하였다. 그러나 영국은 필립왕의 채널제도에 대한 점령기도는 실패로 끝나고 말았으므로 동 도서들 및 암초들은 계속해서 영국이 소유해

---

367) 에끄레오 섬 및 주변 암초는 영국령 저어시 섬 북동쪽으로부터 3.9해리 떨어져 있으며, 프랑스 해안으로부터는 6.5해리 떨어져 있고, 망끼에르 섬과 주변 암초는 저어시 섬으로부터 9.8해리 떨어져 있으며 프랑스 본토로부터는 16.2해리 프랑스령인 쇼오시 섬에서는 8해리 떨어져 있다.

368) ICJ Reports 47, 1953.

왔다고 주장하였다.

영국은 상기한 본원적 권원뿐만 아니라 동 도서 및 암초들에 대해 실효적 지배로 이러한 권원들이 다음의 사실에 증거해 유지·관리·보강·확정되었다고 하였다. 먼저 영국은 고문서로 1200년 특허장(Charter), 1258년 명령(Order),1360년 특허서한(Letters Patent), 1471년 런던휴전협정 제3조, 1500년 교황칙서(Papal Bull), 1606년 통상조약을 제시하였다.369) 특히 영국은 고문서를 원용함에 있어 해협제도가 중세시대에 대륙 노르망디와는 별개의 실체로 간주되었으며 이들 문서에서 섬 이름을 열거하면서 특정한 섬 이름은 언급하지 않은 것이 이 해협제도 외부에 위치했다는 것을 의미하지는 않는다고 주장하였다. 즉, 가장 중요한 섬들이 영국에 의해서 점유되었기 때문에 영국은 문제의 소군도들 또한 지배하였다고 주장하였다.

그리고 영국은 영국 저어시 지방재판소가 1826년부터 1921년까지 수차례에 걸쳐 에끄레오 섬에 형사재판권을 행사해 왔다는 사실, 1820년에 저어시 주민이 이 섬에 건축한 가옥에 대해 과세의 대상으로 삼았으며, 또한 이 섬 내의 부동산 매매계약은 영국 행정당국의 통제를 받아왔다는 사실을 제시하였다. 또한 영국은 "영국 국고지불명령서"에서 지정한 해협제도의 항에 "에끄레오군도"가 포함된 입법행위의 사실을 증거로 제시하여 실효적 점유에 의한 권원을 보강했다. 또한 영국은 망끼

369) 이러한 고문서 중에서 특기할 만한 것은 1200년 특허장과 1471년 런던휴전협정 제3조인데 1200년 특허장은 영국 존 왕이 피에르 남작에게 저어시, 거어시, 알데니섬을 양도하는 것을 내용으로 하는 것이었는데, 3년 뒤인 1203년 피에르 남작은 동 특허장을 통해 발 리서 대수도원에 에끄레오 섬 전체를 양도하였으며, 1471년 런던휴전협정 제3조에서는 프랑스 왕이 잉글랜드와 기타 토지, 즉 영국 또는 영국 국민들에 의해 지배되고 있거나 향후 지배될 저어시, 거어시, 알데니 및 기타 영토, 섬, 육지, 영지 등에 적대행위를 해서는 안된다는 규저잉 있다.

에르에 대하여 18세기, 19세기에 동 군도에서 발견된 시체에 관한 검시 및 동 제도에 거주 가능한 주거지를 설립한 사실도 증거로 제시하였고, 동 제도 내의 부동산 매매계약에 대한 저어시 섬에서의 동기를 통하여 망끼에르 및 에끄레오 섬에 대해 실효적 지배를 해왔음을 주장하였다.

프랑스 역시 영국과 마찬가지로 본원적 권원과 실효적 지배에 증거하여 권원을 주장하였는데 먼저, 본원적 권원과 관련해서는 노르망디공이 프랑스 왕의 가신이었으며, 1066년 이래 영국 왕은 노르망디공의 자격으로 프랑스 왕이 수여한 봉지를 봉령으로 보유하고 있었다고 주장하였다.

또한 933년 이래 채널 군도는 프랑스 왕의 봉지로서 노르망디공은 해협제도를 포함한 노르망디 전체를 대표하여 프랑스 왕에 복종하였으며, 1202년에 프랑스 재판소의 판결에 의하여 영국 존 왕은 프랑스 영지로서 그가 보유하고 있던 노르망디 전체를 포함한 전 토지를 몰수당한 것이라고 주장하였다.

다음으로 실효적 지배에 의한 권원에 관해 프랑스는 에끄레오 섬에 대하여 1646년 저어시 섬의 영국 주민들이 이 섬과 쇼오시 섬에서의 어업을 금지했고, 1692년 영국과 프랑스간 전쟁을 이유로 에끄레오 섬에 대한 방문을 제한하였던 사실을 원용하였으며, 1875년 영국의 "영국 국고지불명령서"는 1839년 어업협정을 위반한 것이기 때문에 1876년 이에 항의하였다고 주장하였다. 이에 추가해 프랑스는 망끼에르, 에끄레오 제도 및 주변 암초군에 대한 1831년 수로측량, 1861년 이래 75년간에 걸친 조명과 부표의 관리, 1938년의 해상과 영공상의 시찰, 최근 수력발전계획 등에 의해 실효적 지배에 의한 권원이 확보되어 있음을 주장하였다.

ICJ는 결정적 기일과 관련해 상기 도서들에 대한 분쟁이 오랫동안 존

재해 왔지만 분쟁이 결정화된(crystallized) 시점은 특별협정에 의해 ICJ
에 제소하기로 한 1950년 12월 29일이라는 영국의 주장과 양국간의 어
업협정이 체결된 1839년 8월 2일이 결정적 기일이라는 프랑스의 주장
을 모두 배척하고, 프랑스가 망끼에르와 에끄레오 제도 및 암초에 관한
주권을 주장한 1886년과 1888년으로 이를 정했다.[370) 또한 특이하게도
동 사건에서 "특별한 사정"을 감안하여 관계 당사자의 "법적 지위를 개
선하는" 관점에서 취하여진 조치가 아닌 한 후속적인 조치는 역시 재판
소에 의해서 고려되어야 한다고 판시한 점은 주목을 끌었다. 따라서 양
당사국이 주장하는 본원적 권원이 결정적 기일 이전에 누구에게 있는지
여부와 동 시점까지 실효적인 점유로 권원을 유지한 당사자는 누구인지
가 동 사건의 주요쟁점으로 다루어졌다.

재판소는 우선 1066년 정복자 윌리엄까지 올라가는 프랑스의 옛 중
세시대의 본원적인 봉건적 권원(Original feudal title)에 기초한 주장에
대해 변화된 국제법 이론에 따라 "이러한 권원은 대체시의 법에 따라
유효한 권원(another title valid according to the law of the time of
replacement)으로 대체되지 않는 한 지금 와서는 아무런 법적 효과가
없다." 그러므로 "결정적으로 중요성을 갖는 것은 중세에 있었던 과거
의 사건으로부터 추출되는 간접적 추정이 아니라 이 섬들의 점유에 직
접 관계되는 증거(evidence which relates directly to the possession)

---

370) 분쟁이 구체화된 시점인 결정적 일자를 옛날로 잡을수록 영국에게는 불리하
고, 프랑스에게는 유리한 상황이었는데, ICJ는 1886년과 1888년 이전에는
이들 도서에 대한 양국간의 영유권분쟁이 발생하지 않았다고 보았다. 특히
어업협정이 체결된 1839년이 결정적 기일이 되어야 한다는 프랑스 주장에
대해 양국간 에끄레오 섬에서의 굴채취의 배타적 권리에 관해 상당기간 합의
를 보지 못하였지만 에끄레오 섬에 대한 주권의 문제와는 결부시키지 않았고
따라서 프랑스가 제시한 결정적 기일은 배척되었다.

즉, 문제된 도서에 행사한 직접적인 주권의 발현이다."라고 언급함으로써 과거에 프랑스의 봉건적 권원에 다른 간접적 추정은 중요한 것도 아니고, 설사 프랑스가 이러한 권원을 가지고 있었다고 하더라도 그 권원이 대체시의 법에 따라 대체되지 않았고, 실제 프랑스는 이러한 직접적인 주권의 발현을 입증하지도 못했다. 따라서 프랑스가 주장하는 역사적 권원은 아무런 법적 효과를 가지지 못하고 또한 대체의 입증책임은 프랑스 정부에 있다고 하면서 프랑스의 주장은 배척되었다.

이에 반해 ICJ는 에끄레오 섬에 대해 영국이 취한 사법, 지방행정, 입법권한의 행사에 관한 다양한 행위들에 증거적 가치를 부여했으며 저어시 섬 당국의 행위는 오랜 기간 동안 에끄레오 섬에 대하여 통상의 지방 행정권을 행사하였다는 것을 보여주는 것이라고 판시하였다. 또한 프랑스는 영국이 에끄레오 섬을 해협제도의 부속도서로서 주권을 주장하면서 프랑스 어민의 접근을 금지하는 것을 알면서도 프랑스는 어떠한 조치도 취하지 않았기 때문에 이러한 프랑스의 묵인을 영유권의 포기로 간주하였다.

5) 2002년 Pulau Ligitan과 Pulau Sipadan 사례

인도네시아와 말레이시아간의 리키탄과 시파단 섬에 대한 영유권 분쟁으로 2002년 12월 17일 ICJ에 의해 판결이 내려졌는데 동 분쟁은 섬 자체에 대한 영유권의 분쟁이라기 보다는 섬이 가지는 경제성, 즉 주변 해역의 막대한 유전을 차지하기 위한 자원경쟁의 일환으로 시작되었다.[371]

---

371) Sovereignty over Pulau Ligitan and Pulau Sipadan(Indonesia /Malaysia) (ICJ Dec. 17, 2002), available at http://www.icj-icj.org..

양 당사국은 각각 두 분쟁도서에 대한 권원의 할양과 승계, '1981년 협약'상의 권원, 실효적 지배라는 3가지 쟁점을 통해 두 분쟁도서에 대한 영유권을 주장하였다.

인도네시아는 두 도서들의 영유권이 Bulugan의 술탄-네덜란드-인도네시아로 이어졌다는 권원승계의 주장과 1891년 6월 20일 "보르네오의 경계획정에 관한 영국과 네덜란드간의 협정(Convention between Great Britain and The netherlands Defining Boundaries in Borneo, 이하 '1891년 협약')"의 제Ⅳ조[372]를 세바틱 동쪽 너머 해양까지 4°10'의 평행선이 연장된다고 해석하였고, 따라서 동 협약상 두 분쟁도서들이 인도네시아의 관할범위에 속한다고 협약상의 권원을 주장하였다. 그리고 인도네시아는 두 분쟁도서에서의 인도네시아 해군 및 어부들의 활동과 함께 그 지역에서 네덜란드 왕실의 해군이 해적토벌을 위한 순찰 및 순찰 도중에 휴식하였다는 증거를 통해 동 도서들에 대해 실효적으로 지배를 하여 왔다고 하였다.

말레이시아는 분쟁도서에 대한 Sulu의 술탄-스페인(1878)-미국(1900)-대영제국(1930)-말레이시아(1963)로 이어지는 권원승계를 통한 영유권의 취득 주장과 '1891년 협약'은 세바스틱 섬까지만 경계를 획정하는 것이기 때문에 더 이상 그 동쪽 너머에 있는 섬들의 지위에 어떠한 영향도 미치지 않는다고 하였다. 그리고 분쟁도서들에 대해 첫째, 1900년대 초부터 말레이시아의 선행국인 영국 식민당국은 거북과 거북알의 채취를 통제하고 관련 분쟁을 해결하기 위한 조치를 마련한 사실,

---

372) 원문으로는 "From 4 10' north latitude on the east coast the boundary-line shall be continued eastward along that parallel, across the island" 여기서 'across'와 'shall be continued'의 의미가 모호하고 불명확하여 양국의 해석이 달랐다.

둘째, 1933년에 영국 식민 당국은 지방령에 따라 시파단 섬을 조류보호
구역으로 지정하였고 이를 지역 관보에 공포하였던 사실, 셋째, 1962년
과 1963년에 인도네시아가 독립한 후에 말레이시아의 영국 식민당국이
시파단 섬과 리기탄 섬에 높은 등대를 설치하였으며, 이는 현재도 남아
있고 말레이시아가 이를 유지·관리하고 있다는 사실을 통해 동 분쟁도
서에 대한 말레이시아의 실효적 지배를 주장하였다.

　ICJ는 동 분쟁도서들에 대한 영유권을 판단함에 있어 대영제국과 네
덜란드가 체결한 1891년 협약상에 나타난 권원, 지도의 증명력, 역사적
권원의 할양과 승계, 결정적 기일의 지정, 실효적 지배, 분쟁 상대국의
승인 혹은 묵인에 대하여 판단하였다. 하지만 영유권 귀속을 판단함에
있어 결정적으로 작용한 것은 결정적 기일 이전의 실효적 지배와 관련
한 사실들에 대한 상대적인 증명력 평가였다.

　ICJ는 결정적 기일에 있어 양 당사국이 주장한 것처럼 1969년의 대륙
붕 경계 획정 협상 시점에 분쟁이 결정화되었다고 하면서 1969년 9월
22일 분쟁도서들에 대하여 현상을 변경시킬지도 모르는 어떠한 조치도
자제한다는 내용의 양해각서(Note of Understanding)를 교환한 시점을
결정적 기일로 삼았다.373)

　동 문제와 관련하여 결정적 기일 이후의 말레이시아가 행한 조치 특
히 스쿠버 다이버들을 위한 스포츠 레저를 중심으로 한 관광사업을 지
원하기 위한 조치들의 증거채택 여부에 있어 ICJ는 "결정적 기일 이후
의 국가의 행위가 단순히 이전의 행위가 통상적으로 계속된 것에 지나
지 않고 그리고 그러한 행위가 당사국의 법적 지위를 향상시키는 것을

---

373) 인도네시아와 말레이시아 모두 1969년이 결정적 기일이라는데 동의를 했지
　　만 그 이후 일자의 말레이시아의 조치들의 증거채택 여부에 대해서는 의견을
　　달리하고 있다.

목적으로 하지 않는다면 이를 영유권의 증거로 채택할 수 있지만, 당사
국들 사이에 분쟁이 구체화된 시점 이후의 행위는 원칙적으로 증거로
채택할 수 없다"고 판시함으로써 스쿠버들을 위한 말레이시아의 섬에
대한 활동에 대해서는 고려하지 않고,[374] 오직 1969년 이전의 행위에
대해서만 판단하였다.

ICJ는 '1891년 협약'의 해석에 대한 문제에 있어 "협약이나 협약 체결
상황 어느 것도 인도네시아가 협약 당사국이 육지경계의 코스뿐만 아니
라 세바틱 동쪽 해안 이원의 구분선까지 합의했다고 주장하는 입장을
지지하는 것으로 간주될 수 없다."고 판단하여 인도네시아의 조약상의
권원을 인정하지 않았고 또한 ICJ는 1922년과 1926년 당시의 네델란드
정부 내부에서 이루어진 토론내용, 즉, 서한들을 살펴보아도 네델란드
와 대영제국이 경계선의 해양으로의 연장에 대하여 합의하였다고는 보
기 어렵다는 판단을 내렸다.[375] 따라서 인도네시아의 '1891년 협약'상
의 권원(treaty-basedtitle)주장은 배척되었다.

동 사건에서 ICJ는 지도의 일반적인 법적 성격(legal value)과 증명력
(evidentiary)에 대해 판시한 후, 구체적으로 지도의 법적 성격과 당해
사안에 대한 지도의 증명력을 구분하여 판단하였는데 지도가 법적 효력
을 가지는 경우로는 지도가 당사국이 체결한 조약에 첨부되어 일체가
되었을 때와 같이 지도를 통하여 양당사국이 그와 같이 합의하였음이

---

374) 말레이시아의 스포츠 레저를 중심으로 한 시파단 관광사업을 지원하기 위한
조치들은 이미 결정적 기일 이전부터 이루어져 왔던 것임을 감안한다면 ICJ
가 "결정적 기일 이후의 행위라도 당사국의 법적 지위를 향상시키는 것을
목적으로 하지 않고 결정적 기일 이전행위의 단순, 통상, 반복적 조치들을
증거로 채택할 수 있다."는 판단과 모순되는 점이 발견된다.
375) 자세한 내용은 정민정(2005). 인도네시아와 말레이시아간의 도서 분쟁사안
연구. 서울국제법연구, 12(1), pp.163-172 참조.

명시적으로 나타난 경우에 한하여 영유권의 취득이 인정된다고 언급하고 법적 효력을 가지는 1915년 협정과 1928년 협약에 첨부된 지도를 심리한 결과 경계가 세바틱의 동쪽해안으로까지 연장되지 않았음을 확인하였다.

다음으로 법적 효력이 없는 해석 메모에 첨부된 지도에 대해서 조약 체결 당시의 정황증거로는 볼 수 있다고 판단하였다.

인도네시아는 Bulugan의 술탄-네델란드-인도네시아로 이어지는 권원의 승계를 주장하였는데 이에 ICJ는 Bulugan이 실제 술탄과 네덜란드가 체결하였다고 하는 1878년과 1893년의 계약의 대상 범위에는 리기탄과 시파단 섬을 포함하기 어렵다고 보아, 인도네시아의 권원의 승계의 의한 영유권 주장을 인정하지 않았다.

말레이시아도 인도네시아와 마찬가지로 Sulu의 술탄-스페인(1878)-미국(1900)-대영제국(1930)-말레이시아(1963)로 이어지는 권원승계를 통한 영유권의 취득 주장을 했지만 ICJ는 권원의 할양과 승계와 관련하여 입증되지 않는 부분이 많기 때문에 즉, Sulu의 술탄의 영지 안에 당해 분쟁 도서가 포함되었는지 여부가 불분명하여 말레이시아의 주장도 받아들이지 않았다.

ICJ는 양 당사국의 조약에 기초한 권원의 주장과 권원승계에 의한 주장 등이 불명확하다고 판단한 후 ICJ는 결정적 기일 이전의 실효적 지배의 사실을 독립적이고 개별적인 요소로 간주하여 영유권판단의 결정적 기준으로 삼았다. 즉, ICJ는 양국가의 주권활동을 통해 발현된 실효적 지배에 관한 다양한 증거들의 증명력을 비교 형량하여 상대적으로 우월한 증거를 가진 국가에게 영유권을 인정하였다.

먼저 ICJ는 동부 그린란드 사안을 참고하여 분쟁도서에 대한 실효적 지배의 정도에 대한 기준으로 주권의 지속적인 행사에 기초한 영유권 주장을 하기 위해서는 주권 행사의 객관적 사실과 함께 영유의 의사가 있어야 한다고 판단했다. 그리고 사람이 살지 않거나 살 수 없는 영토의 경우에는 만약 다른 국가가 우월한 주장을 하지 않는다면 주권의 실질적인 행사의 정도는 다소 약하더라도 영유권을 인정할 수 있다고 하였다.

재판소는 먼저 인도네시아가 제출한 국가행위의 증거에 대해서 입법적 혹은 규제적인 성격이 없는 것으로 판단했다. 구체적으로 1960년 군도 기선을 획정하기 위하여 법령을 제정하였을 때 인도네시아는 그 법령과 그에 첨부된 지도에서 리기탄 섬 또는 시파단 섬을 기준점으로 원용하지 않았고, 또 네덜란드와 인도네시아 해군들의 활동이 당해 분쟁 도서와 그 주변수역에 대한 주권의 행사라고 할 수 없으며,376) 인도네시아 어부들의 활동은 사인의 행위로서 국가주권의 행사 혹은 실효적인 지배의 일환으로 보기 어렵다고 판단했다. 즉, ICJ는 인도네시아가 제출한 활동들로부터 당해 도서의 주권의 행사의 의도와 의지를 확인할 수 없다고 하였다.

이와는 다르게 말레이시아가 제출한 국가 행위에 관한 증거에 대해서는 그 성격이 입법적, 사법적 그리고 준사법적 행위로 규정지을 수 있다고 판단했다.

구체적으로 거북이 수렵에 대한 규제와 서류보호구역지정은 주권의 행사로 볼 수 있으며, 등대의 설치와 운영과 같은 항해 원조 조치에 대해서는 통상적으로 충분한 주권의 행사라고 판단하기는 어렵지만 당해 사안과 같이 작은 섬에 대해 이루어진 그와 같은 행위는 실효적 지배의

---

376) 네덜란드 해군의 활동은 국가기관에 의하여 행하여졌으므로 공권력의 행사임이 분명하지만 분쟁 도서의 점유와는 거리가 있기 때문에 인도네시아의 실효적 지배에 관한 주장을 입증하는데 기여하지 못하였다.

내용으로 보기 충분하다고 하였다.

위와 같은 말레이시아의 주권적 행위는 섬의 특수한 상황에 비추어 영토관계의 안정을 도모하고 상대국이 영유권을 인식하기에 충분한 정도로 행해졌으며, 네덜란드와 인도네시아의 행위에 대하여 1991년 이전에는 이의를 제기하거나 항의를 하지 않았다는 점[377]을 고려해 말레이시아가 실효적 지배에 증거하여 분쟁도서에 대한 권원을 가진다고 판시하였다.

판단컨대 이 사안은 일견 결정적 기일 이전의 역사적 증거를 통한 증명력의 우월관계를 단정할 수 없는 상태에서 현재 말레이시아가 동 섬을 실효적으로 지배하고 있으며 이에 대하여 인도네시아가 1991년까지 강력한 항의를 제기하지 않았다는 점이 재판소가 궁극적으로 말레이시아의 승소를 결정한 숨은 이유였다고 본다.

6) 싱가포르와 말레이시아간의 사례

싱가포르와 말레이시아는 2003년 7월 페드라 브랑카(Pedra Branca) 미들 락스(Middle Rocks), 사우스 레지(South Ledge)의 도서영유권에 관한 분쟁을 ICJ에 제소하였고, ICJ는 2008년 5월 23일 페드라 브랑카에 대해서는 싱가포르의 주권을 인정하였고, 미들 락스에 대해서는 말레이시아의 주권을 인정하였으며, 사우스 레지에 대해서는 양국 간 해

---

377) ICJ는 네덜란드와 1962년 독립한 인도네시아가 리기탄 섬 또는 시파단 섬에 대한 영유권을 주장하거나 북 보르네오 통치에 대하여 항의하지 않았고, 말레이시아가 분쟁도서에 등대를 세울 때 조차 항의를 하지 않은 일련의 사실들에 주목하여 인도네시아가 말레이시아의 동 도서에 대한 영유권을 승인하였거나 자국의 영토를 묵시적으로 포기하고 말레이시아의 영유권을 묵인한 것으로 판단했다.

양경계획정 이후 등 동 도서가 위치하게 되는 영해가 속하는 국가에 귀속된다고 판결하였다.378)

　페드라 브랑카 섬에 대한 양국의 주장을 살펴보면 말레이시아는 이 섬의 영유권의 증거로 고유 영토론을 주장하였다. 즉, 말레이시아는 오랜 기간 동안 페드라 브랑카에 대한 시원적 권원(originaltitle)을 가지고 있었고, 이 섬은 계속 말레이시아의 영토의 일부로 간주되어 왔으며 이러한 사정을 변경할 어떠한 조치도 없었다고 주장하였다. 나아가 싱가포르가 1851년 영토국인 Johor 왕국의 동의를 얻어 동 도서에 등대를 건설하고 이를 유지하여 왔다는 사실만으로 동 도서에 대한 주권을 주장할 수는 없다고 하면서 동 도서는 어느 경우에도 무주지가 아니었으므로 선점을 통한 영유권 취득의 대상이 될 수 없다고 주장하였다.

　페드라 브랑카에 대한 싱가포르의 영유권 주장에 대하여, 페드라 브랑카는 무주지였으며, 이 섬의 영유권은 1847년에서 1851년 사이 등대 건설기간 중 이를 주도한 영국에 의해 확립되었다는 것이다. 그 후 영국을 승계한 싱가포르가 이 섬의 영유권을 가졌으며, 특히 160년 동안 페드라 브랑카 섬과 인근 주위수역에 대해 계속적이고 공공연하게 영유권행사를 해왔으며, 이에 대해 말레이시아의 항의는 없었다고 주장하였다. 또한 영국 식민당국은 1953년 양국의 영해획정을 위해 페드라 브랑카 섬의 법적 지위를 묻는 서한을 Johor 왕국(말레이시아의 Johor 왕국의 승계국임)에게 보낸 바 있는데, 이때 Johor 왕국은 국무장관 대행 명의의 회신에서 페드라 브랑카에 대한 소유권을 부인하였다는 것이다. 심지어 1977년 페드라 브랑카 섬에 군사통신시설을 설치하고 싱가포르의 국기를 게양했을 때에도 말레이시아 정부의 항의는 없었다는 점을

378) 김채형(2009). 영토취득과 실효적 지배기준에 대한 연구. 국제법학회논집, 54(2), pp.79-82.

내세웠다.

ICJ는 1953년 이후 페드라 브랑카에 대한 양 당사국의 실효적 지배에 대한 문제를 중점적으로 검토하였다. ICJ는 싱가포르가 동 섬에 대해 배타적으로 방문자들을 통제하여 왔고 싱가포르 및 말레이시아를 포함하여 타국의 관리들이 동 섬을 이용하였다는 사실은 중요하지 않지만 싱가포르 정부가 1978년 동 섬 주변수역을 조사하려는 말레이시아 관리들에 대해 허가를 부여 또는 불허한 사실은 주권행사로 볼 수 있으며, 이러한 것은 싱가포르의 주장을 유리하게 한다고 보았다.

또한 페드라 브랑카에 등대를 운영하기 시작한 이래 오늘까지 등대에 영국과 싱가포르 국기가 게양되어 있었다는 사실은 분명한 주권의 과시라는 싱가포르의 주장에 대해 ICJ는 통상적인 경우 주권의 과시로 볼 수 없지만 말레이시아가 이에 대해 아무런 이의를 제기하지 않았다는 사실은 비중 있게 다루어져야 할 것이라고 보았다. 그리고 싱가포르 항구 당국에 의해 1970년에 페드라 브랑카의 주변지역을 매립하려는 계획과 관련된 입찰광고는 공개적이었으며, 광고에 나타난 대로 진행되었는 바, 이러한 행위는 싱가포르의 입장을 강화시켜준다고 보았다.

그래서 재판소는 영국과 싱가포르의 행위, 특히 1953년 이후의 싱가포르의 해난사고 조사, 방문규제, 매립계획 등을 실효적 주권행사로 보았으며, 이에 대한 말레이시아의 무 대응을 의미 있는 것으로 평가하였다. 말레이시아의 그 선행국가는 영국이 페드라 브랑카에 1850년 등대를 건설한 이 후 분쟁도서에 대해 아무런 조치도 취하지 않았으며, 이후 동 섬을 방문하였을 당시에도 싱가포르의 허가를 득하였던 사실, 1953년 서한을 통해 말레이시아는 동 도서에 대한 영유권을 없다고 한 점 등이 패소요인으로 지적된다. 페드라 브랑카 사건에서 ICJ는 역사적 권원보다는 권원을 가졌다고 여겨지는 국가가 실효적 지배라는 주권행사를 통해 자신의 권원을 공고히 하여 왔는가에 초점을 맞추었다.

7) 니카라과와 컬럼비아간의 사례

2012년 11월 19일, ICJ는 니카라과와 컬럼비아 간 영토 및 해양 분쟁에 대하여 판결을 내렸다. 니카라과가 제소한 이래 11년만의 일이다. 니카라과는 이 사건에서 컬럼비아가 점유하고 있는 카리브 해 다수의 섬에 대하여 영유권으로 주장하였고, 양국의 해양경계획정을 요청하였다.[379]

니카라과가 영유권을 주장한 지형은 Providencia, San Andrés, Santa Catalina 3개의 섬과 Roncador, Serrana, Serranilla, Quitasueno, Bajo Nuevo, Alburquerque, East Southeast 7개의 암초이다. 이에 대하여 법원은 서로 상반된 역사적 자료를 유효한 증거로 채택하지 않았으며, 경계가 분명하지 않다는 이유로 uti possidetis juris(식민시대의 경계를 독립 이 후에도 인정하는 원칙)에 의한 주장도 받아들이지 않았다. 결국 법원은 컬럼비아의 계속적이며 일관된 주권의 실행(à titre de souverain)과 1969년 이전 니카라과의 항의가 없었음을 주목하여 컬럼비아의 영유권을 인정하였다.

영유권 분쟁에 있어 계속적이며 일관된 주권의 행사와 상대국가의 묵인이 유효한 증거가 되었다는 점, 해양경계획정에 있어 잠정적 등거리/중간선을 시작으로 하는 3단계 방법의 재확인, 매우 작은 지형에 대한 기점으로서 효과의 축소, 관련 해안선 길이의 현저한 불균형의 고려, 200해리 이내의 지형학적 요소 및 지질학적 요소의 무시, 해안 연장의 차단효과의 고려가 있었다는 점에서 우리나라의 최근 해양문제에 주는

---

379) KMI Issue Briefing 12-210호, 2012.

함의가 크다고 하겠다.

이상에서 영토취득 및 상실에 관한 국제법의 일반원칙들이 도서영유권 분쟁에 대한 국제사법기관 판결을 통해 어떻게 적용되는지와 최근의 판례경향을 살펴보았다. 동 내용을 종합적으로 분석해보면 영토분쟁 재판에 있어 이해 당사국의 지위와 가장 밀접한 관련을 가진 결정적 기일의 문제가 처음으로 떠오른다. 이는 소송절차상 기술의 하나로 대체적으로 결정적 기일을 설정해 증거의 허용시점을 결정 하지만 경우에 따라서는 결정적 기일을 명시하지 않고 모든 증거들을 다 검토하는 경우도 있으며, 혹은 결정적 기일을 명시하더라도 그 이후의 행위들을 완전히 배제하지 않는 경향을 보여주고 있다.

그리고 재판소는 영역주권에 관한 분쟁에서 제출된 모든 권원자료를 분석해서 보통 주권 청구국측이 타국보다 우선하는 권원을 보유하고 심사하는데, 하나의 권원만으로 분쟁된 영토의 확정적 권원을 취득하는 것이 아니라 실효적 점유 또는 묵인과 응고 등의 다양한 요소와 결합해 상대적으로 우월한 권원을 입증 받은 국가가 계쟁된 지역을 차지하게 된다. 특히 할양 혹은 영토경계의 획정에 관한 조약과 같은 전통적 권원의 명확한 법적 증거를 바탕으로 분쟁도서에 대한 영유권을 인정받는 경우는 드물고, 그 보다 실효적으로 점유하여 국가기능을 지속적이고 평화적으로 전개하였다, 즉, 실효적 지배를 입증한 당사국이 영유권을 인정받는 경우가 절대적으로 많다. 그리고 이러한 실효적 점유에 있어서 계쟁당사국의 상대적인 우월에 증거하면서 동시에 그러한 국가권력의 행사가 영역주권의 존재를 증명할 만한 정도로 충분한 것 이어야 한다는 것이다. 즉, 재판소는 영유권이 인정된 국가의 행위가 영유권의 존재를 인정할 만한 정도의 국가행위였음을 강조하는 것이다. 하지만 이러한 실효적 지배의 정도는 분쟁이 되고 있는 섬의 성격, 항의의 존재 또는 국제사회의 반응 등에 따라 많은 차이가 있는 절대적 개념이 아닌 상대적 개념이다. 결론적으로 실효적 지배의 증거에 있어 양적인 우세보다는 일정수준 이상의 증거확보가 더욱 중요하다 하겠다.

영유권 분쟁의 대부분의 판결에서 공통적으로 요구하는 것이 실효적 지배이지만 그럼에도 전통적 영토권원의 중요성을 과소평가할 수는 없을 것이다. 왜냐하면 실효적 지배라는 것은 적법하게 성립한 전통적 권원을 보충하고 강화하는 역할을 하는 것이기 때문이다.

3. 일본과 대마도 관계사

일본은 일찍부터 대마도에 관심을 가지고 있었다. 그들의 기록에 의하면 까마득한 옛날 신화시대에 대마도가 등장한다. 그 예로『고사기(古事記)』와「일본서기(日本書紀)』를 들 수 있다. 이들 문헌은 모두 8세기 초엽에 편찬된 역사서이다. 이들 모두 일본이 태어나게 된 신화를 기록하고 있는데 그곳에 대마도가 들어 있다. 먼저『고사기(古事記)』부터 살펴보면

천지가 처음으로 열리던 아주 먼 옛날 이자나기, 이자나미라는 두 명의 신이 있었다. 그들은 천신의 명을 받고 일본을 만들기 위해 지상으로 내려온 신들이었다. 그러나 지상에는 땅은 없고, 물만 가득 고여 있었다. 그래서 그들은 혼인을 하여 아이를 낳듯이 토지를 8개를 낳았는데, 그것이 일본이라는 것이다. 그 8개 중 하나가 대마도라는 것이다. 그 부분의 것을 직접 인용하면

"이자나미가 쯔시마를 낳았다. 이 섬의 다른 이름은 아메노사데요리히메(天之狹手依比賣)라 한다."고 되어 있는 것이다.

이처럼 대마도는 일본 국토생성의 여신인 이자나미가 직접 낳은 신으로 되어 있다. 그만큼 일본의『고사기』에서는 대마도가 중요하게 인식되어져 그곳을 자신의 땅으로 넣고 있음을 알 수 있다.

한편『일본서기』에 기술된 대마도는 앞에서 본『고사기』의 것과는 약간의 차이점을 발견할 수 있다. 즉, 본문에서는 두 신의 결합에 의해 태어나는 섬들은 모두 8개인데 그것으로 말미암아 일본을 대팔주국(大

八洲國)이라는 이름이 생겨났다는 설명을 한 연후에 "대마와 일기도 및 작은 섬들은 바닷물의 거품이 굳어져 생겨난 것"으로 되어 있다. 그 말을 그대로 받아들인다면 대마와 일기는 중요한 섬이 아니라 다른 섬들이 생겨나는 과정에서 바닷물이 떨어져 고여 생긴 그야말로 덤으로 생겨난 섬이라는 인식을 가질 수 있다. 이처럼 일본서기에서는 『고사기』만큼 대마도가 매우 중요한 위치를 차지하는 섬은 아니었다.

그러한 인식은 본문이 아닌 다른 곳에서도 발견된다. 비교적 국토생성에 대해 자세히 기록된 「一書」의 (제1장)과 (제6장) 그리고 (제7장), (제8장), (제9장) 중에서 (제7장)의 것을 제외하고 모든 것에는 대마도 자체를 일본국토에도 넣지 않고 있다. 이와 같이 일본서기의 대마도에 대한 인식은 고사기와 사뭇 다르다. 그러나 본문과 (제7장)에서 볼 수 있듯이 대마도가 자신의 영토라는 인식이 있다는 것은 그 중요성에 차이가 있을 뿐이지 자신들의 영토라는 의식이 전혀 없는 것은 아니다.

이러한 대마도를 『위지(魏志)』에서는 왜인들의 나라 중 제일 먼저 꼽았던 것이다. 당시 왜인들에 대해 『위지(魏志)』에서는 대방이 동남, 대해의 가운데에서 산과 섬에 의해 국읍(國邑)을 이루고 살고 있는 사람들로 묘사되어 있다. 그런데 그들이 세운 나라의 수가 무릇 100여 개나 이른다고 설명하고 있다. 그 많은 나라 중 하나가 대마도라는 것이다. 이것을 사실로 받아들인다면 당시 대마도는 왜국의 연합에 속하는 한 국가이었음에 틀림없다. 특히, 당시 큐슈북부지역에 있었던 대마국(對馬國), 일기국(壹岐國), 이도국(伊都國), 노국(奴國), 말로국(末盧國), 불미국(不彌國)이 국가의 연합체를 이루고 있었다.380) 그러므로 냉정하게 생각한다면 그들의 연합이 발전하여 오늘날 일본의 고대국가를 이루

---

380) 상전정소(1983). 사마태국(邪馬台國), 일본사탐방(2). 각천서점. p.34.

었다면 그곳은 한국이 아니라 일본이라는 등식이 성립된다.

한편, 일본고사기의 기록을 바탕으로 한 평가를 종합해 보면, 울릉도와 광역 해양문화권 내부에 있는 대마도의 지역성을 입증하는데 있어서 〈우해왕과 풍미녀의 전설〉, 〈비슬산과 학포〉와 같은 한국 대마도 인물전설이 가지는 의미는 대마국에 대한 우산국에 대한 정복전쟁이 구체적으로 이루어진 결과 대마도가 우산국의 속지(屬地)로 존속한 시기가 있었다는 사실을 알려준다는데 있다. 사료에도 기술되어 있지 않은 이 사건은 풍미녀라는 대마국 공주의 실체 재구에 의해 입증될 수 있다.

"다까미무스미(高皇産靈)의 외증손으로 지상에 강림한 니니기(彌微藝)의 아들 히고호호데미(彦火火出見)가 잃어버린 형의 낚시 바늘을 찾아 헤매다가 용궁까지 가게 되었다. 그는 그곳에서 용왕의 딸 토요다마히메(豊玉姬)와 결혼하여 3년을 보낸 후 낚시 바늘을 찾아 가지고 나왔는데, 그때는 아내가 아기를 배어 만삭이 되었으므로 같이 뭍으로 나오지를 못하였다. 며칠 뒤 풍랑이 심한 어느 날 풍랑을 타고 여동생 다마요리히메(玉依姬)를 데리고 남편을 찾아 뭍으로 나왔다. 해변에 손수 산옥을 짓고 절대로 안을 들여다보지 말라고 남편에게 당부를 하였으나 이 약속을 어기는 바람에 결국 큰 뱀이 괴로워 나뒹구는 꼴을 엿보임을 당했다가 화가 난 풍옥희(豊玉姬)는 낳은 아이를 해변에 그대로 버려둔 채 우나사까(海: 용궁으로 드나드는 문으로 이곳을 헤집으면 나타나고 이곳을 메우면 사라진다는 곳)를 다시 메워서 용궁으로 돌아가고 말았다."381)

이 텍스트는 『고사기(古事記)』라는 일본 천황가의 시조신화에 편입되

---

381) 『고사기(古事記)』. 노성환(2009). 고사기. 민속원.

어 일본 건국신화로 전해오는 용녀 토요다마히메 즉, 한자식 이름 풍옥
희(豊玉姬) 이야기인데, 대마도의 토요타마쵸에 위치한 대마도 신사인
와타즈미신사(和多都美 神社)의 유래전설로도 존재한다. 이 용녀 풍옥
희(豊玉姬)의 이야기란 일본 대마도 전설은 천신(天神)과 지신(地神)의
신성혼(神聖婚)과 건국주의 탄생을 그리고 있어서 건국신화의 신화소
를 완벽히 갖추고 있으며, 지신인 모계를 해신(海神)으로 형성화 하고
있다는 점에서 대마도의 해양문화적 속성을 반영하고 있는 것으로 보인
다. 이 텍스트는 정해진 기일 동안의 약속을 깨지 말라는 약속을 어긴
남편을 원래 수성(獸性)을 지닌 신성한 존재였던 여성이 떠난다는 한국
〈우렁각시〉 설화류의 전형적인 금기구조로 되어 있다. 서사구조가 다
분히 한국의 전통적인 연원을 보여준다는 것이다. 게다가 상기 텍스트
의 공간적 배경이 되는 일본신의 신사가 모두 대마도에 존재한다는 사
실로 미루어 볼 때, 원래 대마도의 건국신화였던 것이 일본 천왕가의
본격적인 성립과 함께 일본 건국신화로 편입되었을 가능성을 생각해 볼
수 있다.

이상의 내용을 바탕으로 초기 한일관계를 전하는 일본측의 자료로서
는 『고사기(古事記)』, 『일본서기(日本書紀)』 등을 들 수 있고, 또 현재로
서는 『대마도 종가문서』, 『신대마도지』, 『신찬성씨록』과 학자들이 써둔
논문 등이 있다.[382]

1) 『고사기(古事記)』

고대 한일관계사 연구에서 현재 남아 있는 것은 『고사기(古事記)』
(712년)와 『일본서기(日本書紀)』(720년)이다. 이들 고문헌들이 오늘날

---

382) 김화홍(2005). 대마도도 한국땅. 지와사랑. pp. 285-320.

일본의 고대사 연구에 있어 단지 둘밖에 없는 귀중한 사료임에는 틀림 없으나, 사실의 결함으로 말하면 문제가 많다 할 것이다.

역사적 진실이 후세의 역사 위조자들에 의해 얼마나 혹심한 피해를 당하는가를 이 두편의 문헌에서 찾을 수 있다. 그리고 편찬 당시 사가들의 제한된 입장과 낮은 수준 때문에 과연 얼마만큼이나 역사사실에 접근했는가 조차 의문이다.

서문에 의하면 『고사기』는 천황(天明)의 명을 받은 오노 야스마로(太安萬侶)가 712년(和銅 5년)에 히에다노아제(稗田安禮)라는 사람이 외우고 있는 기록들을 한자의 음과 뜻을 빌려 써서 세 권으로 만들어 바친 것이라 한다. 그런데 7세기에 일본 야마토 왕정 내의 최강의 문벌이며 패권자였다고 하는 소가(蘇我)씨(신라계)는 일본 왕실의 문서와 그 밖의 기록들을 많이 갖고 있었으나, 645년에 그 집안이 망할 때 고기록의 전부가 불타 없어졌다고 한다. 70년 전에 없어진 옛 기록을 '아레'가 다 외우고 있었다는 것은 어불성설이다. 일본학자들이 말하는 바와 같이 옛 기록들을 편찬자들이 당대 집권자들의 비유에 맞추어 제멋대로 꾸몄던 것이다.

2) 『일본서기(日本書紀)』

『일본서기』는 양로(養老, 일본연호) 4년, 720년에 도네리 친왕이 천황 원명에게 써서 바친 것으로 체제는 편년체이며, 대부분 한문으로 엮어졌다.

총 30권에 두 권은 신대의 신화를 묶었다. 제 3권 이하는 『고사기』의 33대 추고(推古, 628년)를 이어 41대 지통(持統, 696년)가지를 취급하였다. 분량에 있어서 한일관계 서술은 『고사기』의 백배도 더 되며, 한국인과 한국의 전통문화를 모욕하고 멸시하는 내용이 더욱 강하다. 그러나 『일본서기』에는 왜(야마토 왕정)와 신라, 왜와 가락(미마나), 왜와 백제, 왜와 고구려와의 개별적인 관계뿐만 아니라 이들 나라의 전반적인 내용을 서술한 자료들이 있다.

한국과 왜의 관련기사 내용을 보면 『일본서기』에서 직접적으로 신라와 관련된 기사는 60개가 넘으며, 『삼국사기』의 신라와 왜 관계기사를 훨씬 초과한다. 신라관계에서는 군사행동과 같은 부정적 사건들이 많은 비중을 차지하고, 신공황후의 신라정토(200년)를 비롯하여 7세기 초까지 10여 회에 달한다. 왜와 백제의 관계기사는 80여 개가 넘지만, 대체로 긍정적 관계로 백제 왕정을 모욕하면서도 일본편인 것처럼 서술하였다. 왜와 가락국 관계내용도 30개 정도 보이는데, 연대적으로는 가장 오래되며 또한 대부분이 긍정적이다.

3) 『풍토기(風土記)』

왜는 7세기 전반기에 실시된 국군제(國郡制)에 의해 전국이 60여 개 국으로 된 화동(和銅) 6년(713년)에 여러 나라에 명하여 야마토 왕정의 지리지(地理志)를 편찬하여 바치기도 했다. 그때에 국 아래의 군·향 등에서 그 지방에 나는 동물·식물·광물의 이름, 토지의 비척, 지명의 유래 및 전설 등을 기재의 내용으로 하였다. 이것이 일본의 『풍토기』이다.

오늘날 남아 있는 것은 『하리마 풍토기』를 비롯하여 『이즈모』, 『붕고』, 『히젠』, 『히다치』 등의 다섯 개 풍토기뿐이다. 한국관계 기사는 『히다치』를 제외한 나머지 것들에 귀중한 내용이 몇 군데 전한다.

이상의 다섯 개 풍토기 외에 일본의 고문헌들에 인용된 다른 지방의 단편적인 풍토기의 기사가 전한다. 이른바 일문(逸文) 풍토기가 그것이다.

4) 『신찬성씨록』

815년 홍인(弘仁) 6년에 만다(萬多) 친왕들이 편찬한 30권의 씨성조선대장(氏姓祖先臺帳)이 있었는데, 여기에는 당시의 기내(畿內)에 살고 있었던 씨성(문벌)들의 조상을 밝혀 놓았다. 이들 문벌들은 조상에 따라 황별(皇別)·신별(神別)·제번(諸蕃) 등으로 3대별하여 서술하였는데, 오늘날 전해오는 것은 초략본밖에 없다.

황별은 천황을 조상으로 한다는 씨성들이고, 신별은 천황계통이 아닌 그 이전의 신들을 조상으로 한다는 것이며, 제번은 한국과 중국으로부터 귀화한 사람들의 자손이라는 것이다.

모두 1,100개의 씨성 중에 '제번'이 1/3을 차지하고 있는 것은 우리 귀화인들이 많았음을 증명하고, 그들이 신성시하는 황별과 신별에서도 우리 이주민의 후예가 많다는 것을 서기 등에서 고찰할 수 있다.

이 책의 편찬 당시는 일본 왕정에서는 신라에 반대하고 한국 것을 반발하는 경향이 농후하던 때로서 많은 이주민의 후손들이 족보를 위조하여 '왜인'으로 자처하게 되었다는 사실을 알아야 하겠다.

'제번'에는 중국계통이 적지 않은데 그 중에 진실로 중국사람의 자손이 얼마나 되겠는지 심히 의문이다. 십중팔구는 우리의 도래인이다.

초기 한일관계사에서 비석 같은 것에서 사료가 알려진 것은 아직 없다. 다만, 한국관계의 문자가 새겨진 두 개의 칠지도(七支刀)와 구리거울 등이 알려져 있다. 구리거울에 문자가 새겨진 것이 상당히 많은데, 일본학계에서는 한국사람이 만든 것이라고 자인한다.

5)『대마도 종가문서(宗家文書) 목록집』

종가문서 목록집은 조선시대 한일관계사는 물론 대마도와 조선정부 간의 서계목록(書契目錄)을 중심으로 외교, 통신사, 표민(漂民), 막부관계, 정치, 법률 등의 내용들이 수록되어 있어 본 내용을 기점으로 고대·중세·근대·현대로 잇는 대마도의 현주소를 찾는 데 귀중한 자료임에는 틀림없다.

그러나 지금까지 국사편찬위원회의 작업에서 18·19세기 내용이 중심이며, 고려나 조선 초기·중기의 것이 결여되어 있음이 흠으로 남는다. 이 문서는 조선 후기의 대일 관계사를 아는 데 도움을 준다.

수집된 종가문서 목록집의 내용들은 1629년(인조 7년) 이후의 것으로 주로 19세기에 해당되는 내용들이다. 대마도와의 관계문서 속에는 일본과의 교린내용과 대마도와 조선의 관계문서가 주종을 이룬다. 주로 통신사의 내용을 중심으로 외교, 무역, 왜관, 표류민 처리, 어업관계 제반사가 포함되어 있는데, 조선과 대마도 속주와의 서계 등이 수록된 중요한 자료들이다.

종가문서의 주종을 이룬 것은 19세기(순조, 헌종, 철종, 고종)의 것이며, 그 이전의 것은 숙종, 영조, 정조의 내용들이 간간히 보인다. 물론 조선 전기는 고려 말의 진봉선 무역을 중심으로 한 속주관계를 그대로 지속해 왔다.

대마도는 임진·정유재란을 겪으면서 일본의 침략에 혹독히 당했으며, 일본의 정치체제 속으로 함몰해 들어가는 과정에 놓였다. 그리고 1609년의 기유약조 체결 이후 도쿠가와(德川)막부로부터 200여 년간은 한일간의 창구로서 통신사의 주선과 외교, 무역, 표류인 처리, 각종 서계에 준하여 무역을 독점하면서 조선과의 예속관계를 취한 내용들이 주종을 이룬다.

위의 서계에서 1851년(철종 2년)에도 신해년 6월 세견선편에 대마도에서 보낸 서계와 봉진예물을 받았다는 내용 등이 조선과의 속주관계를 보여주고 있다. 즉, 경제적으로 대마도는 조선을 빼놓고는 그들의 삶을 생각할 수도 없는 고도(孤島)이고, 경제적 관계의 저변에 깔려 있는 정치적 유대관계 없이는 그들이 입고, 먹고, 살아갈 수 없다는 사실이조선 후기까지도 여전히 존재했음을 알 수 있다.

1868년의 메이지 유신 후, 일본은 천황중심 체제와 군국주의 노선을 밟으면서 폐번치현의 행정개편에서 대마도를 나가사키현에 편입시켰다. 물론 그것은 군사적·정치적 위압에 의한 조치였고, 이에 대마도는 조선과의 주종관계에서 벗어나 일본의 일방적인 통치를 받게 된다(1877년).

참고문헌

〈서적류〉

『갑신포역절왜소(甲辰包勿絕倭疏)』.

『노송당 일본행록』 2월 21일.

『답허서장서(答許書壯書)』.

『삼국사기』.

『三國史記』 卷第45 列傳 第5.

『삼국사기』 권3, 신라본기 제3, 실성왕 7년조.

『성종실록』 18년 2월 7일.

『성종실록』 25년 2월 7일.

『세종실록』 23년 11월 22일.

『세종실록』 26년 4월 30일.

『세종실록』 2년 윤 1월 10일.

『세종실록』 2년 윤 1월 23일.

『세종실록』 7년 8월 28일.

『세종실록』 권4, 8, 82 등.

『신대마도지』의 응구(應寇) 부분 참조.

『예조답대마도주(禮曹答對馬島主)』 권8.

『연산군일기』 8년 정월 19일.

『일본서기』 5 王代, 〈광개토대왕비문〉.

『일본서기』 신대 상8단.

『조선실록』 2년 8월7일.

『태백일사』 고구려 편.

『퇴계전서(退溪全書)』 권6.

『한단고기』 고구려 편.

『해사록(海槎錄)』 권3.

김부식,『삼국사기(三國史記)』.

김석형 · 조희성 저,『일본에서의 조선분국』,〈광개토대왕비문〉

김석형 · 조희성 저,『일본에서의 조선분국』.

김석형 · 조희성 저,『일본에서의 조선분국』, 태백일사 대진국 편

김상훈(2012),『일본이 숨겨오고 있는 대마도 · 독도의 비밀』, 양서각, pp.38-39.

對馬鄕土硏究會, 對馬風土記 第二十l号' 長崎：ニシキ 印刷昭和五十P九, 1984.

對州編年略 對馬島人,『藤定房』1723年, 漢 文書 全3卷 第1卷

등정향석(藤井鄕石)(昭和63),『對馬の地名とその由來』, 下卷, p.9.

『매천야록』 제5권 광무 11년(1907).

문정찬 저,『일본상고사』.

『세종실록(世宗實錄)』, 世宗八十一卷, 二十年戊午夏四月甲子{1438：(明：正統:3年) 4月 11日}

시바 료타로(司馬遼太郎)(1995),『街道をゆく』1권, p.149.

신숙주,『해동제국기(海東諸國記)』, 1471.

領木棠三(昭和47),『대주편연략(對州編年畧)』, p.35, 39

永留久惠(昭和60),『對馬の歷史探訪』, pp.130-131.

『일본서기(日本書紀)』.

中村榮孝,「受職倭の告身」,『한일관계사 연구』 상권 p.585.

출우홍명(出羽弘明)(2004), 新羅の神々と古代日本, 참조.

태백일사 대진국편.

태조실록(太祖實錄)：太祖11卷 六年 丁丑 二月庚戌{1397年(明：洪武:30年)}

태종실록(太宗實錄), 太宗 19卷 十年庚寅五月己卯{1410(明:永樂8年)5月13日}

나가도메 히사이 저, 『대마도 역사관광』.

나종우(1996), 『중세 대일교섭사연구』, 원광대학교출판국.

나종우(1996), 『중세의 대일관계』, 원광대학교출판부.

대마관광물산협회, 『국경의 섬 쓰시마를 가다!!』, p.23.

동아일보(1949), "이승만 대통령의 대마도 반환이 실지(失地)회복"임을 강조한 연말 기자 회견. 1949.12.31.

동아일보(1949), "이승만 대통령의 대마도 반환을 요구한 연두 기자 회견 기사", 1949.1.8.

문정찬 저 『일본상고사』

박평식(2009), 『대마도·일본, 그리고 우리나라』, 청주교육대학교 소책자, p.26.

성황용(1992), 『근대동양외교사』, 명지사, p.88.

영류구혜(永留久惠)(1982), 『대마의 역사탐방(對馬の歷史探訪)』, 반옥서점.

이병선(1987), 『임나국과 대마도』, 아세아문화사.

이재청(2005), 『간도에서 대마도까지』, 동아일보사.

제204차 제헌의회 국회속 기록

中村榮孝, 「受職倭の告身」, 『한일관계사 연구』, 상권 p.585.

황백현(2008), 『대마도 총람』, p.14, 42.

1930년대 군수 공업화 정책과 일본 독점 자본의 진출, 허수열, 남해문화사, 1985.

1951년 샌프란시스코조약과 독도 영유권에 관한 연구, 정갑용·Van Dyke, J. M., 한국해양수산개발원, 2005.

2007여름수련회 대마도 답사 자료집, 한국역사연구회, 한국역사연구회, 2007.

2008대마도 답사 자료집, 한국중세사학회, 한국중세사학회, 2008.

간도에서 대마도까지, 임채청 외, 동아일보사, 2005.

고사기, 노성환, 민속원, 2009.

국경의 섬 대마도, 대마관광물산협회, 대마관광물산협회, 2009.

국사大사전, 이홍직, 학원출판공사, 2003.

국어대사전 최신판, 이희승, 민중서관, 2003.

근대동양외교사, 성황용, 명지사, 1992.

대마도 역사를 따라 걷다, 이훈, 역사공간, 2005.

대마도는 신라의 속도였다, 이병선, 이회문화사, 2005.

대마도도 한국 땅, 김화홍, 지와사랑, 2005.

대마도 · 일본, 그리고 우리나라, 박평식, 청주교육대학교, 2009.

대일강화조약자료집, 이석우, 동북아역사재단, 2006.

독도 1947, 정병준, 돌베개, 2010.

독도연구, 김학준, 동북아역사재단, 2010.

독도의 영유권에 관한 국제법적 연구, 나홍주, 법서출판사, 2000.

독도의용수비대의 독도주둔 활약과 그 국제법적 고찰, 나홍주, 책과 사
     람들, 2007.

두산백과사전(http://www.encyber.com/).

부도지(符都誌), 박제상, 기린원, 1989.

부도지(符都誌), 박제상, 한문화, 2002.

사마태국(邪馬台國), 일본사탐방(2), 상전정소, 각천서점, 1983.

사진으로 본 한미족 正氣, 김경한, 인물연구소, 2002.

삼국사기(三國史記), 김부식/이병도역, 을유문화사, 1996.

연표와 사진으로 보는 일본사, 박경희, 일빛, 1990.

완전한 승리, 노병천, 성현출판사, 1998.

우리 옛지도, 이찬, 서울역사박물관, 2003.

일본 속의 백제문화, 송현섭, 한겨레, 1988.

일본이 숨겨오고 있는 대마도 · 독도의 비밀, 김상훈, 양서각, 2012.

일본제국주의 식민정책의 형성배경과 그 전개과정, 차기벽, 남해문화사, 1985.

임나국과 대마도, 이병선, 아세아문화사, 1990.

정한론의 배경과 영향, 이현희, 대왕사, 1986.

중세의 대일관계, 나종우, 원광대학교출판부, 1996.

천부경, 최치원(최동환 해설), 지혜의나무, 2000.

추계정기학술답사 소책자, 서울대학교 국사학과, 서울대학교 국사학과, 2008.

한국과 일본의 독도 영유권 논쟁, 신용하, 한양대학교 출판부, 2005.

한국령 독도: 독도의 영유권 논쟁과 대책, 차종환·신법타·김동인, 해조음, 2006.

한국사 특강, 한영우 외, 서울대학교출판부, 2005.

한국사대계, 원유한 외, 도서출판 아카데미, 1984.

한국사연표, 이만열, 역민사, 1985.

한국의 영토, 이한기, 서울대학교출판부, 1969.

漢韓大字典, 민중서림편집국, 민중서림, 2002.

Pamphlet『朝鮮通信使MAP2』, 장기현립대마역사민속자료관, 2010.

QUO VADIS,DOKDO? 독도: 어디로 가려는가, 김영구, 다솜출판사, 2005.

금양전양물어(今樣殿樣物語), 궁포일랑(宮浦一郎), 장기현입사, 1979.

대마도 역사관광, 나가도메 히사이.

대마신고(對馬新考), 도촌초길(嶋村初吉), 재서원, 2005.

대마의역사탐방(對馬の歷史探方), 영유구혜(永留久惠), 빈옥서점, 1982.

명치유신의 일조외교체제, 황야태전(荒野泰典), 길주홍문사, 1987.

三國通覽與地路程全圖 と '伊能島' の中の 獨島, 호사카 유지, 영남대 독도연구소, 2008.

일본제국주의의 민족동화정책 분석, 호사카 유우지, 제이앤씨, 2002.

〈논문 · 학술자료〉

강제동원 정책과 동원이데올로기: 1941년 노무동원 조선총독부 운용
　　계획을 중심으로, 한혜인, 한국일본어문학회 학술발표대회 논문
　　집, 2005.
대마도의 문화와 문화경관, 김일림,한국사진지리학회 사진지리, 2003.
대마도의 신라 읍락국, 이병선, 일본학지 제10집, 1990.
독도 영유권 자료의 연구, 신용하, 독도연구 보존협회, 2000.
독도의 영유권과 제2차대전의 종료, 김명기, 국제법학회론총, 1985.
동화정책 사례연구, 구광모, 한국정책학회 학술대회, 2005.
동화정책론, 권태억, 역사학보, 2001.
러시아 쿠릴열도에 관한 러 · 일 분쟁사 연구, 박종효, 군사, 2011.
미국 국립문서보관소 소장 독도 관련 자료, 이석우, 서울국제법연구,
　　2002.
미국 국무성 문서조사에 의거한 1951년 샌프란시스코평화조약과 독도
　　문제, 국제법의 최근동향과 한국의 현실문제, 김채형, 2007년 국
　　제법학자대회, 2007.
민 · 관의 활동에서 본 쓰시마시의 지역 활성화 정책, 신영균,대한지리
　　학회지, 2008.
샌프란시스코평화조약상의 독도 영유권, 김채형, 국제법학회논총, 2007.
영토취득과 실효적 지배기준에 대한 연구, 김채형, 국제법학회논집, 2009.
인도네시아와 말레이시아 간의 도서 분쟁사안 연구, 정민정, 서울국제
　　법연구, 2005.
일본의 독도 영유권 주장의 부당성과 남북 간의 협력방안, 이장희, 안암
　　법학, 2002.
일본의 식민 '동화정책'에 관한 연구, 홍일표, 서울大석사학위논문, 1999.
일제강점기 조선에 대한 식민지정책의 변화연구, 오세원, 일본어문학, 2005.

일제의 조선지배정책, 강창일, 역사와 현실, 1994.
전후 영토처리와 국제법상의 독도 영유권, 제성호, 서울국제법연구, 2008.
전후 한일관계와 샌프란시스코 평화조약, 박진희, 한국사연구, 2005.
샌프란시스코 평화조약과 '러스크 서한', 호사카 유지, 일본문화연구, 2012.
ふるさとの太鼓:長崎県における郷土芸能の創出と地域文化のゆくえ, 八木康幸, 人文地理, 1994.

〈외국자료〉

Aduard. L. V.(1954). Japan: Form Surrender to Peace, Praege. pp.103-104.

Arbitral Award on the Subject of the Difference Relative to the Sovereignty over Clipperton Island. AJIL, Vol.26, 1932, p.394.

Article 31 General rule of interpretation: 1. A treaty shall be interpreted in good faith in Article 31 General rule of interpretation : 1. A treaty shall be interpreted in good faith inaaccordance with the ordinary meaning to be given to the terms of the treaty in their context and in the light of its object and purpose.

Emmanuel Victor(1931). Clippert on Island Case. AJIL, 26, pp.390-397.

Entered according to Act of Congress. in the year 1855, by the J. H. Colton & Co. in the clerks office of the District Court of the United Sates for the Southern District of New York.

General Headquarters, Supreme Commander for the Allied Power, Memorandum for General MacArthur; Outline and Various Sections of Draft Treaty, [USNARA/740.0011 PW(PEACE)/3-2047],

1947.; http://theargus.org/detail.asp?p_ho=390&p_key=
ar390OPINION2&p_idx=466&p_section=OPINION

http://www.mofa.go.jp/mofaj/area/takeshima/index.html.

Japan renounces all right, title and claim to Formosa and the
Pescadores.

Japan renounces all right, title and claim to the Kurile Islands, and
to that portion of Sakhalin and the islands adjacent to it over
which Japan acquired sovereignty as a consequence of the
Treaty of Portsmouth of 5 September 1905.

Japan, recognizing the independence of Korea, renounces all right,
title and claim to Korea, including the islands of Quelpart, Port
Hamilton and Dagelet.

KMI Issue Briefing 12-210호, 2012.

Manuscript map of harbor of Simoda(Shimoda), Japan, compiled in
1854 by surveyors with Commodore Matthew Perry's fleet, to
accompany the American treaty with Japan.

Min Pyong-gi(1996). The San Francisco Peace Treaty and The
Korea-Japan Relations, Koreana Quarterly, 8(9), pp.72-74.;

Permanent Court of Arbitration(1933). World Court Reports. U.N.R.I.A.A.
Vol.2, pp.829-836.

Rosenne, S.(1950). The Effect of Change of Sovereignty upon
Municipal Law. British Yearbook of International Law, 17,
p.268.

Sovereignty over Pulau Ligitan and Pulau Sipadan(Indonesia
/Malaysia) (ICJ Dec. 17, 2002), available at http://www.icj-icj.org.

U.S. v. The Netherland, 2 RIAA 829, 1982.

USDOS, (Office Memorandum; Attached Treaty Draft, ([USNARA/ 740.0011 PW (PEACE)/10-1449), 1949.10.14.

USDOS, Draft Treaty of Peace with Japan on December 29, 1949, [USNARA/Doc. No.N/A], 1949.

USDOS, Office Memorandum from Mr. Borton to Mr. Bohlen; Draft Treaty of Peace for Japan, 1947/8/6, [USNARA/740.0011 PW (PEACE)/8-647 CS/W].

USDOS, Office of the Secretary, Memorandum to Mr. Thorp from Mr. Dulles; Japanese Treaty, [USNARA/694.001/8-950 CS/H], 1950. 8. 9.

Willian, J.(1965). Sebald with Russell Brines, With MacArthur in Japan: A Personal History of the Occupation, W. W. Norton & Company, Inc., New York. pp.243-244, p.246, p.249.

Zanard, R. J.(1953). An Introduction to the Japanese Peace Treaty and Allied Documents. The Georgetown Law Journal, 40, p.92.

〈기타〉

독도 영유권 문제와 샌프란시스코조약, 신용하, 독도 영유권 학술 심포지엄, 2001.

일본 역사교과서의 한국관련 내용 조사분석 및 시정자료 개발. 2003년도 교육인적자원부 위탁 연구과제결과보고서, 한국정신문화연구원, 한국정신문화연구원, 2003.

일본 열도에 흐르는 한국혼, 김달수, 동아일본사, 1993.

경향신문, 1951년 7월 17일자, 1951.

국경의 섬 쓰시마를 가다!!, 대마관광물산협회.

독도는 한국 땅 일본도 인정, 동아일보, 2005년 2월 23일자, 2005.

이래도 독도가 일본 땅인가…영정부 한영토 규정 지도 나와, 동아일보,
    2005년 2월 28일자, 2005.
매일신문, 1960년 3월 9일자, 1960.
독도 한국영토 규정 영국 정부 지도 발굴, 연합뉴스, 2005년 2월 27
    일자, 2005.
오마이뉴스, http://www.ohmynews.com/NWS_Web/view/at_pg. aspx?CNTN_
    CD=A000.
장기신문(長埼新聞), 2010年 6月 5日 字, 15面, 2010.
조일신문, 1977년 4월 7일자, 1977.
중앙일보 보도자료, http://zkvoxuc.tistory.com/26, 2009.3.27., 2009.